人類学者がのぞいた北朝鮮

苦難と微笑の国

著　鄭炳浩
訳　金敬黙
　　徐淑美

青土社

人類学者がのぞいた北朝鮮——苦難と微笑の国　目次

日本語版によせて 7

はじめに 9

第一章　青年将軍 19

1　「いかに共和国が困難な状況でも」―核爆弾と交渉戦略 19
2　「ザッザッザッの足音」―世襲と変化 30
3　「外貨稼ぎの労働者」―理念から発展へ 37
4　「社会主義文明国」―挫折と飛躍 45

第二章　幸福を教示する国 59

1　「わたしたちは幸せです」―関係と帰属意識 59
2　「子どもはこの国の王さまです」―子どもたちの栄養食 76
3　「愛しの将軍《チャングンニム》」―恋慕と賛歌 89

第三章　父の国の教育 101

1　「革命の最高種子」―孤児たちの父 101
2　「他国で育つ子女」―里子の政治 108
3　「三つ子は国の宝物」―社会工学の実験 119

4 「教授の息子は教授に、農民の息子は農民に」―教育と階級の再生産 124

第四章 「太陽民族」の誕生 139
1 「お日さまとひまわり」―首領と人民 139
2 「故郷の家から宮殿まで」―神話と巡礼 146
3 「首領は永遠に私たちと共におられる」―永生と復活 159
4 「三人の将軍伝説」―白頭血統の誕生 163
5 「アリラン公演」―劇場国家の祝祭 168

第五章 パルチザンと苦難の行軍 183
1 「アメ公どもの鼻っぱしらを折ってやる」―抵抗の歴史 183
2 「朝鮮がなければ世界もない」―先軍政治 191
3 広く、深く、静かな飢え―大飢饉の傷あと 209
4 「苦難の行軍」―災難と美化 222
5 虫下しと栄養サプリ―飢饉救済と官僚主義の壁 231

第六章 差別と処罰 247
1 「地方進出の指令が下りた」―中心と周縁 247
2 「地主だったのですか」―階級と成分 255

3「成分が純粋なので」―純粋と汚染 261
4「革命の両輪」―男性と女性 269
5「録音している音が聞こえませんか」―監視と処罰 274

第七章 底辺の流れ 285
1「必要な道を模索することもある」―非公式経済 285
2「朝鮮のほうが資本主義的です」―公式と非公式 296
3「白米と肉のスープ、錦の衣と瓦屋根」―実現できなかった夢 305
4「こういうのがいちばん楽しいんだよな」―遊びと笑い 321
5「私たちは教養がしっかりしているので」―組織生活と役割劇 332

おわりに 347
謝辞 357
出典注 361
訳者あとがき 373
図版出典・提供者一覧 i

人類学者がのぞいた北朝鮮——苦難と微笑の国

凡例

・本文注は★で各章末に、出典注は☆で巻末に付した。
・〔 〕内は訳者による注を示す。

日本語版によせて

「君たちは統一した祖国で、南も北も自由に行き来したまえ！」

麦わら帽子をかぶった老人が仔馬に子どもを乗せて、白線で描かれた朝鮮半島の地図上をぐるりと回りながら大きな声を出した。それは、大阪の小学校の近所で農業に携わる日本人の華房良輔さんだった。大阪の在日コリアンたちの「民族フェスティバル」が催された小学校には、彼が設けた小さな動物園があった。私は彼になぜこうした活動に携わっているのか聞いた。「日本の代わりに分断された朝鮮に申し訳なくて……」という返事が返ってきた。

太平洋戦争時、軍国少年であった彼は、朝鮮人や中国人を差別することが「大和魂」であると考えていたが、敗戦後「騙されていた」ことを知り、傷ついたすべての人びとに謝罪の気持ちで何らかの償いを続けることを決心したという。数年前にそんな彼が「お先に失礼します。ごゆっくり」という短い告別の挨拶を残してこの世を去った。生前、彼は北朝鮮について知りたがっていた。私がそこで直接見て感じた物語を綴った本書を今は亡き華房のおじさんに捧げる。

北海道の小さな寺院の住職である殿平善彦さんは私の旧友の一人である。彼は私を山奥の白樺林に連れていき、その地で眠る帰郷できなかった朝鮮人の犠牲者と出会わせてくれた。私たちの友情が架け橋となり過去二〇年間、韓国と日本の多くの若者たちが共に強制労働の犠牲者の遺骨を発掘した。

加害と被害の歴史を越えて真実を究明しようと集まった彼らは、互いの言葉を学び、協力しあって生きていく方法を身につけている。真実は、真の和解の出発点になった。

北海道で納められた北朝鮮出身の犠牲者の遺骨を遺族たちに返そうと、殿平住職は二回ほど平壌を訪ねた。その地は容易に理解できる場所ではなかった。「まるでアニメの世界だった！」平壌から戻った彼は、首を横に振りながらため息をついた。同じような苦境に晒された私自身の北朝鮮に対する誤解と理解のプロセスを、この本を通じて読者と分かち合いたいと思う。

日本には在日コリアンの友人が何人もいる。特に遺骨発掘を共にした朝鮮学校の学生たちのことが思い浮かぶ。発掘の最終日には夜明けまで話し合った。暮れていく月を眺めていた朝鮮大学校の女学生が泣きながら言った。「統一しても私たち在日コリアンは再び差別されるかもしれません」。植民地と冷戦の狭間を生きのびてきたマイノリティの経験が南北コリアと日本の平等な出会いの道しるべとなることを願う。

本書の訳者である金敬黙教授とは一九九八年東京で初めて出会った。当時彼は北朝鮮への人道支援活動に情熱的に関わっていた。共訳者である徐淑美さんも日本と韓国、北朝鮮、中国の平和を夢見る様々な活動に取り組んできた。国境を越えた友情の実としての本書が、今も東アジアで蔓延している嫌悪の政治を乗り越えて、相互理解と共感の未来への扉を開くための礎《いしずえ》となることを願う。

二〇二二年八月

鄭炳浩

はじめに

板門店での南北首脳会談を取材するためプレスセンターに集まった全世界の取材陣三〇〇〇名あまりが一斉に歓声を上げ、拍手と笑い声がはじける。二〇一八年四月二七日、初めて軍事境界線を越えてきた北朝鮮の指導者・金正恩《キムジョンウン》委員長が韓国の文在寅《ムンジェイン》大統領の手をとって二人で北側へと線を越えたのち、改めて南側にやってくるというパフォーマンスを演出した。テレビ中継を息を呑んで見守っていた私も、声をあげて拍手した。感動のあまり涙が出たという人もいた。

子どものように手をとりあって厳重な境界線を笑顔で越えた二人の首脳に、世界は熱狂した。ほんの数か月前まで核戦争を起こすと言って世界を緊張させていた北朝鮮の指導者が、歴史的な南北首脳会談の最初の場面をこんな型破りなパフォーマンスから始めたのだから。最後に残った世界的な冷戦地域の最前線で、境界線を越える自由を持つ唯一の人物は自分なのだと見せつける行動だったともいえよう。この即興パフォーマンスひとつで、金正恩はグローバルな政治舞台の「嫌われ者」から「スター」となり、韓国の若者の間では、いわゆる「芸人気質」溢れる青年ということになった。

こうした即興性は板門店の宴会場でも発揮された。「文大統領は遠くまでいらしたのだから、お気楽になさって……あ、遠いだなんて言っちゃいけないな」。北朝鮮の最高指導者、金正恩が述べた言葉だ〔南北の物理的な距離、そして心理的な距離について含みを持たせている〕。平壌から板門店に冷麺を持ってきた事情を説明しながら、ため口のようなニュアンスも織り交ぜつつ、独り言もしくは自分の妹に言うかのように、目の前に座る韓国大統領や参席者全員に聞こえるウィットを発したのだ。翌日から韓国中の冷麺店に長い行列ができた。

ほんの少し前まで、彼の前で居眠りしたり態度が悪ければすぐさま捕らえられ、粛清されると恐れられていた権力者が、いきなり人間味を感じさせる言動を見せたことで、以前の威圧的なイメージと言説はかすんでしまった。絶対的な権力の象徴が自分の失敗をおどけながら認めるという人間的な面を演出することで、緊張しがちな公式の場を安心して感情表現のできる私的な場へと転換させたのだ。

南北首脳会談の歴史を振り返ると、こうした意外性のあるパフォーマンスの元祖は金正恩の父である金正日《キムジョンイル》であろう。二〇〇〇年六月、分断後初めて平壌を訪問した金大中《キムデジュン》大統領が順安《スナン》飛行場に到着すると、金正日総書記は飛行機のタラップの下まで歩いて行って出迎えた。現在では当然のことに思えるだろうが、当時としては予想もできない行動だった。社会主義国家のなかで唯一権力を世襲した金正日は、世界政治の表舞台では声すら知らせない引きこもり型の独裁者であり、彼の猟奇的なイメージと不確かな噂を全世界のマスコミが一方的に消費している状況だった。彼がいったい、いつどんな姿でどうやって現れるか、韓国のみならず世界が注目していた。その謎に包まれた北朝鮮の指導者が満面の笑顔で韓国の指導者を出迎えたのを見て、「ああ良かった、最低限の礼儀はわきまえている人間なのだな」と安心した記憶がよみがえる。その後も彼の破格の歓待ぶりは続いた。

金正日総書記は年長者である金大中大統領を儒教的な礼節にあわせて丁重にもてなしながらも、次々と闊達に冗談を飛ばした。有名な「離散家族の冗談」の例を挙げてみよう。上座に南北首脳だけが座るよう配置された公式宴会場に入ると、金正日総書記は離れて座っているファーストレディの李姫鎬《イヒホ》女史の席を金大中大統領の横に移すように指示しながら、「ここまで来て離散家族になろうというんですか」と言って場内の爆笑と拍手を誘った。当時、離散家族問題は南北関係において最大の懸念事項であり、宴会の席上で言及するにはかなりセンシティブな話題だった。そのテーマに冗談めかして触れ、公式の席上で認める豪放な態度を見せたのだ。また、この問題の解決のカギは自分が握っているという事実を象徴的に見せつけた場面だったとも言える。こうした型破りな言動と即興性によって、韓国社会では金正日総書記への好感度と人気が急上昇した。

「最高指導者だから型破りなこともでき、即興性も発揮できるのだろう」と思われる方もいるだろう。もちろんほかの社会と同じく、北朝鮮でも高位であるほど公的な場で柔軟に冗談を言い、型破りな演出もしやすくはなる。しかし、私が出会った北朝鮮の人びとは老若男女、地位の高低は言うまでもなく、公的な状況を反転させる即興性とユーモア感覚に長けている人が多かった。印象的だったいくつかの事例を紹介しよう。

大飢饉に苦しんで脱北し、中国の隠れ家を経て韓国に到着したある知識層の脱北女性をインタビューしたときのこと。モンゴルの砂漠を越えて韓国に来る脱北ルートがやっとできたころで、飢饉、難民、人権問題の研究者たちがその経験を聞こうと非公開インタビューの場を設けた。豆満江《トマンガン》を越えたあと、人身売買を含めあらゆる厳しい出来事に直面しながらも韓国に到着し、また面倒な尋問を受け、統一部のハナ院〔北朝鮮からやってきた人たちが韓国社会に定着するための研修を受ける施設〕で収容生活を経験したのち、やっと解放された状況にあった。

韓国の学者の前に座った彼女はまだ緊張の解けない憔悴しきった様子で、表情からは不安がありありと見てとれた。インタビューの手順に従って名前と生年月日を聞くと、苦労したせいでやつれて見える外見よりははるかに若い年齢だった。一方的に質問ばかりするのも心苦しく、最大限何気ない風を装って、自分は彼女よりちょっと年齢が上であることを明かした。すると突然、憐れむような目つきで私をじっと見て「昔の私の恋人と同じ年なんですね。あの人も先生のように年をとっているかと思うと、なんだか切なくなっちゃうわ」。みなの笑いがその場にはじけた。冗談ひとつでその場を公式の場から私的な場へと覆すと同時に、権力関係をも逆転させたのだ。記録のために息を殺していた私の助手たちがいちばんおもしろがっていた。

難民、脱北者、被害者として気の毒にしか思えなかった研究対象が、この瞬間に人間として、隣人として、後輩として、生きた姿となって心に迫ってきた。「そうだ、まさにこれだ」。北朝鮮の人に会うと頻繁に感じる衝撃と感動の原因が少しずつ分かってきた。道徳と規律を強制する社会的な圧迫の中で人間としての自己を守るには、小さな隙を見つけその隙を潜り抜けるための内面からの強い生命力を育てる必要がある。即興性とユーモアは、道徳で締め付けられた社会において人間性を確認し引き上げる機能を果たす。こうした「生の技法」に長けた達人たちの「隙間の諧謔《ユーモア》」に接すると、自由な空間でのらりくらりと暮らしてきた私のような人間は感動し畏敬の念すら覚える。

もちろん、権力者の統治術と、権力統制のもとで暮らす人びとの戦略的な笑いは、まったく異なるレベルの現象だ。しかし文化パターンの面では通じるところがある。ある種の言語文法のように、長い時間をかけて築かれた社会関係と長きにわたる社会化の過程を通じて体に染みついているものだからだ。似通った方式の即興性と型破りな場面を演出する様子は、教育を受けた大人だけでなく子どもたちにも見受けられる。

脱北青少年が自分のことを演劇にして披露する劇の公演があった。咸鏡北道《ハムギョンブクド》で人民学校（現在の小学校）四年生のときから「コッチェビ（浮浪児）」生活をし、中国に渡って韓国に来たグァンホ（仮名）が主人公だった。幼い頃から波乱万丈の苦労を経て到着したソウルで、とうとう賃貸アパートに入って一人で暮らすようになったグァンホの誕生日、ともに脱北した友人がケーキを持ってやってきた。北では見ることすらなかった誕生日ケーキを囲んで韓国に来てから知ったバースデーソングを歌い、ろうそくを吹き消すという段取りになっていた。みんなが手をたたいてろうそくを消せとはやしたところ、突然グァンホが台本にないセリフを述べた。「ろうそくは消さないで、消さないで」。みんながざわついた。「こんな素敵な日、初めてだよ。ろうそくを消しちゃったら、終わっちゃう」客席と舞台で笑いと拍手がわいた。ろうそくが全部燃え尽きるまで見守ったのち、あちこちで涙をぬぐう人たちの姿があった。

二〇一八年、北朝鮮とアメリカが非核化協議を再開した。次から次へと繰り出される会談のニュースに接するたび、私が北の当局者に会って緊急救援の協議をした昔が思い出される。双方の代表団が豪華な会議場とホテルを転々としながら、握手―笑顔―対話―葛藤―暴言―決裂―批難、また握手―笑顔―対話……という過程を繰り返しているさまが目に浮かぶ。北はいつものように、相手を非難する道徳主義的（道徳的というのではなく）主張と「一気に《タンスメ》」意を成し遂げてしまおうとする一方的な態度、自尊心と決死抗戦の意志で交渉に臨んでいるはずだ。

決然たる態度と柔軟な演技力は北朝鮮の指導者やエリート集団にのみに限られた行動パターンではない。年齢と階層を越えて多くの北朝鮮の人びとの体と心に内面化されたものであり、社会的な生存戦略であるともいえる。会議場で会った北の代表と似たような行動パターンで、自尊心を守ろうとした脱北少年の葛藤と交渉の様子は今も記憶に新しい〔第一章参照〕。戦争を起こすとか、相手を侮辱するような言葉は威嚇でもあるが、悲鳴でもある。私たちを認めてくれ、そして理解してくれという切迫した人びとの話法でありふるまいなのだ。武器を置かせるためには、まずその心を知らなくてはいけない。

今日の北朝鮮の変化と今後展開するであろう状況を理解するには、彼らがこれまでどのような条件下で何を経験して生きてきたのか、そしてその過程でどんな価値観と規範、生活様式を体得して内面化したのかを知らなくてはならない。北朝鮮社会が大飢饉で苦しんだ時期から、私は飢餓の影響を受けた子どもたちの支援活動のために平壌と周辺地域を訪問し、豆満江《トマンガン》と鴨緑江《アムロクガン》のほとりで脱北した人びとに会い、韓国に到着した脱北青少年の教育に携わってきた。この二〇年で韓国の文化人類学者として、また支援活動のスタッフとして、そして教育者として見聞きし経験した北朝鮮の人びとの生と文化について、この本を通じて分かち合えたらと思う。

一九九六年の春、無心にこちらを見つめる痩せた子どもの写真を見た。食べることもできず病にかかって死んでいく北朝鮮の子どもたちというキャプションがついていた。大学で人類学を教えながら、共働きの親たちとともに共同育児運動〔子育てについての志を同じくする親や保育士、地域住民らが共同で子育てに参画する運動〕をしていた私は、ソウルの新村《シンチョン》にある保育園で園長もつとめていた。そのときふと写真の中で力なくこちらを見ている子どもの顔と、昼寝から覚めてぼんやりあくびをしている保育園の子どもの顔が重なって見えた。それほどに子どもたちは似通っていた。はじめは水害義援金を集める活動でもしてそれを送ればいいだろうくらいに思っていた。当時の私にはその食糧問題が北朝鮮という国家と人びと自体を根本的に変える大事件であり、北朝鮮の長い変化の始まりであろうとは知る由もなかった。また、このことが二〇年以上にもわたって私の人生に影響を与える転機になるとは思ってもいなかった。

飢饉に襲われた北朝鮮の子どもたちの救援活動に携わりながら、私は十数回にわたり北朝鮮を訪問した。訪問当時に目撃したいわゆる「苦難の行軍」〔一九九〇年代中盤に発生した食糧難をはじめとする経済的苦境を乗り越えることを植民地時代の抗日パルチザンの行軍になぞらえたスローガン〕をしている無数の人びとの凄惨な姿は今も忘れられない。当時出会った子どもたちはいま、金正恩時代の若者世代として成長しているだろう。飢饉支援のために私は立ち上がったが、北朝鮮への訪問は文化人類学者として千載一遇のフィールドワークのチャンスでもあった。北朝鮮は、行きたいからといって行ける場所ではない。まして長期間現地に滞在したり、そこに暮らす人びとの日常生活に参与することはできないが、ひとつの文化が総体的に息づき動いている様子を現地で観察しながら私は新たに多くのことを理解するようになった。

私は北朝鮮社会から離脱した人びととも深く長く付き合ってきた。一九九九年の夏と冬、豆満江と鴨緑江のほとりで国境を越えてきた人びとに出会い、実態調査を始めた。二〇〇一年からは韓国に到着した脱北者の子どもたちのために統一部のハナ院の中に「ハナドゥル学校」を設立して、大飢饉で傷ついた子どもたちを癒す教育を始めた。その後、家族と離れて一人で入国した無縁故青少年のためのグループホーム、韓国の学校で苦労している小中学生のための地域子どもセンター、学校の外に移住青少年を支援するための青少年センターなどを次々と設立し、南と北、異なる文化で暮らしてきた人びとの間の相互理解プログラムをつくろうと努力を重ねてきた。脱北者が韓国社会に定着するために研究と実践結果を集めた共著『ウェルカム トゥ コリア――北朝鮮の人びとの韓国暮らし』〔『웰컴

투 코리아：북조선 사람들의 남한살이』（정병호、정우택、정진경 편、한양대학교출판부、二〇〇六）にまとめた。

二〇〇八年以降は南北関係が膠着し、訪朝計画を実現できないことが続いた。進めていた栄養支援と教育支援事業が制約を受けたこの時期、むしろこれまで十分に見ることができなかった文献、映像、記録などを勉強しなおす機会を得た。北朝鮮の象徴政治と世襲権力についての人類学的な理論分析を土台に『「劇場国家」北朝鮮——カリスマ権力はいかに世襲されたのか』（『극장국가 북한：카리스마 권력은 어떻게 세습되는가』（권헌익、정병호、창비、二〇一三））という権憲益《クォンホニク》との共著を出すことができた。

本書、『人類学者がのぞいた北朝鮮——苦難と微笑の国』は、理論書というよりも文化人類学者である私が直接観察し、経験した北朝鮮文化についての現地記録である。「苦難」と「微笑」は北朝鮮という国の核心的な文化概念と言える。国家的な叙事と権力演出の次元でもそうだが、個人的な日常と自己演出の面でもそうなのだ。飢饉によって極度の苦しみにあえいだ人民たちに「行く道は険しくとも、笑顔で行こう」などというスローガンを掲げていた劇場国家北朝鮮の文化の特色は、そこかしこに現れている。「大集団体操と芸術公演『アリラン』」（以下、「アリラン公演」＝マスゲーム）のなかの体操「にっこり笑おう」では、激しい動作に息を切らしながらも数千名の子どもたちが微笑み続けている。

文化は想像よりも早く変化する。特にひとつの民族が「韓国（大韓民国）」と「朝鮮（朝鮮民主主義人民共和国）」というふたつの国家を建設し暮らしてきた七〇年あまりは戦争と離散、冷戦と産業化という激動の歴史を経験した。ふたつの国家はそれぞれ異なる方式の近代化を推進しながら異なる性格の「国民」を作り上げた。

韓国人の多くは、分断がつくった文化的な異質性は簡単に消し去ることができるだろうと楽観している。ひとつの民族としての文化的同質性を再確認し、回復すればいいだろうと考える。しかし、過去の同質性は回復しない。すでに大きく変わってしまった南の私たちは、過去に戻ることはできない。北の彼らも同じことだ。お互いの違いをそのまま理解する作業がまず必要だ。文化人類学者の使命は、異質に見える文化であってもその文化に対する偏見と固定観念を改めることのできる文化理解のメガネを処方することだという。この本が分断時代の南と北がお互いの文化をもう少し鮮明に見ることができるメガネの役割を果たすことを期待している。

南北首脳の板門店会談と白頭山天池《ペクトゥサンチョンジ》訪問を見守りながら、南北を隔てる障壁がなくなり、別れ別れとなったふたつの道も、ともに並び進むことができるという夢を見ることができるようになった。まだ米朝非核化会談と戦争平和協定に至る道は遠く、暗雲がたちこめている現実に心が塞ぐこともあるが、時折顔をのぞかせる太陽は長い梅雨の終わりを予想させる。二つに分岐した道で別れ、異なる長い道のりを歩んできた南と北が、とうとう再び出会いともに並んで歩むことのできる日、お互いをしっかりと理解し温もりを分かち合いともに暮らせることを願って。

第一章　青年将軍

1　「いかに共和国が困難な状況でも」――核爆弾と交渉戦略

「みなさん、やっと苦の先に楽が見えてきました。私たちの新たな夜明けが来ているのです」。二〇〇六年一〇月、最初の核実験を前にして、金正日《キムジョンイル》が最高幹部に述べたとされる言葉だ[☆1]。苦労の末に「楽」だって？　苦労の延長、いや新たな苦難の始まりになるかもしれない時点での言葉だ。実際このあと一二年の間に六回行われた核実験とミサイル開発で、国際社会による制裁はさらに強化され、北朝鮮の孤立と困難はきわまり、隣国は核戦争の恐怖におびえることとなった。北朝鮮の核爆弾は指導者の執着なのか、権力エリート集団の決定なのか、人民の総意なのかが気になる。なぜそんな決定を下したのか。そしてなぜこれほどまでの厳しい道を走り続けるのか。度重なる核交渉でいったい何が解決するというのか。素朴な体験だが、北朝鮮を理解するのに参考になるような昔話をひとつ紹介しよう。

「一気《タンスメ》に！」ミサイルと食糧支援

大飢饉の被害が深まり、社会機能が麻痺していた一九九八年八月三一日、北朝鮮は最初の長距離弾道ミサイル（テポドン一号、北の主張では人工衛星光明星号《クァンミョンソン》）を発射した。金正日国防委員長の再任を祝う祝砲であり、先軍政治〔朝鮮人民軍が強い影響力を持つ政治体制〕の幕開けを知らせる信号弾でもあった。国際社会の支援物資でかろうじて延命していた北朝鮮が、予想だにしない方法で、その存在と今後の方針を全世界に知らしめたのだ。まさにそのころ北京で北朝鮮側の代表団と子ども向け食糧支援について協議をしていた私は、ミサイル発射のニュースに接して落胆した姿で戻っていった彼らが、一晩たって意気揚々と現れるという劇的な変化を目の当たりにした。そんな出会いを通して、核およびミサイル開発の動機とそのしわよせを彼らがどんな論理で合理化しているかを少しずつ理解するようになった。

当時私は対北朝鮮支援に携わる民間団体の一員として、初めて北朝鮮当局者に会いに北京に行っていた。一九九五年に始まった大飢饉により、すでに一〇〇万人以上の死傷者が発生し、子どもと母親、そして青少年の栄養失調といった、未来を担う世代の発育成長問題が広がっていた。そのまま放っておけば近いうちに体制崩壊するだろうという予測から、韓国の金泳三《キムヨンサム》政権は赤十字社や国連機関を通じた対北朝鮮支援すら妨げようと圧力をかけたが、大飢饉の傷跡が広まり深まるだけで、国自体は崩壊の兆しすら見せなかった。一九九八年二月にスタートした金大中《キムデジュン》政権は、その間せき止められていたＮＧＯの人道的な支援のための北朝鮮接触をおそるおそる承認し始めた。政府レベルでは、ＩＭＦ通貨危機のためいわゆる「太陽政策」もまともにできない状況にあった。

北側の相手は、南北当局者会談にも参席していたことのある交渉のプロ、こちらはＮＧＯの活動だけをしてきた交渉素人の大学教授たちだった。文化人類学者として私はフィールドワークをするような姿勢で相手を理解しようと心を決めていた。素人の純真な好奇心と質問を重視することにした。交渉内容以上に、その過程に対する観察と理解こそが、今後彼らとやっていくには重要な財産になるだろうと思ったからだ。当時の興奮と旺盛な好奇心を思い出すと今もワクワクする。

まず、協議の会場からして奇妙であった。北京のケンピンスキーホテルという五つ星ホテルだった。北の代表団は国際的な支援事業の協議のために、ここで既に八〇日も滞在しているという。貧しいNGOのスタッフとしては当惑した。協議のためだけに二日間もこんなホテルに宿泊費を払うなんて本当に理不尽だった。派手なロビーで初めて挨拶を交わし、我々の予定している支援物資の規模を尋ねた最初の一言で、彼らがなぜこれほど高いホテルに泊まっているのかを理解した。「昨日もカナダの支援団体と三〇〇万ドルの小麦支援の協議をしたんですが……そちらは（量も額も）どれくらいになりますかね？」私たちが何回も募金活動を繰り返しやっとのことで準備した数万ドルになろうかという規模の支援物資が、突然貧弱に思えてきた。数十万ドルならまあなんとか話になる、といった口ぶりであった。

北朝鮮の大変な側面ばかりを思い浮かべ、その国を代表する人たちが物乞いのように必死で手を差し出してくると思っていなかったか、韓国社会で無意識に培われた先入観を思い返した。数百万の飢えた子どもたちを「支援」するなどと言いながら、たった数千缶の粉ミルクしか準備してこなかったことを恥じた。募金活動の際には「軍事用」に転用されるだろうという嫌味、「ばらまき」になるのではないかという懸念も聞かされつつ、紆余曲折を経てやってきたのだった。やっとの思いで支援物資を集めたこちらの誠意をそのまま伝えれば通じるだろうと思っていた。

いざ協議を始めてみると、さらに大きなカルチャーショックを受けることとなった。「南の子どもたちが心を込めて集めたお米とお金で準備したもので、たいした量ではないですが北の子どもたちにプレゼントしたいと思っているのです」と、最大の謙遜を込めて話した。彼らは、一言「いらない」と言ってのけた。思ってもみないことだった。「共和国がいくら厳しい状況であろうと、ハナタレ小僧のはした金まで受け取れない」というのである。「そんな大した量にもならないものすら受け取ったと、共和国の威信を傷つける宣伝をするんだろう」という彼ら独自の説明までついてきた。人道支援なんて「バラまき」であるという南での批判をかわしたと思ったら、「自尊心」という北の壁に直面することとなったのだった。

その後二日間、三回におよぶ長時間の交渉の末、やっと支援方法の合意に至った。はじめは物資の種類について、二回目は量について、三回目は支援方法について、熾烈な交渉を行なった（くわしいことは、第二章一節で紹介する）。頑なな南の素人に出会った北のプロたちは、ひどくイライラしているようだった。ソウルで「子どものための活動」をしていたというナイーブな教授たちに当惑したともいえるだろう。会議を重ねることで彼らの話法や論理にも少しずつ慣れ、ある種のパターンが見えてきた。その典型を単純化すると次のようになる。

まず、会議の公式性を重視して、形式にのっとり笑顔で握手し挨拶を交わす。先に相手の説明をよく聞いてメモしてから、実務的な内容よりも原則的な問題を見つけ出してあげつらう。道徳的に優位に立って批判し、なじったりしながら相手を委縮させる。自分たちの主張を強い調子で述べながら、相手が受け入れなければさらに緊張度を高めて激怒し、その状態で会議を終わらせることもあれば、また議論を始めることもある。会議を再開する場合は、また笑顔で挨拶を交わし、原則と道徳で批判し……毎回同じプロセスを繰り返しながら自分たちの主張を貫徹する。あるいは、相手側の提案を調整させて最大限自分たちの立場と体面を守る。結局は受け入れるとしても、自尊心ひとつを守るためだけにその面倒なプロセスを繰り返すのである。この間、地位を問わず、対北朝鮮交渉のプロセスでいつも直面してきたこのパターンは、これからも変わらないだろう。もちろんこうした典型的な交渉パターンは公式になればなるほど自明になり、非公式で私的なやり取りの場合は状況が異なったりもする（公的状況と私的状況の厳格な行動パターンの差については、第七章五節で事例をあげて紹介する）。

厳しく辛い状況に置かれている側の彼らが、常にこうして強硬に出られる理由は、こちらが当然と考えている利益と効率よりも、彼らの道徳的な原則を重要視しているからである。実際のところ、彼らはいつでもテーブルをひっくり返すことができる。少なくともそれくらい腹を据えて交渉についている。そうした交渉の局面で、目に見える成果を出さなくてはならない外部の政治家、公務員、言論人、企業人はみな引きずりこまれてしまうことになる。焦って結果を出そうと欲を出せば、さらにひどい目にあうことになる。

支援する側としては、「ここまでして助ける必要があるのだろうか」という思いもよぎる。そもそも分断体制の当事国間の交渉は、決裂が基本である。相手に責任転嫁してしまえば、それで終わりだ。そうして無数の限界と障壁を維持することこそが分断体制だからである。分断をつくり守ろうとする権力と官僚の壁を越えてこそ、人に出会うことができ、救いの手を差し伸べることができる。子ども支援の活動をしてきた私は、その壁にぶち当たっても苦しんでいる子どもたちのことが脳裏に浮かんでしまい、とても席をけって出てくるということはできなかった。

募金を集めて支援物資を送り、相手側の感謝の言葉を聞いて握手をすれば終わるだろう、そう思っていた私たち。何回も決裂の危機に直面しながらもやっとのことで合意にたどりついたときは、まさに大事を成し遂げたといった感であった。こちらは学者だからフィールドワークをしてきたとでも思えばいいが、この程度のことをこんなにも大変な思いをして進める北側の官僚の論理はほんとうに風変わりだった。こちらが考える効率や合理性とはかけ離れた、彼らなりの原則と規範を守ることに必死なのである。

こうした会議のあとには、交渉プロセスのわだかまりを和らげ親睦を深めるための「同席食事」（会食）がなされる。北京で有名な平壌冷麺の店に入ると、食事中に緊急ニュースで中距離弾道ミサイル発射の報が入ってきた。彼らの顔色が変わった。情勢が悪化して新たな対北制裁の局面に入ることが予想された。紆余曲折の末に何とかまとまった合意も、使いものにならなくなりそうであった。残った料理を急いで平らげ、暗い顔つきで別れた。大使館から緊急招集令が出たとのことだった。

翌朝、意外にも彼らの表情は一変していた。夜通し訓示を受けたのか、自信にあふれた姿だった。ミサイル発射のような挑発の原理が少しずつ理解できるようになってきた。たしかに、国際社会の同情やら憐憫からくる支援なんてとるにたらないものだ。国際支援の対象として頻繁にあげられるアフリカの国々が実際にどのような支援を受け、いまどうなっているかを考えればすぐにわかることだ。北朝鮮はいくら大変でも、そのような国際社会からの同情を買うような貧困国扱いは受けないぞという意志が明らかだった。

個人レベルの慈善と同じように、国際支援も対象国の状況と実力に比例する傾向がある。いくら悲惨な姿で助けを乞うても、貧しい物乞いには同情が集まるだけである。身なりがきちんとしていて返済能力がありそうに見える人には、与える単位《ケタ》や支援方法が変わってくる。実力があって腹のすわった相手が「私」を傷つけるだけの力も持って堂々と要求してきたら、まったく異なる次元の話になる。大飢饉の状況にもかかわらず発射した光明星号は、まさにそんな道へ進もうとしているという宣言に聞こえた。
指導者と権力エリートの論理はさておき、切迫した困難に直面している住民がどう受け止めているのか気になるところだ。のちに平壌を訪問したとき、幼稚園の子どもたちはサッサッと行進しながら入ってくるなりミサイル発射を祝う歌を歌っていた。「アメ公の鼻っ柱をへし折ってやる！」とピョンピョン飛び跳ねて万歳を叫ぶ。子どもたちは、ミサイル発射の絵も描いていた。国と指導者に対する自負心はこうやって学ぶらしい。

ミサイルとアイドル
大陸間弾道弾の試験発射成功を祝うモランボン楽団。

一九九八年に発射した中距離ミサイルは、金正恩《キムジョンウン》時代になると大陸間弾道ミサイル（ＩＣＢＭ）に進化した。二〇一七年、新たなミサイル発射の成功を祝うモランボン楽団の大規模公演が開かれた。時代が変化した分だけ短くなったミニスカート姿のモランボン楽団は、アイドルグループのような振り付けでロック調の派手な曲を演奏した。公演のハイライトは「一気に《タンスメ》！」という曲である。次から次へと打ち上がる巨大なロケット発射の場面を背景に「タンスメ！」と声をあわせて叫び、勇ましい雰囲気で演奏がなされると、ロックコンサートのように舞台の前まで寄ってきたスーツとチョゴリの若い観客が男女問わず踊り始める。発射された大陸間弾道ミサイルが、とうとうアメリカ本土を打撃するという場面にさしかかると、舞台の前で一斉に祝砲と花火が打ちあがった。席から立ちあがって手をたたき、踊っていた観客すべてが両手を高くあげて熱烈に歓声をあげた。
北朝鮮側が公開した映像資料の画面を見ながら、二〇年前に幼稚園や人民学校（小学校）でミサイル発射を祝って歌い踊っていた子どもたちのことを思い浮かべた。当時の子どもたちが大きくなって、今は「タンスメ！」にあわせて踊っているのかと想像してみる。朴景利《パクギョンリ》先生〔韓国の作家。小説のほか詩やエッセイも執筆した〕の遺作の詩「核爆弾」は、まさにこんな光景を見越していたかのように描かれている。

核爆弾がひとつ
千辛万苦のおくりものであるそれひとつ
床板にぽつんとひとつのせられて
通行人を物色する
露天商の抜け目ない目つき
孤独な鷹のようだ

それともそれは
ひとつならどうで　千あればどうなのだ
はじけるほどの脂肪をつけた豪商であれ
憔悴した身なりの零細商であれ
信念は同じ

死への舵手であることには違いないだろう……★1

核爆弾をひとつ保有する国が、一〇〇〇も保有している国と核戦争を起こさんばかりに緊張を高め、幸いにも話し合いで解決しようといったんは合意した。太平洋越しに核爆弾を撃てる大陸間弾道弾を完成させることで、ようやく米朝間の真剣な対話が始まった。「一気に！」攻撃できる武器を持つことで、「一気に！」経済を立て直す夢を語れるようになったわけである。いざ対話が始まっても、行く道は平坦ではないはずだ。それでもその難しい対話を成功させなければ、「一気に！」のような歌と踊りを見続けることになることだろう。

「あいつの心理《きもち》を理解できませんか？」交渉の文化パターン

道徳主義と「一気に」事を成し遂げようとする態度、自尊心と決死抗戦の意志、毅然とした態度と自然な演技力は、交渉についた北朝鮮の指導者やエリート集団のみに限られた行動パターンというわけではない。年齢と階層を問わず、多くの北朝鮮の人びとが共有している文化的「ハビトゥス（habitus：心と体に染みついて内面化された習慣的な行動パターン）」であり、社会的な生存戦略といえよう。北京で会ったプロの交渉人と似たようなパターンで、自尊心を守ろうとした脱北者の子どもたちの葛藤と交渉術はいまも鮮明に覚えている。

キム ガンミョン（仮名）は、私が統一部のハナ院で脱北青少年向けの教育施設「ハナドゥル学校」を設立し、校長を務めて初期に出会った学生だ。咸鏡北道《ハムギョンブクド》の中小都市で生まれ、二〇〇〇年末に一二歳で母とともに韓国にやってきた。先に来ていた父の斡旋で豆満江を渡り、たった二週間のうちに偽造パスポートで飛行機に乗り、仁川《インチョン》空港に降りたった。まさに「直行便」〔タイやラオス、モンゴルなどの陸路を経由せずに脱北後、短期間で中国から直接韓国に来ること〕でやってきたわけだ。北朝鮮では学級委員もつとめ、少年団〔社会教育を施し国家組織の一員であることを意識化するために小中学生で構成される組織。優秀と認められた人材から順次加入するため階級制が意識される〕も率いてきたような賢い子だった。とつぜん違う世界に放り込まれてしばらくは混乱していたようだが、すぐに気を取り直し、早く実力を示してここでも認められるような学生になろうと一生懸命だった。

ガンミョンが、小学校の前にあるレンタルビデオ店で香港のアクション映画を三本借りてきたから教室でみんなと見ることにしたという。ほかの子にはできないことを初めてやりとげたと誇らしげな様子だったが、私は校長としてダメだと言った。初めのうちは、今回だけ見せてほしいとねだってきた。暴力的だから良くないと言ったところ、韓国のテレビドラマだって似たようなものなのに、なぜだめなのかと言い出した。絶対に見ると我を張りはじめたので、レンタル代は払ってあげるから返してこいと言うと、ガンミョンは激しく首を振り「お金がもったいなくて言ってるんじゃないんだ、お店の人になんて言われるか！」と食ってかかってきた。戸惑った私が、「そうやって言うことを聞かずに、わがままばかり言っているとお母さんに言いつけるぞ」と言ったとたん、急に「腸を引き裂いてやる！」と言ってとびかかってきた。子どもの目には巨人のように映っているであろう私に向かって、頑としてはむかってくる彼をひしと抱きしめると「ぼくの母さんを苦しめるなんて、おまえは何様なんだ」と泣きながら身をよじらせてもだえている。年のわりに幼稚にふるまう彼をしばらく抱きしめ押さえていると、放せという。しばらくして顔を洗い戻ってきた彼は、再び同じ表情で哀願し、駄々をこね、問いただし、意地を張り、「腸を引き裂いてやる！」とつかみかかり、押さえこむとまた出て行って、また戻ってきて挑みかかってきた。北京でのプロの交渉人と同じく、私たちから見るとつじつまの合わない行動をまったく恥じることなく何度も繰り返すのである。

見かねたコッチェビ〔路上生活をするようになった子ども〕出身の一人が「親みたいな先生にむかって、馬鹿な真似をするな」と言い出し、椅子を持ち上げて「頭をかちわってやる」と飛びかかってきたので、そちらも止めなくてはならず慌ただしい事態になった。何とか平静を保とうとする私を気の毒そうに見ていたひとりの生徒がポツリと「あいつの心理《きもち》が理解できませんか?」と言った。結局、授業が終わってから暴力的ではない映画を一本だけ見て、かわりに私が選んだ韓国映画『われらの歪んだ英雄』も見ることで合意した。夕食時に食堂に出向くと、彼は何事もなかったかのようにトレイを持ってきて、私のすぐとなりに座って話しかけてきた。そして、ヤクルト一本をそっと私のトレイの上に置いていった。

数日後、遊戯療法の専門家を招くことになった。先生はみんなに絵を描かせて、それぞれ自分の描いた絵について話をさせた。ガンミョンは、何の手もかけずにささっと描いた絵を投げつけるように寄越して、「なんでこんなくだらないことをさせるんですか」としれっと聞いた。先生はガンミョンの絵をじっと見て、「君はもっとうまく描けたはずだね」と言った。「えっ? ぼくのことがなぜわかるんですか?」一二歳にもなろうというガンミョンが、幼稚園児のように澄んだ目で聞き返した。翌日からガンミョンは専門家の先生を招いた私のそばをついて離れなくなった。

北朝鮮とアメリカが非核化交渉を始めた。私が北の当局者に初めて出会った北京のケンピンスキーホテルのような豪華なホテルを転々としながら、握手―微笑―対話―葛藤―暴言―決裂―非難、そしてまた、握手―微笑―対話……という過程を繰り返している姿が目に浮かぶ。度重なる会談のニュースに接するたびに、ガンミョンのことを思い出す。（核）戦争を起こしてやるとか、腸を引き裂いてやるといった言葉は威嚇だが、悲鳴でもある。私たちを認めてほしい、そして理解してほしいという切迫した人びとの話法でありふるまいなのだ。武器を下ろさせたければ、またその挑発をやめさせたければ、まずはその心情を知ることから始めねばならないだろう。

2 「ザッザッザッの足音」─世襲と変化

北朝鮮のカリスマ権力の三世代にわたる世襲は、劇的な演出により可能となった。[☆2] 就任当時二七歳という年齢で政治権力を継いだ金正恩を最高権力者の地位に押し上げるために、劇場国家の演出技術がふんだんに用いられた。[★2] 金正日の脳出血手術が行なわれた二〇〇八年八月以降、危機的な状況で繰り広げられた後継者の権力継承は、短期間で成し遂げる必要があったからだ。演出の核心は、正当性を担保し、変化に対する期待を込めて未来を強調することであった。金正恩の登場を予告する最初の前奏曲は、反復するリズムで演奏される「足音《パルコルム》」という童謡形式の歌であった。

ザッザッ　ザザザッと　足音
我らがキム大将の　足音
二月の精気を　振り撒いて
前へと　ザッザッザッ
足音　足音　力強く　踏み鳴らせ

国中の　山河が　喜ぶ　ザッザッザッ[★3]

二〇〇九年の春、「一五〇日戦闘（四〜九月の間に繰り広げられた食糧増産運動）」に従事した人民たちは、田植えを終えたあぜ道でこの歌を覚え始めた。[☆3] 党幹部と教師は「青年将軍キム大将同志が一五〇日戦闘の陣頭指揮をとっておられるので、みな立ち上がってこれに続こう」という内容が盛り込まれた「偉大性教養資料」を学習しなくてはならなかった。[☆4] 歌を学び学習をしたものの、だれも「キム大将」の名前も顔も知らなかった。金正日の知られていない息子のうちのひとりだろうと推し量るだけだった。二〇一〇年九月二七日、金正恩が公式に大将の称号を得て、錦繡山《クムスサン》記念宮殿の前で党代表者会の参席者と撮影した記念写真を公開されるまで、彼に関する情報は一切公開されなかった。それまでは国際社会でも金正日の専属料理人であった藤本健二が日本式の発音で紹介した「キムジョンウン（金正雲）」という名前と、子どもの頃の写真だけが掲載された推測に基づく報道のみが飛び交っていた。[☆5]

姿も見ないまま前奏曲となる「ザッザッザッの足音」だけを聞かされていた二〇〇九年の春、金正日の誕生日（二月一六日）と金日成の誕生日（四月一五日）、そして労働節《メーデー》（五月一日）に平壌の大同江《テドンガン》でえらく壮大な「祝砲夜会」が繰り広げられた。青年将軍キム大将が自ら企画指導した事業だということだった。[☆6] 国際社会は、経済的に苦しい国で派手な花火が五〇〇万ドルも費やされたという前代未聞の推定報道にあっけにとられたが[☆7]、劇場国家の新たな主演俳優の登場を国内外に知らしめるにはこれまでと異なる形での特別なファンファーレが必要だったのだろう。その祝砲夜会を金正恩自身が演出したことは、巨大な「アリラン公演」を製作し監督した父・金正日と似通った役割を彼が担うという予告であった。また、彼の舞台が規模こそ小さいものの、もっと派手で刺激的なものになることも暗示していた。実際のところ、金正恩の祝砲夜会は、度重なる長射程砲射撃訓練とミサイル発射指導へとすかさず展開していった。アメリカ大統領ドナルド・トランプは彼を「ロケットマン」と揶揄して警戒した。

「うりふたつです」

金正恩が頻繁に公式の舞台に登場するようになると、世界は彼のおかしな服装や外見にひとまず驚かされることになった。年に似合わない古風な人民服、刈り上げたヘアスタイル（いわゆる覇気カット《ペギモリ》）、丸々と太った体躯に不自然な歩き方まで、現代国家の若い指導者としてはあまりにも特異な姿であった。しかし、カリスマ権力を三代目として引き継ぐことになった後継者として、彼の外見は貪欲と怠惰の結果というよりも、特別なイメージを表現するためにつくりこまれた主演俳優の体型であると解釈すべきだろう[★4]。（韓国の俳優ソル ギョングがプロレスラー力道山を演じるため徹底的なプロ意識によって二八キロも体重を増やしたことを思い出してほしい）。

北朝鮮の人びとは、彼の外見と表情と言葉遣いから、カリスマ権力の原点である金日成を再現したものだと即座に理解した。同時にその指導者の姿から、どのような政治を行なおうとしているかも推し量ることができた。金正日を慕う詩『うりふたつです』は、そんなメッセージを彼らがどうとらえているかを示している。

そのとおりです
その名前も親しみぶかい金正恩同志は

朝鮮革命を切り拓き
勝利と栄光に導いてくださった
金日成同志であり金正日同志……[8]

悲しみの涙が
しみこむこの地に
何千何百倍も力を与えて下さった
金正恩先生
父なる将軍さまと
うりふたつです[9]

金正日が亡くなり金正恩が権力を継いだ二〇一二年、金正日に対する追慕よりも金日成の誕生一〇〇周年を記念する多様な文化行事が催され芸術作品がつくられた。金日成の死後三年の喪に服していた一九九四年に始まった、国じゅうが大飢饉に見舞われた時代の悪夢をよみがえらせないためである。金正恩は父・金正日よりも祖父・金日成の外見と統治術を再現することで「金日成の再来」という神秘主義的なイメージを伝えた。戦後の廃墟のなかで最速の経済成長を率い、英国の経済学者ジョーン・ロビンソンが「朝鮮の奇跡（KOREAN MIRACLE）を率いた救世主」とまで称賛した祖父・金日成の記憶を呼び覚ましながら、人びとに経済復興の未来という夢を見させようとしたのだ。[10]
金正恩は、革命劇の主人公のように登場し、当代の「社会的ドラマ」（social drama＝劇的で躍動的な社会変化）の主演の役割を担った。彼は先代指導者たちの政治的な象徴性と統治術を継承しつつも、時代に合わせて変形させ活用した。古い台本を片手に、新たな演技をしなければならなかったのである。金正日のように軍事施設を含めた多様な産業施設の現地指導と芸術公演のような権力演出方法をそのまま再現しつつも、その内容と様式は現代的（または物質的）欲望を表し実現させるもので埋めていった。金正恩は時代の変化の象徴として、スキー場と遊園地、ポップ音楽とアイドル公演、西洋料理店と総合百貨店、高層建築とネオンサイン設置などを直接現地指導し、都市の景観を変えていった。

うりふたつです
（左）プーチン大統領との会談のためロシアを訪問した金正恩(2019)、（右）北朝鮮から撤収する中国人民解放軍を平壌駅で見送る金日成(1958)。

彼は反復と変化のメッセージを同時に発信した。すなわち、おなじみの方式を使いつつ新たな内容を見せようとしたのだ。中高年層に対しては安定した生活を享受できた一九六〇〜七〇年代の郷愁を誘うために、金日成時代の芸術作品をリメイクした。若者世代には、モランボン楽団などの型破りな芸術公演や派手な娯楽施設を提供し、変化と自信を感じられるようにした。子どもと青少年向けには大々的に少年団の行事を開いて直接歩み寄る姿勢を演出することで、次世代が親しみを持てる若い指導者というイメージを彼らに植え付けた。☆11

政治プロセスが外部にあまり公開されない北朝鮮の場合、舞台上の主演俳優ばかりにスポットライトが当たる。よって外部の観察者は、指導者個人や幾人かの権力エリートの企画と意志で社会全体が一糸乱れず動いていると受けとりやすい。しかし、劇場国家・北朝鮮の国民二四〇〇万人の大多数は、積極的に制作、演出、作家、俳優、エキストラ、スタッフ、そして観客としてドラマに参加している。そして、彼らはその内容構成と展開にも大きな影響を与えている。

大飢饉以降の一九九〇年代末から「闇市場《ジャンマダン》」が日常化し、脱北者や闇取引や海外派遣労働者といった国境を行き交う情報、物資、人びとによって、排他的な社会主義スタイルの芸術装置のみで社会的な同意を得ることが困難になった。金正恩時代の国家権力がレジャー・消費施設や大衆公演などさまざまな分野で資本主義的な文化様式を混合させ始めたのは、そうした下からの圧力と要求にこたえている側面がある。権力そのものの生き残りのためにも、資本主義社会への開放を遅らせることは難しくなった。権力エリート集団としては、このような変化が既存のヒエラルキーを維持しつつ、秩序だってすすむことを願うしかなかった。そんな状況だったからこそ、劇的な南北首脳会談と米朝首脳会談が実現したわけだ。

「その程度の輩《やから》」から「いい友人」へ

アメリカの人類学者ルース・ベネディクトは、日本の天皇のような象徴権力は、ひとつの国家が劇的に方向転換するときには効率的だとしている。今まさに、北朝鮮は劇的な変化が必要だ。日本の歴史的な経験にてらすといくつかのシナリオが考えられる。まず、日本の天皇のような劇場国家の主演俳優が、自身が演じた演劇をやめて、台本を変える方法がある。太平洋戦争当時、「生きている神（現人神）」として崇拝されていた天皇が直接終戦を宣言し、南太平洋から満州まですべての前線にいた日本軍が一度に武器を下ろし、のちに自ら神ではないと「人間宣言」をおこなって戦後体制の変化を象徴的に裏付けた。一方で、新しい演出家が既存の象徴権力を利用して改革を推進した。近代日本をつくりあげた明治維新は、改革派の下級武士が天皇という伝統的な政治的象徴を利用して急激な改革を進めたものだった。★5 どのような場合においても、文化的に訓練された劇場国家の俳優とスタッフ、観客は、等しく情熱をもって新しいスタイルの演劇に没頭することができた。

劇場国家・北朝鮮も、犠牲を最小限にとどめながら新たなステージを始めることができる。劇場国家の中心的な象徴である主演俳優の持つ意味と役割は、体制維持だけでなく、変化の糸口を作るためにもとても重要である。金正恩がいくら若くて政治経験が浅いからといって、新たな製作者兼主演俳優が「言及する価値もない」存在というわけではない。彼はもはや、個人ではなく制度だからだ。☆12

劇場国家・北朝鮮に長年暮らしている人であっても、象徴権力の作動方法を総体的に理解しているとみるのは難しい。彼ら自身がそのドラマの一部でもあるからだ。一九七〇年代に主体思想《チュチェ》〔金日成が独自の国家理念として提唱した政治思想〕の体系化に関わった哲学者・黄長燁《ファンジャンヨプ》は、金正恩が公の場に登場したとき「あんな奴に何ができる」と述べた。☆13 似たような次元で、脱北した前英国公使の太永浩《テヨンホ》も「金正恩の狂った戦略に振り回されるな」と述べ、これに溜飲を下げた人が韓国社会には多かった。☆14 彼らは外部の人が聞きたい言葉を述べたに過ぎない。実際に世界の報道では、金正恩の年齢、外見、言動を特徴的に描写して、ひっきりなしに「変な奴」「田舎者」「笑える奴」と戯画化したり、状況と立場によっては「恐ろしい奴」「残酷な奴」「狂った奴」などと描写し悪魔化の対象とみなした。その間、閉鎖的な劇場国家の主演俳優である金正恩は、外部の観客には、まさに「輩《やから》」程度のイメージとして流通し消費されていた。

金正恩が世界政治の舞台に登場し、公式の外交発言に加えて非公式のやりとりまで見せるようになると、今度は違った種類の誤解が生じるようになった。もちろん、政治的な立場と状況が変化したからだが、アメリカのトランプ大統領は、「彼は賢い交渉家」であり「いい友人」だと述べて肯定的に評価し、南北首脳会談以降は韓国のマスコミも、彼の姿をこれまでとは違うイメージで報じ始めた。しかし、彼の本来の姿かのように映る公式発言以外の平凡に見える言動も、実はリアリティショーの領域に入るものだ。つまり、そうした姿を見せることもまた、印象を植え付けるための仕掛けなのである。

劇場は一方的なものではない。絶えず観客の反応を意識し対応する。それだけ相互依存的なものだ。劇場国家・北朝鮮の主演俳優が世界政治の舞台に直接立ち、外部の観客の前でも公演を始めた。そうなると外の世界も彼の演技と役割に影響を及ぼすだろう。外の世界は、また韓国の私たちは、彼にどんな演技をしてほしいのか。どんなセリフを話し、どんなドラマを見せてほしいと思っているのか。ドラマ制作中であっても、観客の反応によって随時台本が書き換えられ、配役を調整してエンディングを変えていく韓流ドラマのように、劇場国家・北朝鮮も外部の反響にこたえてダイナミックに変化する権力ドラマとして制作されてきた。いつか、世界はスマートな体躯でスーツを着た若い政治家たる金正恩を見ることになるかもしれない。

3 「外貨稼ぎの労働者」―理念から発展へ

中国丹東市〔北朝鮮と国境を接する中国遼寧省の地域。北朝鮮とを往来する鉄道の要衝でもある〕郊外の小さな縫製工場から、三人の北朝鮮女性労働者が脱出した。二〇一五年一二月の真っ暗な冬の夜、三階の宿舎の窓を開けて飛び降りたという。丹東に出てきていた北朝鮮の保安要員〔警察に当たる人民保安省（現在は社会安全省）の要員。治安確保のために派遣される〕が、彼女たちの脱北を阻止しようと逃げ込みそうな場所を夜通し見張っていた。翌朝、出勤した丹東市内の北朝鮮領事館の職員は、入口で震えている三人の労働者に遭遇した。金正恩将軍に、自身の置かれた悔しい事情を「伸訴」するために夜通し歩いてここまできたという。祖国のために一生懸命働いているのに、誰かが自分たちの賃金を横取りしており、家族が困難に直面しているというのである。

中国企業に提供している労働力を現場で監督していた「責任者同志」が、平壌に召喚された。数日後、処罰されると思われた彼は嫌疑なしで工場に復帰した。調査の結果、賃金を着服していた平壌の高級幹部が処罰されたという。彼は「銃殺」されたらしいといううわさが流れた。実際に彼がどんな処罰を受けたか知る由もないが、人民が自分の苦情を最高指導者に直接嘆願することができる北朝鮮版の目安箱である「伸訴（嘆願）制度」が機能していることを示す事例となった。☆15 すなわち、自分たちが資本主義的な国際労働市場で労働力を提供していても、厳然とした国家体制の保護を受けられるという信用を人民に与えたのだ。

縫製工場から脱出した労働者たちは、いかなる工場でどのような仕事をしてどのような処遇を受けており、なぜ「責任者同志」に直接抗議するのではなく危険な脱出劇の強行に至ったのか。賃金以外の問題はなかったのか。なぜ彼女たちは豊かな韓国に「脱北」せずに、北朝鮮指導者に「伸訴」したのか。さまざまな疑問が浮かんでくる。この事例は金正恩時代になってからの北朝鮮社会の変化とその特性を理解する一助となるだろう。

「分別もなく帰ってくるなんて、だめだ」

私は脱出事件が起きる何年か前に、偶然にも丹東地域の縫製工場を見学する機会があった。北朝鮮の労働者が働く工場と取引している中国の事業家が、そういえばある工場に事業の相談で寄らないといけないのだが、近隣を通るついでにいっしょに行ってみるかという。私を中国で事業を展開する韓国人のひとりだと思ったようだ。写真も撮れず録音も許されなかったので、できるだけ自然体を心がけ、見て記憶しようとつとめた。

丹東市郊外の荒れ果てた空き地に建てられた、何の看板もない四階建ての建物の玄関をくぐると、そこはまるで平壌に来たかのような光景だった。「偉大なる金日成同志と金正日同志は永遠に私たちとともにおられる」「忠実性を第一の生命に」。がらんとした一階から二階にのぼる階段の両脇に掲げられた赤い文字と行進曲風の音楽が、その場の空気を雄弁に物語っていた。法的には中国企業であり、社長も中国人だが、労働者五〇名と運営と保安の責任を担う管理者三名はみな北朝鮮人であった。二階の事務所で会った「責任者同志」は、メガネをかけた公務員風の四〇代後半と思われる男性で、自分を「朴社長」と名乗った。彼は平壌で経済関連の部署の課長（韓国式の職位で）だったが、この工場の責任者となり、妻とともに丹東に来て仕事をすることになったという。同行の中国の事業家と朴社長が事業の話をしている間、テレビでも見ていてくれと私を別室に案内した。中年の女性と若い保安要員が退屈そうに朝鮮中央テレビを見ていた。一目で教養があるとわかる夫人は、この工場で事務管理と会計を担うだけでなく、女性労働者を指導し、食材購入と食事の準備も手伝っているという。中国は材料が良いので口に合うものができるそうだ。私が平壌式キムチが好きだというと、親切なとなりのおばさんのように「ちょっと前に漬けたんだけど、少し分けてあげましょうか」と言う。

しばらくして、仕事の話を終えて戻ってきた朴社長が、ずいぶん待たせて申し訳ないと思ったか、積極的に「作業場の見学をされますか」と言う。どうやら中国の事業家が、私は韓国に知り合いが多いので新たな販路を開拓できるかもしれないといって私のことを紹介したらしい。飛びあがるほどうれしかったが、できるだけ自然な表情を心掛けながら後をついていった。

意外なことに作業場は明るく清潔だった。広い部屋に三列にミシンが設置され、裁断するところと完成品を検査し糸の始末をするところまで、全工程を一目で見ることができた。作業場の壁と柱には、戦闘的な生産標語が掲げられていた。

「社会主義強盛大国を建設しよう!」

「節約して更に節約!」

「絶対化、信条化、無条件性!〔指導者・党の権威を絶対化し、思想を信念化し教示を信条化し、意図と方針を無条件に貫こうという原則〕」

平壌や開城の工場を参観した際にも見たおぼえのある標語とともに、個別の成果を棒グラフであらわした「社会主義競争グラフ」と「月別計画表」、作業指示事項があちこちに貼られており、この工場の労務組織と労働方式を推し量ることができた。

作業場に鳴り響く行進曲風の朝鮮歌謡は、ハンガーにかかっている派手な日本向けの子ども服とは対照的だった。中国の事業家が笑いながら、いつものように「延辺歌謡〈韓国の歌〉」を聞いたらどうだと冗談を言った。朴社長は顔をこわばらせて、作業中は祖国の歌がいちばんだという。

一九七〇年代にソウルの永登浦《ヨンドンポ》で夜間学校の教員をしていたころに見た縫製工場を思い出した。腰を伸ばすこともできないような狭い空間にぎっしりと座らされた幼い労働者たちが、羅勲児《ナフナ》や南珍《ナムジン》の歌〔いずれも一九七〇年代に一世を風靡した演歌歌手〕にあわせて「ミシン」をふんでいた光景が思い浮かぶ。白っぽい埃の中で一日一二時間から一五時間は働いていた彼らと比べると、こちらの労働環境の方が明らかに整っていた。

労働者の宿舎は三階と四階だが、作業時間以外はそこで寝食し、休むという。たまに夜中にひとりで二階の作業場に降りてきて、「自発的に」作業する労働者もいるそうだ。一晩中、誰もいない作業場でひとりミシンを踏む労働者の姿が目に浮かぶ。建物の外に出かけることもできない集団生活で長期間、限られた人たちだけで暮らしているのだからいろいろと葛藤も多いことだろう。走りまわる場も、感情を放つ場もない人たちの閉鎖空間を思うと、気持ちが塞いだ。

労働者はひと月に一回、丹東市内への外出が許可されるという。数人ずつ組をつくって動き、戻ってくる時間は絶対厳守だが、万一間に合わなかった場合には厳しく批判されて、次の外出が禁止される。そうした行為が見つかれば「帰国措置」となるそうだが、「送り返すぞ」というのが一番恐ろしい警告だという。海外就業するために多くの労働者はたくさんの「お金を与えて〔賄賂を渡して〕」出てきているからだ。そのような点から見ると、労働者一人ひとりは個人ではなく、家族による投資資本であり、所得源なのである。朴社長の話では、昨年も親が亡くなった事例が三件ほどあったのだが、本人には知らせないでくれと家族が頼んできたという。「分別もなく帰ってきたということになったら困る」と切羽詰まった声で言われてしまい、本人には知らせずにおいたのが胸のつかえになっているそうだ。

女性労働者の大半が平壌周辺の農村出身で、二〇代の未婚者が三分の二、三〇代の既婚者が三分の一ほどを占め、三年契約でやってくる。当時、労働者一人あたり賃金一八〇〇元〔約三万円〕に食費三〇〇元（約五〇〇〇円）ほどをもらうという。この人件費は少なく見えるが、同時期の開城工業団地の労働者は基本給八〇ドルで奨励金と手当をあわせて平均一五〇ドル（約一万七〇〇〇円ほど。北朝鮮当局が四〇％、労働者が六〇％の比率で分ける）といった具合だった。

中国企業側としては、中国人労働者の人件費の三分の二ほどで済む朝鮮人労働者は安価であり、また途中でやめたり移動することがない点が安定的で良いという。さらに、工場で集団生活をしているため、納品日に間に合わせるために明け方三時まで作業させることもできるし、「責任者同志の言葉が絶対の法」であるため、労務管理が簡単だということだった。

訪問を終えて出ようとすると、比較的若い中国の女性が入ってきて、朴社長に声を荒げてまくしたてた。中国企業の社長だという。どんな間違いがあったのかわからないが、私たちには毅然とした態度で余裕すら見せていた責任者同志が、縮こまっているのを見ると気の毒になった。国際労働市場でお金の論理に振り回されることになった社会主義国家の役人がこんなに荒々しく無礼な相手を前にして、困り果てているのを見ると複雑な気分であった。

「民族」より「国民」

こうした侮辱を受けながらも彼らはなぜ脱北しないのだろうか。中国で働く北朝鮮の人びとはみな、韓国が豊かだと知っているという。韓国に行けば、定着金（北朝鮮から来た人が安定した社会生活を営み自立することを目的に支払われる支援金）とアパートがもらえることまで広く噂になって知られているというのに、なぜ行かないのか。厳重な相互監視と処罰が恐ろしいがために、おくびにも出せないというのが最も根本的な理由だろう。また、分断体制の境界を超えるということは、家族との離散だけでなく、自分にとって意味を持つすべての社会関係との断絶を覚悟しなくてはならないことだ。それだけ重い意味を持つことであるから、実現は容易ではない。

しかし別の次元で国民のアイデンティティと価値観の問題を考えてみる必要がある。この問題を理解するために、北朝鮮が国際社会で明らかに存在感を示し、韓国よりもよほど豊かな国として知られていた一九六〇～七〇年代に、ドイツに渡った韓国出身の留学生、炭鉱夫、看護師などと比べることもできる。東西の障壁を比較的簡単に越えることができた彼らは、なぜ北朝鮮に行かなかったのか。当時この問題を警戒していた韓国政府は、武装した情報部員をドイツやフランスに派遣して、北朝鮮を訪問してきた韓国人を海外で無理やり逮捕し、秘密裏に強制連行してスパイ嫌疑で処罰した。いわゆる「東伯林事件」で見せしめとなったのは作曲家・尹伊桑《ユンイサン》、画家・李應魯《イウンロ》、詩人・千祥炳《チョンサンビョン》など文化人が多かった。[★6] この事件を契機に、韓国は国際社会において人権侵害国家と非難されるようになった。脱北が問題となり始めた一九九〇年代には、北朝鮮当局も似たようなやり方で武装保安要員を送り、脱北者を強制的に送り返し処罰して中国や国際社会の非難を浴びた。

監視と処罰に対する恐怖が一定数の炭鉱夫や看護師の「脱南」をけん制することになったのは事実だ。しかし大多数の炭鉱労働者と看護師は、すでに分断体制下の国民教育を通して形成された「大韓民国」国民としてのアイデンティティと理念的な価値観によって、「脱南」自体を深く考えなかったという。そのかわり、彼らは韓国の家族のためにお金を稼ぎ、「北朝鮮よりも豊かで強い祖国（韓国）」をつくるための功労者、外貨獲得の先兵としての役割に誇りを持っていた。このような発展志向型国家の国民としてのアイデンティティと価値観は、近ごろでは海外就業中の北朝鮮の労働者にも見い出すことができる。

金正恩時代の北朝鮮は、理念国家の「民族」よりも、発展志向型国家の「国民」としてのアイデンティティを強調するようになった。つまり同じ民族ではあるが、より豊かな韓国との競争意識を強化する内容を盛り込みはじめたのだ。朝鮮中央テレビは、韓国に脱北したのち再度北朝鮮に戻った人たちの証言を繰り返し放映している。彼らの大部分は、北朝鮮で教師や技術者などの専門職に従事し、比較的安定した地位にあった人たちで、韓国では社会的に差別され、家事手伝い、介護の仕事、単純労働などの不安定な仕事をしていたと証言している。低い地位でどれだけ懸命に働いても、誇りも持てないし、未来も保障されないと涙ながらに告白し、自分たちの懺悔《ざんげ》を聞いた将軍さまが「愛と赦しによってふたたび受け入れてくださった」と、首領と祖国に対する感謝と忠誠を誓約する。まるでキリスト教の聖書にある「放蕩《ほうとう》息子の帰還」の話にも似たこんな再入国ストーリーは、全国的に放送されている。[☆16]

韓国の「脱北の政治〔脱北者を政治利用する〕」に対抗して、北朝鮮も「アイデンティティの政治〔自国の正しさを国内向けに主張する〕」を始めたわけだ。まず、同じ民族で構成されている韓国においても、北朝鮮の国民（出身者）は差別を受け蔑ろにされて暮らすことになると強調する。すでに広く知られている国家間の貧富の差による差別と、国民のアイデンティティの問題を結びつけながら、韓国をはじめとする外部の豊かさを北朝鮮の国民はただで享受することはできないというメッセージを発したのだ。また帝国主義の侵略に抵抗するといった民族解放の論理で、日本の植民地時代の親日地主のように、現在の状況を米国帝国主義の先遣隊として豊かに暮らしている韓国の人びとと、その小作人として冷遇される貧しい朝鮮の人びと（脱北者）として対比させて見せた。「社会主義文明国」建設という新たな目標は、資本主義的な差別に勝つための道であることを浮き彫りにした。「民族」から「国民」へとアイデンティティが再定義され、「解放」から「発展」へと国家目標が変化したのだ。

4 「社会主義文明国」──挫折と飛躍

スキニージーンズとブランドバッグ、チキンと生ビール、ピザとスパゲッティ、携帯とタクシー、高層アパートとネオンサイン、遊園地とスキー場は、金正恩時代の社会変化の代表例である。世界のどんな国、どの都市でも見ることのできる少しも目新しくないものが北朝鮮社会に出現するとワールドニュースになる。脱北者のバラエティ番組では、それらが平壌に登場したことを紹介して「うわぁ」「おぉ」と感嘆詞を連発して驚く姿が演出される。何がそんなに衝撃的なのだろうか。外部の人びとが従来の北朝鮮に対して持つ常識と固定観念に合わないからだ。

これらの現象を紹介したテューダーとピアソンによる『ノースコリア・コンフィデンシャル〔未邦訳〕』や周成賀の『平壌資本主義百科全書』といった本では、社会主義を標榜する「朝鮮民主主義人民共和国」は、すでに資本主義国家になってしまったと分析している。[☆17] しかし、中国やベトナムのようないわゆる共産圏に属していた国家は未だに共産党が主導する「市場社会主義」または「後期社会主義」を標榜しながら、日本や韓国とは異なるオルタナティブな発展志向型国家モデルをつくっていると主張する。つまり、社会主義を標榜しながらも、資本主義的な姿を見せる発展志向型国家の事例は複数あるということだ。しかし、なぜ北朝鮮の場合になると、このような現象がすぐに嘲りと非難の対象になってしまうのか？　長い間、国を持ちこたえさせてきた国家運営体制の変質、または崩壊の可能性を占うためとされるが、果たしてそうなのだろうか？

北朝鮮をひとつのコンピューターに例えれば、外部が驚く金正恩時代の変化は、主に生活文化コンテンツというソフトウエア部分の変化に当てはまる。社会主義という理念国家の運営体制の大きな枠を変えずに、いくつかの資本主義的なプログラムを追加しながら多様なコンテンツに変えていく方式を選んでいると解釈できる。また、首領という国家象徴の劇場型権力演出プログラムをいまだに運用している。もちろん、古くて硬直した運営体制で容量が大きなプログラムを作動させることや、ウイルスに感染したコンテンツを効率的に制御することは難しい。しかし、コンピューター自体を捨てない限りは当分の間、運営体制全体を無理に変えずに慎重に使えるようあらゆる措置を講じるだろう。

金正恩時代の北朝鮮社会の変化を理解するために、韓国社会でおなじみの大企業の三世代世襲ドラマと比べてみよう。金正恩を祖父・金日成が創業し、父・金正日が懸命に守ってきた大企業の経営権を引き継いだ若い財閥三世とする。祖父や父とともに波乱万丈を経験してきた古株の役員や多くの従業員は、すぐそばでは忠誠を誓っているが、古臭い設備と時代遅れの運営体制を持つ企業の未来を不安に思っている。父は昔の方式に固執して暴力まで用いて経営権を守ったが、取引先は全部切れてしまい、信用も失って、外部投資すら誘致できそうにない。自力では新たな業種に転換したり、生き延びる術も怪しい。唯一の財産は駅近くの要衝にある広い工場の敷地と鍛えられた労働力だが、この間に強大化した周辺のライバル企業が土地と人を欲しがって、機会さえあれば企業を乗っ取ろうと役員を懐柔し、従業員をそそのかして圧力を加えてくる。

あなたが引き継いだ企業がこんな状況であったら、どのように経営権をまもり、企業を延命させるだろうか？　韓流ドラマのテーマになりそうな多様な破滅ストーリー、または成功シナリオが連想できるだろう。

①　競争者を殺し、壮烈に自決する覚悟で、残った資金を賭して武器を買う――核爆弾とミサイル開発

②　周辺企業や役員に一部の土地と権利を分け与えて、業種転換のために資本を蓄積する――開城《ケソン》工業団地、金剛山《クムガンサン》観光などの特別経済地区と新都市開発

③　訓練された労働力を活用して、再起をかける――製品の注文製作、海外就業による外貨稼ぎ

核爆弾とミサイル開発は、どんなことがあっても体制を守りたいという意思を内外に誇示し、権力世襲を認めさせるという過渡期の生存戦略であると言えよう。それ自体は、未来を約束するものではないからだ。資本と技術なしに進められる生存戦略は、基本的には土地と労働力を利用する道しかない。大規模な外部資本の流入が難しい状況で、実際は次のような自救策をすでに多方面で進めている。

まず交通の要衝という立地を利用して、隣接企業に一部敷地と労働力を貸し（開城工業団地、羅津《ラジン》―先峰《ソンボン》などの特別経済地区）、敷地内の通路を開放して通過料の収入を得る（鉄道、道路の連結）。交通の便のいいところには、ホテルを開発し客を受け入れる（金剛山、元山《ウォンサン》の葛麻《カルマ》地区などの観光地開発）。国の幹部や従業員には土地を長期に貸し付け、アパートや商店などを開発させる（高層アパート、各種商店の建築）。ライバル企業ではない海外の中小企業に利権の一部を売ったり（携帯電話、輸入品販売）、労働集約型の生産ラインと労働力を一部稼働させて商品をつくり外国企業に納品する（衣類縫製、電気部品などのＯＥＭ）。忠誠心があり熟練した一部の従業員を外部業態に派遣して、賃金手数料をもらいながら新技術を学ばせる（建設および製造業の海外人材派遣）。その間、経営権を護るために武力を誇示しているので、

外部の強い牽制と圧迫が強化された状況下にあってまだ本格的に推進できない事業もあるが、こうした多様な戦略的な対応を通じて「自力更生」する力を育てようとたゆみない努力をし、模索を続けている。

発展志向型国家モデル

金正恩時代の北朝鮮の変化は、そう特別なものではない。東アジアの発展志向型国家の一般的な戦略をほぼそのままなぞっていると言えるだろう。韓国も似たような条件で、似たような初期発展戦略を進めた。一九六〇年代から一九八〇年代まで、繊維、衣類、履物などの労働集約的な縫製産業を誘致、馬山《マサン》輸出自由地域および九老《クロ》工業団地開発、タングステンなどの地下資源およびエビのような特定農水産品の戦略的な輸出、カジノと妓生《キーセン》観光まで含めた特殊観光施設の設置、ドイツ向けの炭鉱労働者と看護師および中東向けの建設労働者などの大規模海外人材輸出などで初期の資本を蓄積した。これに加えて、日韓協定を通じた対日請求権の資金とベトナム戦争参戦による収入といった大規模な外貨流入も、初期の経済発展の土台となった。★7

東アジア発展志向型国家モデルの代表例の一つといえる韓国も、純粋な資本主義の市場経済の論理に従っていたというよりは、国家権力の強力な指導と統制を土台に公式の制度と非公式の戦略が大きく入り混じった状態で国家発展を進めてきた。北朝鮮としては外部の資本と技術を導入する道が閉ざされているなかで、「制度」よりも「戦略」により依存した経済発展を進めるしかなかった。

金正恩時代の北朝鮮の権力が発展志向型国家モデルを採ろうとしたのは、すでに幅広い分野で進んでいた下からの変化による。大飢饉の時期に配給が途絶えた人民が生存のためにつくりあげた私的市場は、許可されたものだけでも現在、全国四〇〇か所にのぼる。有名無実化してしまった「配給制」は再び機能せず、住民の生活は全面的に市場に依存している。しかし、市場活動のすべての領域は今でも国家権力の監視と規制の対象になっており、実質的な交換はつねに公式／非公式、合法／非合法、任意的／計画的な規制の間の曖昧な隙間に成り立っている。このように正常ではない状況で市場なりの「秩序」を確保することは容易ではない。公権力による規制を賄賂で解決しながら、末端の公務員から権力の頂点まで市場利益を収奪する典型的な規制経済、賄賂経済、密輸経済が作動している（第七章一節と二節を参照）。

金正恩時代にもっとも目につくようになった消費アピールをはじめとして、都市開発と不動産投機、権力の監視と統制、賄賂と密輸などは発展志向型国家の初期資本蓄積期にはおなじみのものである。このような北朝鮮社会の矛盾と否定的・非合理的に見える経済行為を亡国の象徴として見る報道があふれている。しかしこのような不正腐敗と賄賂すら、初期の発展主義国家の場合にはエリート集団の結束と内部資本集中を助け、官僚主義の統制の乱れや非効率性を克服させるなど、一定の機能を果たしているという研究も出てきている。[☆18]

「馬息嶺《マシンリョン》速度で、前進！」

「社会主義文明国の建設宣言」は「社会主義」という理念国家の用語で「文明国」という発展志向型国家としての国家目標の転換を明らかに示したものである。当初は「社会主義文明国」とは、文化・芸術分野を含め、教育、保健、体育分野を一定の水準以上に高めようという意味だったが、次第に人民の物質文化生活を向上させ、近代的な合理性と効率性が進んだ国にしていこうといった意味に拡張された。「文明国」という言葉で発展志向型国家としての目標と志向を明らかにしながらも、「社会主義」という理念国家の修辞を通して他の資本主義的な発展志向型国家との差を強調している。こうした差別化をもとに、首領中心の支配体制と、労働と資本に対する国家権力の統制を正当化している。

発展志向型国家へと国家目標を転換した状況において、北朝鮮の国家権力の資源となるのは、理念国家時代に固められた国民動員体制だ。資本と技術では動員できない労働力を確保するために、まず軍人を民間の建設現場や産業の現場に動員する。賃金がかからない軍人をスキー場や遊園地といった各種文化・福祉施設の建設はもちろんのこと、民間アパート建設にまで労働力として投入する。これに加えて、海外への人材派遣をはじめとする大規模な労働人材の動員と管理も国家レベルで進められている。このような無報酬労働または統制された賃金労働を管理するためにも、理念国家時代の政治的なスローガンや劇場型の権力演出方法はまだ必要とされている。

金正恩時代を象徴する最初の現地指導作品は、「馬息嶺《マシンリョン》スキー場」建設である。軍部隊を動員してスキー場ひとつをやっと建設したことを、新たな権力者の登場を知らせる国家事業として宣伝するのは正直おかしな話だ。しかしやがて、スキー場建設の事実を新時代を知らしめる象徴の事業にまつりあげる芸術装置が稼働し展開されることとなった。建設に参加した軍人たちは「密林」を開拓して「文明国」の象徴である「スキー場」を作り上げたという矜持について証言し、「馬息嶺《マシンリョン》速度で前進!」というスローガンの書かれた大型看板が平壌をはじめ全国各地に掲げられた。スキーは新たな文明のスピード感を意味した。

金正恩時代は早さを要求する。金日成時代の「千里馬《チョンリマ》運動」は、金正恩時代の「万里馬《マンリマ》運動」となり、新しい技術と科学を強調するようになった。古い遊園地とプールはまばゆいばかりに改修され、勢いよく回転する新たな遊具がきらめく照明で照らし出される派手なテーマパークとなった。灯火管制下であるかのごとく暗かった都市の夜はネオンサインで明るく照らし出され、急ピッチで建てられた高層アパートと新しいモノを売る商店とレストランが、都市の景観を変えている。銅像、記念塔、記念建造物だけが照らし出されていた都市の中心部も、次第に余暇・文化・福祉・生活中心の空間に変化し始めた。このような時空間の再構成は平壌だけでなく、地方都市まで幅広く行われている。金正恩が強調する「社会主義文明国」は、こうして明るい光をまき散らし、急速に展開していった。

技術革命と飛躍的な発展

より重要な「文明的」変化は、この間保安上の理由で統制されていた携帯電話が急速に普及し（二〇一八年には計二四〇〇万台、全人口の約一〇％）全国の時空間的な距離を縮めはじめたことである。電話線を全国各地に張り巡らせる固定電話の普及段階を飛び越えて、まさに無線電話時代に入ったわけである。次元は違うが、今日の北朝鮮社会は韓国社会がＩＭＦ経済危機のなかでＩＴ分野に真っ先に進んでいったのと似たような（もしくは、それよりもさらに大きい）飛躍的な変化を経験しているだろう。このような超高速の変化がもたらす衝撃と危険を北朝鮮の権力が甘んじて受け入れたのは、ビッグデータをはじめとするデジタル監視統制技術もあわせて飛躍的に発達しているからでもある。

ユヴァル・ノア・ハラリは未来の技術革命による南北の運命について、いくつかのシナリオを示している。まず、南北の顕著な技術格差により経済力と軍事力が格段に弱い北朝鮮の崩壊の可能性に言及する。しかし北朝鮮が中央集権化された低開発独裁国家の利点を生かして、新たな技術跳躍の道をとる可能性もあるという。たとえば、自動運転交通システムの全面導入は、韓国のように既存の車両やいろいろな経済主体の利害関係が衝突する社会よりも北朝鮮のほうが法制度上の難題を解決しやすく、短期間での全面的なシステム転換が可能だとしている。[☆19]

全国土が国家所有である「市場社会主義」国家の効率性は、大規模都市開発や道路と鉄道などのインフラ構築事業ですでに確認されている。実際に平壌に新築された高層アパートで、太陽光発電と地熱暖房などの新エネルギー資源が大規模に活用されはじめているという。すでに持っているものが多く利害関係の入りくんだ国ほど果敢な変化を試しにくい。

またハラリは人工知能と生命工学分野の技術発展によって北朝鮮の権力がさらに効率的な監視システムを構築し、住民の思考と行動を根本的に管理する可能性があると述べる。彼はもし北朝鮮がサイバー戦争を起こしたらどうなるかという問いを投げかけている。コンピューターやデジタル情報技術の進歩で複雑に入り組んだ先進国の経済社会システムは、簡単なサイバー攻撃だけで一瞬で麻痺しうる。高度に発達した社会であるほどさらに脆弱な状況になりうる。技術革命は既存の社会常識と軍事関係も根本的に揺るがせている。[☆20]

その意味で過去の冷戦時代には常識的な考え方だった「国家発展段階論」から脱却する必要がある。国家の発展は、すべて同じ道を辿りすべての階段を一つずつ登っていく必要があるわけではない。他の道を行くこともできるし、ときに何段か飛ばして飛躍することも可能なのだ。

今日の北朝鮮にあらわれている現象の一部だけを見て、韓国の初期の発展志向型国家時代を連想し、三〇～四〇年おくれた国だと断定するのは早計だ。戦後日本が三〇年たって西欧列強よりも発展した産業国家となり、文化大革命で疲弊した「社会主義」中国も改革開放から三〇年たって世界二位の経済大国になったのを見ればすぐにわかることである。まさに韓国社会自体がグローバル時代の発展スピードの記録を打ち立てた国なのに、北朝鮮の未来をこれまでの固定観念で判断するのは理念的な自己矛盾でしかない。

挑戦と挫折の歴史

それならば、なぜ北朝鮮はこれまで何もせず、金正恩時代になって初めて発展志向型国家の道を行くことにしたのか。なぜこの間、周辺の国々が選んだ道を行かなかったのか。そして、なぜ核問題で今日までジレンマを招いているのだろうか。

北朝鮮はこれまですでに何度も中国と似た方法で発展志向型国家の道を歩む意思を明らかにし、積極的に試してもきた。しかし毎回、国内外の圧力と妨害を受けて挫折している。これまでの三〇年間、北朝鮮が発展志向型国家への転換を試みて挫折した経緯を簡単に振り返ってみよう。

一九九一年一〇月、金日成は中国を訪問して上海と北京などの産業施設を視察し、鄧小平と江沢民をはじめとするリーダーに会い、中国の経験に基づく北朝鮮の経済発展の可能性を議論した。特に香港に接する深圳や広東などの経済特区から始まった改革開放の経験を学ぼうとした。開放で体制が崩壊したソ連や東ヨーロッパの社会主義国家と違い、天安門で人民の急激な民主化の要求を武力で鎮圧し、共産党が政権を維持している中国の事例から自信を得たようだった。その結果、一九九一年一二月一三日、歴史的な「南北基本合意書」が締結された。すでにこの年の秋、南北は国際連合に同時加入し、互いに国家として実体があることを認めていた。翌年二月には南北の「非核化共同宣言」があり、米韓合同軍事訓練も中止することで合意した。こうしてあとは、韓国の資本・技術知識・情報と、北朝鮮の土地・労働力をあわせて大々的に経済特区をつくるばかりとなった。

当時、大宇《デウ》グループ〔高度経済成長のシンボル的存在だった韓国三大財閥のひとつ。一九九七年のアジア通貨危機で苦境に陥り、その後解体された〕の金宇中《キムウジュン》会長は、ベトナムと東ヨーロッパの社会主義国家の経済開発に関わった経験を活かして、平安南道の南浦《ナンポ》〔北朝鮮西海岸に位置する貿易港を擁する都市。平壌に最も近い海の玄関口として工業都市としても発展し、直轄市に位置付けられた〕に大規模工業団地の造成計画を進めようとした。人件費高騰のために斜陽に差しかかっていた韓国の縫製や製靴産業などの工場施設を北朝鮮にそのまま移して、中国大陸と香港、シンガポール、台湾間の経済協力のような成功した発展モデルを作ろうとした。このために北朝鮮当局は、平壌―南浦間を結ぶ一〇車線の高速道路を大規模動員方式によって建設した。

しかし、当時北朝鮮の実質的な後継者であった金正日は、「中国大陸と異なり、南北間は距離が近く〔体制安保が〕難しい」と金日成が進めてきた南北協力経済発展の計画を警戒したという。実際に南北基本合意書が締結された日、金正日は金日成から朝鮮人民軍の最高司令官の職を継承し、公式的に軍を掌握した。北朝鮮の核開発のせいか、または外部勢力の圧迫のせいなのか、突如として第一次核問題が発生し、南北基本合意書と経済特区計画は有名無実となった。

北朝鮮の国際原子力機構（ＩＡＥＡ）脱退とアメリカの寧辺《ニョンビョン》核施設攻撃計画、南北経済協力の挫折と経済危機、金泳三―金日成の間の南北首脳会談開催合意にいたる劇的な情勢変化の渦のなかで、一九九四年七月に金日成が突然亡くなる。それからまもなく北朝鮮は大飢饉に襲われることとなる。

北朝鮮の早期崩壊を予想した韓国政府と国際社会は、封鎖と圧迫を強めた。絶体絶命の体制危機の中で、金正日は「先軍政治」というある種の軍政を実施した。孤立無援の国家危機を、一九三〇年代に金日成の遊撃隊部隊《パルチザン》が日本軍の追撃を受けて飢えながらも包囲網を突破して抜け出した状況になぞらえて「苦難の行軍」と称した。全国民が抗日遊撃隊のように団結し、帝国主義者の封鎖を破って危機を脱出しようという意味だった。大飢饉と産業麻痺によって一〇〇万名以上の犠牲を出しながらも、極端な体制防護戦略を駆使することで二一世紀になるまで持ちこたえた。私が平壌を初めて訪問した時期はまさにこの「苦難の行軍」が最終盤を迎えた頃だった。当時、平壌の街角はほぼすべての交通手段が途絶え、歴史劇にでも出て来そうな暗い国防色の服を着た人びとが誰もかれも重そうなザックを背負って断固とした足取りで歩く姿が多く目についた。

二〇〇〇年六月一三〜一五日、北朝鮮は南北首脳会談によって韓国との交流協力の門戸を開き、あわせて外部勢力の投資を誘致して経済を再生させようとしたが失敗した。最も期待していた日本の植民支配賠償金は日朝首脳会談時に拉致問題が明らかになったことで受け取れなくなり、アメリカのブッシュ政権が人権問題を提起して「悪の枢軸」に定めたことで圧力が強まってしまったためである。結局、北朝鮮はまたミサイルと核開発で対応せざるをえなくなり、結局二〇〇六年一〇月には核実験まで敢行して体制維持の最終防衛線をつくり、それを土台に三代世襲の準備にかかることとなった。

体制防御の自信を得た金正日が、再び経済開発に着手しようと最後の海外巡訪に出たのが二〇一一年五月であった。彼の旅程は、二〇年前に父である金日成が「南北基本合意書」を締結する前に経済開放を準備しようと回った行程をほぼそのままなぞっている。金日成と同じように中国の重要経済特区をまわり、中国の最高指導者だけでなく未来の権力者にまで会って支持と協調を求めた。金正日はその年の一二月に亡くなる前に、翌年の二〇一二年は金日成の生誕一〇〇周年になる年だとして、強盛大国〔政治思想・軍事・経済など各分野を強化して国家建設を進めるという政治目標〕の門がぐっと開くだろうと述べた。自身が国家主権を守るのに成功したことで、これでやっと本格的な発展志向型国家への転換が可能となったと内外に明らかにしたわけである。

三代目として権力を世襲した金正恩も、国内外からの圧迫とけん制を受けながら、相当な期間にわたって体制崩壊の脅威を味わわなければならなかった。金正恩は内部粛清によって反対勢力を抑え、度重なる核実験とミサイル発射によって、体制崩壊に対する国外からの期待と憂慮を正面から突破しようとした。こうした強硬な権力示威に似合わない新たな国家目標として発表されたのが「社会主義文明国」建設であった。金日成に似た容貌と服装で登場した金正恩は、北朝鮮という国家の創始者である祖父の成し遂げられなかった最後の願いを実現させる歴史的な役割を果たすと宣言したのである。

過去、現在、未来

金正恩は父・金正日の先軍政治戦略を通じて「危険な」存在であることを誇示し、それによる政治・軍事的な危機をすべて経験して初めて韓国、アメリカ、中国、ロシアの首脳と同列にならんで未来について交渉できるようになった。今後金正恩が自身の父・金正日のようにまた先軍の道に戻っていくのか、今度は二〇年前の祖父・金日成が進めた発展志向型国家の道を行くことになるのか世界が注目している。しかし過去幾度もそうだったように、その道は北朝鮮指導者の意思のみで決めることはできない。分断体制の片割れである韓国とアメリカ、中国、日本、ロシアなど周辺の強大国の政治状況と相互関係がまさにカギを握っている。あわせて東アジアの緊張と葛藤を求める既得権力の妨害を克服できたときにだけ可能なことである。困難だが前に進むしかなく、その道を切り開く当事者はまさに彼らであり私たちである。彼らがほんとうに望むのは何なのか、彼らはどうするのか。まさに北朝鮮の人びとに対する私たちの理解が必要な時なのである。

注

★1 「核爆弾」の第四連は次のとおりである。「死の行進そのひそやかな足音／死の饗宴その玉砕を目前にした杯／死の乱舞その止めることのできない赤い靴／気を狂わせて世の中が見えない連中には／凄惨で雄大な滅亡の叙事詩こそ／恍惚の夢の世界なのだろう」박경리『버리고 갈 것만 남아서 참 홀가분하다』、마로니에북스、二〇〇八。

★2 劇場国家においては、国家的な象徴と儀礼が権力そのものを意味する。よってすべての政治過程は文化的に形作られ、意味化される。클리퍼드 기어츠『극장국가 느가라：19세기 발리의 정치체제를 통해서 본 권력의 본질』、김용진 옮김、눌민、二〇一七〔クリフォード・ギアツ『ヌガラ――19世紀バリの劇場国家』、小泉潤二訳、みすず書房〕を参照。

★3 「足音《パルコルム》」の二番の最後の歌詞は「国じゅうの人民が付き従ってザッザッザッ」、三番は「輝かしい未来に向けてザッザッザッ」と、人民と未来を強調している。

★4 日本人の料理人・藤本の証言によれば、金正日は「たくさん食べて貫録をつけろ」「上に立つ者は細くてはダメだ」と頻繁に言っていたという。

★5 ベネディクトは、この間象徴としての天皇が持つ力を日本は侵略のために戦略的に用いたが、その力は他の目的にも使用されたとしている。同時に、日本社会の目的が変わるにしたがって、天皇制はいつの日か葬り去られることもありうると示唆した。루스 베네딕트『국화와 칼』、박규태 옮김、문예출판사、二〇〇八、四〇六면〔ルース・ベネディクト『菊と刀』長谷川松治訳、講談社現代文庫他〕を参照。

★6　「東伯林事件」は、一九六七年七月、韓国中央情報部が大規模スパイ団であるとして二〇三名の容疑者を強制連行して拷問した事件だが、実際に最終裁判でスパイ罪と認定された者は一人もいなかった。西ドイツとフランス政府は領土主権の侵害だとして、強制連行されたコリアンの留学生と在住民の原状回復を要求し、朴正熙政府は一九七〇年に全員を釈放した。한국민족문화대백과사전「동백림사건」を参照。(https://encykorea.aks.ac.kr/Contents/SearchNavi?Keyword=동백림사건&ridx=0&tot=1096).

★7　日朝会談を通じて植民地補償金を受け取る計画を北朝鮮が放棄できないのも、初期資本を確保するという理由のためと言えるだろう。

第二章　幸福を教示する国

1　「わたしたちは幸せです」――関係と帰属意識

「わたしたちは幸せです」。幼稚園の正門の上に高く掲げられた鮮やかな文字。グレーの建物にはさまれた小さな広場には、色あせた鉄製の遊具。まだ冬の厳しい寒さが続く二〇〇〇年三月初旬、音楽教育で有名だという平壌の幼稚園を訪ねた。玄関の中央には子どもたちを抱いてにっこりほほ笑む金日成・金正日親子の大きな写真が掲げられ、左右の壁には赤い額に金色で刻まれた「教示のお言葉」がかかっていた。ビロードのチョゴリの上にトレンチコートを着た園長先生が喜んで迎えてくれた。まだ冷気の残るコンクリートの建物の一角にある広い園長室は高い天井のせいか、いっそう寒々しく感じられる。

ピアノ、バイオリン、チェロ、奚琴《ヘグム》〔朝鮮伝統の琴〕といった様々な楽器を団体で学ぶ教室のほかに、個人指導を受けられる練習室があった。ごく幼いころから素質を見極めて選抜した子どもたちを集中的に教育しているという。幼稚園の先生のなかには子ども用の器楽教育教科書も書いている専門家もいると自慢された。三、四歳頃から専門家に直接指導を受けた子どもたちの演奏は、たしかに驚くべき腕前であった。

それぞれのクラスで子どもたちは声の限りに歌い、全身を使って演奏していた。寒々とした広い部屋で六歳くらいに見える少年が舞踊曲に合わせて踊っていた。ソビエト時代の男性ダンサーを連想させるきらびやかなバレエの動きで、白い息を吐きながら力いっぱい回っている。音楽だけでなく、美術、舞踊、スポーツといった体育・芸術系の特技教育はもちろん、数学や科学の英才教育もそれぞれの家庭ではなく国家が直接担う公教育事業だ。きわめて早い、乳児期から才能開発が始まるという。

園長先生に言われるまま、私たちを歓迎するために子どもたちが歌を懸命に練習している講堂に向かった。「わたしたちは幸せです」。右手をぴんと伸ばして頬にあて首をかしげながら、澄んだ高い声を響かせた少女の言葉が胸に刺さるかのように、広い部屋に響いた。続いてすぐに小さな舞台の幕があがり、三〇名ほどがびっくりするような大声で合唱した。誰もが声楽の発声法に長けているようだ。

国の誰もが敬う父上
あぁ　将軍《チャングンニム》は　わが父上
永久に永久に　敬います
敬います
あぁ　将軍《チャングンニム》は　わが父上
本当に本当に　うれしいです
幸せがあふれます　幸せがあふれます

子どもたち全員が両手を広げて肩を上下させ、一斉に体を前に突き出す動作をしながら、首を傾けてまた「幸せがあふれます、幸せがあふれます」と合唱する。本当に幸せで仕方がないという表情だ。私は息が詰まりそうだった。幸せだって？　いったい何が幸せなのか。今も食べるものに事欠いてこの地のどこかで子どもが飢えて死んでいき、いま目の前で歌っているような比較的恵まれていると言われる平壌の子どもたちだって、まともに食べられず痩せて生気のない顔ばかり目立つのに。

到底「幸せ」とはいえない状況で「幸せだ」と歌っているのを見ると、まず疑いなく「やらされている」のだなと思うことだろう。これまで私が受けてきた反共教育によれば、まさにそうなる。何も知らない子どもたちにあんな歌を歌わせて、と大人に対して苦々しく思うのは簡単なことだ。しかしながらそれを現場で見ると、大人も子どももいたって大真面目に幸せだと思って歌っていることが感じられる。ここから混乱が始まる。みんな完璧に演技をしているのだろうか、それとも本当にそうだと信じているのか。なぜそんなことができる？

私たちとは違う観点から「幸せ」を感じているのかもしれないという思いもよぎる。実際、どんな社会にだって金持ちと貧乏人がいる。貧しい家に生まれたからといって不幸というわけではないということは誰もが知っている。バングラデシュやブータンのような貧しいといわれる国に住む人びとが、多くの先進国の人よりも幸福指数が高いという国連報

私たちは幸せです
脱北画家・ソンム（線無）の絵と文字。

告もある。北朝鮮は現在、世界で最も貧しい国の一つだ。だからといって、そこに暮らすすべての人びとが不幸であると断定するのは早計だ。

でも、韓国と北朝鮮は同じ民族なのだから、文化の異なるほかの国とは話が違うのではないかという考え方もあろう。しかし、兄弟の間でも金持ちになることもあれば貧しくなることもあるだろうに、少しくらい豊かだからといって、貧しい側に「食うにも困っているくせに何が幸せだ」と声を荒げるのも筋違いというものだ。こんな当たり前のことをなぜ長々と書き連ねているかというと、この程度の発見に至るまでに私も相当な時間がかかった上に、長い冷戦期に受けた反共教育のくびきから抜け出すことがかなり難しかったからである。

幸せとは単純に苦痛のない状況ではない、と幸福心理学者は言っている。幸せとはいたって主観的なもので、所有よりも経験、競争よりも関係が重要だ。人間は文化的な存在なので、動物的な生存要求を超えた意味と価値を重要視する。社会心理学者・チェ インチョル教授は、幸せな「生き方」とは、使命感、成功体験と目標達成のための節度が調和すること、愛、魂、超越の過程であると述べている。人間は世の中の役に立つ、価値ある仕事をしながら、世間を理解し、自身の存在理由を知ることのできる生き方を意味あるものと感じる。個人の短期的な欲望の充足を超えた、家族と社会関係から利他的で共同体的な「品格ある生」が安定した幸せの基本要件だというのだ。☆1

しかしながら、彼らの「幸せ」と「将軍」はいったいどんな関係があるのか、そして「将軍」をなぜ「父」としているのかも気になるところだ。いつもオウムのように何度も言わされ訓練されて思い込まされているというならそれまでだが、それでは彼らを自力で考えることのできない馬鹿だとか、自分の考えと違うことしか口にできない臆病者と見なすのと同じことになる。彼らなりに、そう口にしたり考えたりする何らかの理由があるはずだ。首領と子どもたちの間には何か特別な関係がありそうだ。単純に子どものころから刷り込み学習の結果というだけでなく、歴史的、社会的、文化的に積み重ねられた体系があるように思える。

主体《チュチェ》思想の論理から見ると、彼らは自身を抗日遊撃隊の伝統を受け継ぐ存在と考えている。よって、自分たちは未だに完全に独立していない民族を解放する闘争のさなかにいると考えている。だから首領を中心に固く団結して苦難に耐えれば、正しい側に立って正しい道を進むことができると主張する。いまは圧倒的な外勢によって完全に包囲されているので貧しく苦しいが、正しい道を進んでいる自分たちがいつかは勝利し、統一を成し遂げ、民族を解放させる栄光の存在だと考えているのだ。それならば、この子どもたちが歌う「幸せ」は、私たちの考えるような物質的なものではないのではないか。「この世にうらやむものはない」とか、「ウリ式《われわれ》で生きよう」とか「朝鮮がなければ世界もない」といった標語も、韓国式の解釈では理解できないものということになる。かれらなりの道徳原理に基づく精神主義的な表現だからだ。

一方で、韓国の子どもたちはCM広告に出てくる食べ物を食べ、流行りのものを買うときに幸せを感じる。所有し消費する「幸せ」概念の単純性と極端な物質主義を、彼らは変に思うかもしれない。南の人間が北の子どもたちの公演に驚いてあまりに早くから訓練しすぎではないかと気にかけているならば、北の人びとは趣味も才能もない子どもにむやみにお金をかけて特技教育を競って受けさせている韓国の親を気の毒に思っているかもしれない。

歌が終わり、子どもたちが飛び出してきて韓国から来た客の手をとる。小さな手は、それはそれは冷たい。暖房もない部屋で薄着のまま、長時間にわたって準備したせいだろうか。この子たちにとって自分の手はカイロみたいに温かいだろうと思うと恥ずかしくなる。少しでも温めてやりたくて、公演がすばらしかったと褒めながら両手を包んでやったが、園長先生が「早く次の部屋に行きましょう」と催促するので、仕方なく手を放すしかなかった。不思議そうな顔をして見送る子どもたちから目が離せなかった。子どもたちも先生方も、みな「にっこり笑って」また会いましょうと手を振っていた。

「この世にうらやむものはない」

「この世にうらやむものはない」。子ども関連の施設ならどこにでもこの標語がある。栄養失調状態の子どもたちがいるような「育児院（孤児院）」の壁にもこの看板がかかっている。これほどまでに現実とかけ離れた標語の中で暮らす人びとは、いったいどんな想いを抱いているのか。見れば見るほど、解けないなぞなぞのような社会だ。行く先々で子どもたちは手に手を取って大きく口をあけて明るい歌をうたう。

空はあおく　気持ちはうきうき
アコーディオンよ　高鳴れ
みんなが　なかよく　暮らす
われらの　祖国は　ほんとうにすてき
われらの父は　金日成元帥《ウォンスニム》
われらの家は　党のふところ

わたしたちは　みな兄弟
この世にうらやむものはない

『この世にうらやむものはない』は、千里馬《チョンリマ》運動〔朝鮮戦争停戦後の北朝鮮において、労働生産性をあげて経済発展を成し遂げようと全国的に繰り広げられた運動〕の意気軒昂だった一九六一年につくられた歌だ。国際社会が北朝鮮の目を見張るような経済成長ぶりを「朝鮮の奇跡（Korean Miracle）」などと評価していた時代だ。当時の北朝鮮の人びとは、戦争の廃墟から短期間のうちに国を建てなおした金日成を「救世主」のような存在と考えていたという外部からの報告もある〔第一章☆10参照〕。

金日成が亡くなって国中が飢饉に苦しんでいるのに、四〇年前の歌をまだ歌っている。もはや「うらやむものはない」は「うらやましくない」という告白ではなく、「うらやんではいけない」という命令になった。外の世界と接触して比較するのはもっとも危険な犯罪行為になった。実際に他の世界を見て明らかな矛盾を知った人たちは、さらにこの歌に幻滅を感じて恥じた。

震える声で『この世にうらやむものはない』の歌詞に裏切られたと語る北朝鮮の人に初めて会ったのは、飢饉真っただ中の一九九九年の冬のことだった。豆満江に近い山中で秘密裏に小屋を建てて暮らしていた地方幹部出身のその脱北民は、北朝鮮でこの歌を口ずさみながら暮らしていたという。食糧を確保するために豆満江を越えて中国社会を初めて目にしたとき、それまで信じていた世界がひっくり返るような衝撃を受けた。そのとき彼はもっとも胸の痛む光景として、雨の降る駅でぼろぼろの服を着た裸足のコッチェビの子どもが寒さに震えながら歌っていた『この世にうらやむものはない』を思い出した。汽車を待つ乗客の同情を買おうと「われらの父は　金日成元帥《ウォンスニム》／われらの家は　党のふところ／わたしたちは　みな兄弟／この世にうらやむものはない」というリフレインをかすれた声で繰り返し歌っていたという。

配給体系が崩れ、各自が自分の生きる道を探るなかで、闇市場にしがみついて生き延びようとしてきた人びとは、子どものころからしみついている歌の歌詞を変えて歌うようになった。「われらの家は党のふところ」ではなく、「われらの家は闇市場」と。しかし「われらの父」の部分にはさすがに触れることができず、時代の変化によって「金日成」が「金正日」に、そして「金正恩」に変わり、若干抑揚に変化をつけて不満を込めるのが関の山だったという。

『この世にうらやむものはない』は、二〇一六年六月に開かれた第七回党大会で金日成賞と金正日賞を同時に受賞したことで、また広く歌われるようになった。闇市場と、非公式ルートで入ってくるドラマ、映画、音楽などを通じて、ひそかにではあるが外の世界の情報が幅広く流通している時代に起きていることである。開城工業団地や海外で就業している労働者のように、外部世界と直接接触した経験を持つ人びとも数十万に達している。北朝鮮が世界的にどれほど貧しい国か、全国民がすでに知っている。彼らはどんな気持ちでこの歌を歌うのだろうか。あらためて歌詞を吟味してみよう。

「空はあおく　気持ちはうきうき／アコーディオンよ　高鳴れ／みんなが　なかよく　暮らす／われらの　祖国は　ほんとうにすてき」どこにも物質的な所有、競争と比較を意味する内容は含まれていない。自然、心理、芸術、人間関係を通じて感じる「主観的な幸せ」を歌っているだけだ。繰り返されるリフレインは、父、家、兄弟という象徴を通じて、「家族国家」の関係と帰属意識を固めている。

青少年期に韓国に来てすでに二〇年近くになる脱北青年が、何の気なしにこの歌を口ずさんでいたことがあった。「どうした、懐かしいのかい?」「いいえ、でもこの奇妙な幸せが懐かしくなるときがあるんです」。物質的に恵まれた場所にいて最もつらく苦しいのは、比較されることと競争することなのだという。みんなが狂ったように働き、貪欲に消費する終わりのない競争の中で、差別と疎外感で不安になるのだという。冷たい人間関係にいつも苦しまされるこの地にいると、「みんながなかよく暮らす」「われらはみな兄弟」という、自分はもう戻ることのできない場所で歌っていた素朴な歌詞がふと恋しくなるのだと。

贈り物の特別な意味

「ぼくたち、将軍《チャングンニム》の送ってくださったみかんを食べました」平壌のある託児所で会った子どもが自慢げに声をかけてきた。もう数週間以上前に食べたであろうそのふしぎな果物の鮮やかな記憶が、口元にもただよっていた。息が白くなるほど寒くて閑散とした大きな託児所の広い部屋だった。

長い冬の間、キムチ以外には野菜も果物も食べられないであろう青白い顔をした子どもたちにとって、オレンジ色に光る南方の果物がどれほど珍しいものだったか、私たちには想像もつかない。強いていえば韓国が貧しかった時代に、私が初めてバナナを食べたときの感じ、とでも言おうか。当時、とても貴重だったバナナを家族全員でうすく切り分け、少しずつ味わった記憶。その子は、「まるまる一個、食べた!」と自慢げであった。

このように、この子にとって「将軍《チャングンニム》」は一生記憶に残るような特別なサプライズプレゼントを下さる方である。ときには特別に意味のある大きな贈り物をすることもある。金正淑託児所の先生は感動に満ちた声で「首領《スリョンニム》が外国産のカーペットを遊び場に敷きなさいと送ってくださったので、その上で子どもたちが踊っている」と誇らしげに説明していた。平壌第一高等中学校（現在の平壌第一中学校）では、路上ではとうてい見かけないような外国製の乗用車を、学生たちが運転の練習用に使っていると自慢していた。在日同胞の事業家が送ったものを「父なる心から学生にプレゼントなさった」のだと説明していた。「アリラン公演」に参加した数千名の学生にも「カラーテレビ」を一台ずつプレゼントしてくださったという。

しかしそれよりさらに重要な贈り物は、指導者の誕生日といった祝日ごとに、国中の子どもたちに飴やお菓子、ときには新しい服を送っていることだ。日頃そうした甘い食べ物に飢えている子どもたちにとって、その日の贈り物は待ち遠しく、特別な喜びとなる。クリスマスの日にキャンディを分けてもらおうと教会に走って行った子どものころを思い出す。サンタクロースのプレゼントを待つ今日の韓国の子どもたちの気持ちと似たようなものではないだろうか。そのすべての贈り物を下さる方が、「父なる将軍」なのである。子どもたちはこうした「贈り物」を通して可視的に、定期的に彼の存在を感じる。子どもたちを特別に愛しているという将軍の関心と配慮を確認するのである。

「凍ったみかん」と「病気の牛」

それから何年か後の二〇〇九年の夏、偶然に済州島から北朝鮮にみかんを送る運動を主導していた済州大学の教授に会う機会があった。平壌の託児所の子どもたちがみかんを食べたと言っていた、という私の話をとても喜んでくれた。周囲からは、そうやって一生懸命に「ばらまいて」も軍隊が食べるんだろう、党幹部が食べるだけだろうなどと皮肉を言われてばかりだったので、喜びもひとしおだという。北朝鮮の人たちも彼らなりに子どものためを思ってやっていると知り、これまで感じてきた訝しさもおさまって泣きそうだという。船積みが遅くなり、埠頭に積まれたままのみかんが凍ってしまうのではないかと心配であちこち走り回った当時の苦労が無駄ではなかったと思うと、ちょっと誇らしくさえ感じると語っていた。

私もそのみかん問題についてアドバイスしたときのことを思い出した。二〇〇〇年当時、済州島はみかんが豊作で、価格暴落の危機に直面していた。大量のみかんを買い取って埋めなくてはならない状況で、どうせなら北に送ってみたらどうかということになった。紆余曲折の末、送るには送ったが、むこうからは感謝どころか、凍って割れたみかんがたくさん混ざっていたという不満を聞くことになった。鄭周永《チョンジュヨン》会長〔韓国の大財閥・現代《ヒュンダイ》グループの創設者。現在の北朝鮮に位置する江原道通川郡の出身。一九九八年に北朝鮮支援を行なった〕が一〇〇〇頭の牛を引き連れていったとき、多くの牛の腸にプラスティックやらビニールが入っていたので働く前に死んでしまったと北朝鮮側が批難報道をしたのと似た状況だった。韓国側からの贈り物にはケチをつけられてしまうのだから物は送らないほうがいいという主張が出てきていた。

文化人類学者として私は、当時この問題に悩んでいた政策関係者に、感謝すべき状況にもかかわらずいちいちケチをつける現象の文化的な意味について説明した。アフリカ南部のブッシュマンの文化では、贈り物をもらっても感謝したり称賛することはない。平等社会の文化原理が垣間見られる代表例である。たとえば、猟師が大きな獣を仕留めて村の人に分けると、みんなで囲んでおいしく食べながらも、肉がかたいな、などと文句を言う。成功した猟師の高揚した気持ちを冷ますためだという。ブッシュマンの村に長く滞在して世話になった人類学者が、肥った牛一頭を買ってごちそうしたところ、村の人たちはたらふく食べておきながら「痩せさらばえた牛」などと言い、皆の前で恥をかかさ

れたという。贈与した側が陥りやすい優越感を鎮めるための平等社会の贈与文化なのだ。[☆2]

「ありがとう」というのは、その場ですぐ表現するものではなく、適当な時間が過ぎてからそれと同等か更に大きな贈り物で確実に返す。カラハリ砂漠に暮らすブッシュマンは、どんなにひどい干ばつであっても遠くから親戚が来れば最後の一滴まで水を分けてくれる。そうした文化こそが、やせた土地環境に暮らす彼らの生存のカギなのである。北朝鮮当局は牛を率いてきた鄭周永会長には金剛山観光と開城工業団地の開発権を与え、みかんを送ってきた済州島の人びとにはチャーター機で直接平壌に来られるようにするなどして、後から「ありがとう」を他の方法で「精算」した。

とはいえ、そのみかんが済州島の人たちからの「贈り物」であったという事実を平壌の子どもたちに知らせなかった点は気になるところかもしれない。だから「直接自分の手で渡して、子どもたちが食べているところを自分の目で確認できないならあげられない」という主張も出てくることだろう。しかし、そんな条件のついた「贈り物」は、いらないというのが北の一貫した立場だ。「贈り物」は、将軍だけができるものだからだ。将軍の名前で、特別な日に特別な方式であげるものだ。まさに、クリスマスの日にお父さんが買ってきたプレゼントを、特別な歌をうたいながらサンタのおじさんの名前でもらうのと同じように。

「将軍《チャングンニム》の誕生日の贈り物《プレゼント》」

将軍が全ての子どもたちにくださる「贈り物」を確保するのは、党スタッフの最優先業務である。第一章でも述べたとおり、私たちは飢餓の真っ最中でいちばん厳しいときに急遽、粉ミルクを送ろうと中国の北京で北の人たちに面会し直接交渉した。南の子どもたちが心を込めて集めた「贈り物」だから、直接北の子どもたちに渡したいと言うやいなや、にべもなく「そういったものは受け取れません」と一蹴された。

こちらのやり方で謙遜しつつ、ちっぽけな「贈り物」ですが「直接」渡したいと言ったことに、むしろ自尊心を傷つけられたのだろう。私たちにとって「贈り物」は、大きなものや誇張した賄賂ではなく、小さくても心を込めたものを意味する。しかし、北での「贈り物」は、首領や将軍がくださる「下賜品」の意味が強い。さらに「いただいた」ものを子どもたちが喜び感謝する行事は、毎年この国でもっとも重要な祝日に彩りを添えるものだ。それを私たちが「直接」しようとしていたなんて。急に恥ずかしくなった。記念日だったなら、孤児院の前にりんごを何箱も積みあげて、一列に並ばせた子どもたちの前に座って証拠写真を撮るというお決まりの「慈善」行為をすることになったのではないかと反省した。「直接」分け与えたいという主張は控えようと思った。

互いに気心が知れてきたところで率直に、粉ミルクと一緒に砂糖ももらえたら、という「おねだり」が出てきた。「将軍の誕生日の贈り物」として全国すべての子どもに分け与える飴をつくらなくてはならないのだが原料が不足しているという。結局、粉ミルクのみを支援することで話はまとまったが、様々な思いが交錯した。飢えた子どもたちに何トンにもならない粉ミルクしか持ってこられなかった南側の大人と、数百万人の子どもの口に入る「将軍《チャングンニム》の誕生日キャンディ」を準備するのに骨を折っている北側の大人が向き合って、誰からの「贈り物」とすべきかなどと議論しているどうしようもなさといったら。

そのとき私たちが支援した粉ミルクは、ミルクキャンディになったかもしれない。それでもあの厳しい時代に、将軍誕生日の「贈り物」として贈られたアメは、ほんとうに甘くておいしかったと満足した数十、数百万の子どもたちを想像して、気持ちをなぐさめている。

「にっこり笑おう!」誇りにあふれた公演

「にっこり笑おう!」デカデカとタイトル文字が映し出されると、暗い競技場の向かい側にいた数千人の子どもたちが「ヤア!」というかけ声とともに一斉に飛び出してきた。一瞬で競技場いっぱいにきっちり並んだ子どもたちは、肩で息をしながらも溢れんばかりの笑顔だ。かわいらしい子どもたちの劇的な出場場面に、綾羅《ルンラ》島五月一日競技場を埋め尽くした一五万人の観客もみなニコニコして熱い拍手を送る。たくさんの子どもたちが一心不乱に演技するたび、あちこちから感嘆の声があがった。とにかく子どもたちの活気と笑顔というのは伝染力がすごい。

「にっこり笑おう!」は「アリラン公演」の第二場「先軍アリラン」第二景のタイトルだ。その直前の第一景「祖国の明るい月よ」は、先軍時代すなわち大飢饉に見舞われた「苦難の行軍」の時代を、暗いなかを照らす月の光であらわしたもの。「にっこり笑おう!」は、そんな厳しい時代にも子どもたちは明るく活気に満ちて育ったということを一転明るいステージで見せる場面である。競技場で幼稚園児と小学生が、「背伸ばし運動」のひとつとされる縄跳びをすると、背景隊《カードセクション》〔北朝鮮のマスゲームは、競技場のフィールドで歌い踊り演技をするチームと、客席の対面で色のついたカードでモザイク画を描く背景隊に分かれる〕は「豆乳車」が走る様子や「豆乳」を飲む男の子と女の子の絵を描き出す。背景隊がまた「明るく笑おう!」の文字を浮かび上がらせる。子どもたちが集団体操で運動場いっぱいに花模様を描き出すと、今度は背景隊の文字が「ぱっと咲き誇れ!」に変わる。

「にっこり笑おう!」は子どもたちに情緒的表現を命令し訓練させるという、劇場国家の力とその

にっこり笑おう
「アリラン公演」のなかで子どもたちが登場する「にっこり笑おう」の豆乳車の場面。

矛盾を象徴的に見せつける場面だ。託児所に預けられている年齢から教育現場のあらゆるところで、公演の練習をしたり、つらい活動をするときには、口をあけて意識的ににっこり笑うよう、励まし、訓練させた結果だ。つらいことがあっても無理に笑顔をつくりさえすれば、実際に気分が良くなるという心理学の実験もある。もちろんその効果は一時的なもので限界がある。しかし北朝鮮においては劇場型の演出方式によって、物理的な困難は精神的に克服できるという主張を現実に具現化しようとしている。つまり、飢え死ぬ人もでるような生存危機の状況にあっても、「行く道は険しくとも、笑顔で行こう」という政治スローガンを掲げることで、どんな情緒的態度を身につけなくてはならないかを教示しているのである。こうした象徴作業については第五章四節で詳しく説明したい。

「アリラン公演」を観覧した人たちがいちばん驚き感嘆するのは、出演者数十万人以上が参加する集団体操と、背景隊の動作の機械的ともいえる正確さと強力な表現力である。「アリラン公演」は、多様な分野の芸術および体操公演と曲芸《サーカス》の専門家だけでなく、軍人と学生を含めたほぼすべての世代の社会集団が参加する共同作業だ。特に目をひくのは幼稚園児を含めた学生がおこなう集団体操公演である。まだ年端のいかない子どもがどうしたらあんな高水準の公演ができるのか、誰もが不思議がり、実際に多くの外部の人がこの公演に参加する子どもたちは過酷な訓練をさせられているのではないかと心配している。

しかし集団体操に参加する学生のほとんどは「公演に参加するのをとても誇らしく」思っていて「言いようのない達成感と満ち足りた一体感、自負心を感じる」という。よって訓練の課程でいちばん効き目のある統制方法は、最終公演から降ろされることだという。[★1] 彼らは通常四か月から六か月の集中訓練を受けるが、最終公演に参加した人はみな金正日名義の「カラーテレビ」を贈られた。強制と体罰よりは、意味を強調して褒賞することで競争心を刺激しつつ、自発性を引き出す方式なのだ。

「アリラン公演」プログラムの準備は、各地方単位での学校と職場の競争から始まり、練習と競争の熱気の中で進む。最終的に選抜されれば、所属団体の名誉となり各種褒賞と特恵が与えられるからだ。訓練は辛いがスポーツのように達成感を味わうことができ、手間はかかるが、お祭りの準備のように気持ちがたかぶる熱気の中で進むのである。[★2]

各単位で準備されたプログラムは、区域別に統合され、次第に大きな単位のプログラムにつくりあげられ、最終予行練習を経て実際の公演に出すことになる。徹底的に下から上に収れんされながら、機械的に組み立てる過程だ。最高指導者である金正日自身が直接「アリラン」というタイトルをつけ、またプログラムの性格について最終指示を下すなど、最高指導者が総製作者の役割を果たしている。彼のひとことで社会が動く文化体制の基軸は、下からの競争と参加によって裏付けられている。

公演が終わって華々しい競技場をあとにすると、漆黒の闇に包まれる。遠く平壌市街の薄明かりが見える。その闇の中で、きれいなチョゴリやスーツで着飾った数万名の観客が迷いのない足取りで列をつくって歩いていく。私たちのような外部の人間や、地位の高い限られた人だけがバスや乗用車に乗って帰る。平壌で夜間に移動する車両は、外から中が見えるように室内灯をつけている。漆黒に近い暗い夜道の両脇をびっしり埋め尽くして歩く群衆の真ん中を、明るい室内灯をつけたバスと車が一列にゆっくりと進む。窓の外の闇の中から、バスの乗客を穴があくほど眺めるたくさんの視線を受け止めるのは辛いものだ。

その翌年の二〇〇七年の春、金剛山でその暗闇の行列の中にいたという人物に出会った。元山の農業学校を卒業して金剛山で案内員になったという。ひっそりとした谷間の渓谷で、短い時間ではあったが話すチャンスがあった。「苦難の行軍」の時期にはこの美しい渓谷も、木の皮や山菜のような食べ物を求めてさまよう人でいっぱいだったという話もこっそりしてくれた。この間、韓国の観光客にもたくさん会ったが、いまだに彼がよくわからないのは、共和国が核実験をしたというのに観光客たちが別に大したことではないと思っていることだという。平然と「統一したらみんな我々のものになるじゃないですか」と言う人が多くて、むしろ驚かされるのだという。北朝鮮最初の核実験を受けた頃の韓国社会の反応は、実際にそんな見方が支配的だった。

彼は元山地域の他の人とともに選ばれて、夢にまで見た「アリラン公演」を平壌に見に行った。まさに私の見たころだ。お互い嬉しくなっていつどこの席で見たか、などとひとしきり話したあとで、公演が終わったあと市内に戻る道の話になった。あの晩、道を歩きながら煌々と明かりをつけたバスに乗る韓国の人びとを眺めつつ、胸がわくわくするほど嬉しくなると同時に、もどかしい思いも抱いたという。「私はあの南朝鮮の人たちのことをよく知っているのに、あの素晴らしい公演をあの人たちはどう思っただろう？　これからは我々を見下したりはできまい」市内の宿までかなりの時間をかけて歩きながら、あれこれ考えたと回想していた。

2 「子どもはこの国の王さまです」――子どもたちの栄養食

「子どもはこの国の王さまです」
「我が国では子どもたちが国の王さまです」
「私たちは子どものためなら何ごとも惜しみません」

平安南道《ピョンアンナムド》の道庁所在地・平城《ピョンソン》の育児院に大きく掲げられた金日成の「教示のお言葉」である。支援物資を配るために訪問した私たちが目にするには、あまりにそぐわない主張であった。崩れかけた廊下の壁は白い石灰が剥がれかけており、うすら寒い部屋に子どもたちがいた。全部で一二〇名という。

「平安南道ではここしかありませんから」

それだけ大きく立派な施設だ、という意味である。「首領が建てて下さって、将軍が目をかけてくださるので、この大変な時期でもこれだけきちんとできている」のだという。この施設に入所する子どもたちにとってはそのとおりであろう。私が平城を訪問する何か月前だったか、この地域で六〇〇人の栄養失調になった孤児たちを世話していた国境なき医師団が、「透明性」を問題視して撤退したからだ。支援を受けられなくなった子どもたちは、みなどこに行ったのか。平安南道全体にはどれだけ多くの孤児が残されているのだろう。コッチェビになって道端をさまよっている子どもたちを思えば、国家機関が世話をしているこの育児院の孤児たちは恵まれていると言えるのだ。

しかしその子たちですら、相当数が深刻な栄養失調に陥っている。一目見ただけでも、皮膚のあちこちがただれており、腹は出て、顔に疥癬《かいせん》があり、ところどころ髪が抜けて、典型的な栄養失調の症状がみられる。平壌から私たちを連れてきた案内員すら当惑して、顔色を変えずにはいられないようだった。たしかに、韓国でも中央の高級公務員が地方の孤児院や欠食児童の保護施設に行く機会がどれだけあるだろうか。お客さまに幸せそうな表情を見せなさいというつもりなのか、子どもたちは私たちの訪問を前に与えられた飴をみな一粒ずつ口にしていた。それでもほとんどの子どもたちは無表情だった。何人かは元気がなくて立つことすらできなかった。

緊張した面持ちで凍りついている先生方に、私も韓国では「託児所（子どもの家）」の仕事をしていたのだと自己紹介すると、顔をほころばせて「男の人が託児所におられたんですか」と嬉しそうに聞き返してきた。そのまま床に座りこんで、子育ての話などをしながら同業者であるという親近感を分かち合った。あっちの子、こっちの子と抱き上げてみたり、頭をなでてやったり、出っ張ったおなかを押してやったり、おしりをポンポンとたたいてやったり。

「こんなに小さな子たちがおむつもしていないんですね。おむつはいつとれるんですか?」

「生後八か月くらいです」

「そんなに早く? 南の子どもはもっとずっと遅いですよ」

「我が国の保育方針でそうしているんです」

韓国より進んでいるという事実に誇らしげな様子を隠せない先生たち。しかし、保育施設のような集団育児の場で子どもを育ててみた人ならわかる。そんなに早期に大小便を知らせられるようにするには、どうしなくてはならないか。かなり早くから相当な回数、集中的にトイレトレーニングをしているのだろう。第二次世界大戦期に国民性比較を研究していた人類学者が、アメリカと日本の乳幼児期のトイレトレーニングを分析し、心理的な特性の差を知ろうとしたというかなり昔の研究を思い出した★3。

「これは本当に驚きですね。おむつを見せていただけますか？」

「まぁ、何でも見たがるのね。どこでも同じでしょうに……」

「でも、韓国の託児所の先生にちゃんと教えてあげないと」

顔を赤らめながら渋々おむつを見せてくれることになった。ちょっと大きなハンカチくらいの使い古した灰色の布きれを折り、カナダ穀物銀行が送ってきた肥料のビニール袋を四角く切って、汚物が漏れないように表を包んで当てていた。どれほど使って洗ったのだろうか、薄くなってすり切れそうな布きれは、ところどころに焼けた跡があった。せっけんや洗剤がないため、灰汁で煮て消毒したようだ。物資のないなかで、心を込めて対応されている先生方の様子が想像できるだけに、胸を締めつけられる思いだった。支援物資としてもたらされたビニールの一片すら貴重なこの地で、急に子どもたちを放り出して撤退してしまった国境なき医師団を恨めしく思った。

その国境なき医師団のスタッフが二年後、通訳を連れて京畿道《キョンギド》・安山《アンサン》で脱北青少年の教育をしていた私を訪ねてきた。韓国に来た脱北者の心理相談のために数十万ドル規模のプロジェクトをつくったのだが、意見をもらえないかという。ノーベル平和賞まで受賞した有名な国際NGOが、北朝鮮政権の透明性の問題を非難する声明を出して撤退したので、食糧支援活動はさらに畏縮した状況にあった。平城のあの厳しい状況に置かれた子どもたちを放置して撤退したくせに、定着金も医療保険も完備されたソウルの脱北者向けに、この物価の高い韓国で通訳まで使って心理相談をするような費用をどう確保したのかと問い質し、中国国境やモンゴル、ベトナムで苦労している脱北難民から支援すべきではないかと聞くと、それらの社会主義国家では国境なき医師団が望む方法での支援活動が不可能なので韓国に来たという。アフリカなどで政府や公務員を植民地官僚のように使ってやっている帝国主義的な支援方式が、北朝鮮や中国、ベトナムのような国でもそのまま通用することを期待しているのだろうかと、怒りを禁じえなかった。

平城育児院で見た肥料の袋で作ったビニールおむつを思い出して、興奮してしまったようだ。いや、実際のところは「子どもは国の王さま」という標語を掲げておきながら、あのように誠実な大人と子どもたちにひどい暮らしをさせている北朝鮮の権力者と、自分たちに都合のよい基準のみで人道支援を展開しようとしている国際支援団体、そのどちらにも怒りが込み上げたからもしれない。

何年か後にアメリカから平城育児院を訪問したという在米コリアンの朴漢植《パクハンシク》教授に会った。栄養失調状態の子どもたちを見て、解放直後の満州から戻って難民収容所で飢えてろくに食べるものなかった子ども時代のつらい記憶がよみがえったという。当時ろくに食べられなかったせいで、兄弟の中でも彼だけ背が小さいそうだ。彼はあまりに腹が立って、北側の案内員の胸を叩きながら「いったいこの子たちにどんな罪があるというんだ。みな、どうしてこれしかできんのか」と大声で泣いたところ、その場にいた案内員たちもそこに膝をついて一緒に泣いたという。悲劇的な現実に対する心のこもった悲しみと怒りは、痛みを分かち合う真の慰めともなる。[☆3]

大飢饉の発生初期に国際社会の支援を期待して公開された、外部の人びとの撮影による育児院と子ども病院の子どもたちの深刻な栄養失調の写真は、募金活動に一部活用もされたが、それよりもさらに広く、北朝鮮の失政と人権状況を告発するイメージとして拡散した。その後、北朝鮮当局はそうした現場がこれ以上外部の目にさらされないよう管理したが、すでに広く知られてしまったイメージは、

「消えない烙印」となって今も多くの反北朝鮮政治集会に使われている。そのせいか、その後も平壌には何度も足を運んだが、再びそうした施設に行くことはできなかった。

二〇世紀中盤からアフリカのビアフラ、エチオピア、ソマリアなど、さまざまな国で戦争と自然災害により、多くの子どもたちが栄養失調で死んでいった。その子どもたちの残酷な写真は今日まで消し去ることのできないアフリカのイメージとして鮮明に残っている。あのように悲惨な写真を回し見しながら国際社会はその子どもたちをどれだけ助けられただろうか？　痩せこけた北朝鮮の子どもたちの写真を見た私たちは、いったいどれだけの子どもを救えたのだろうか？

私が初期から参加してきた韓国の民間団体は、一九九六年の夏に北の子どもたちの支援活動を始め、韓国の子どもたちが友人になろうという意味で「アンニョン？　チングヤ！（元気ですか？　おともだち）」のキャンペーンを行なった。同情よりも友情を強調した。いくら募金集めが切実であっても、北朝鮮の子どもたちの悲惨な写真を前面に出して韓国の子どもたちの気持ちに違和感や優越感を植え付けたくなかったのだ。いつか肩を組み合ってともに歩むことになるはずの相棒のような友人に自分の顔を描いて送ろうとした。その友人がいま、とても大変な思いをしているから、励ましのプレゼントを集めていっしょに送ろうと。しかし分断の壁と大人の政治論理に阻まれて、多くの子どもたちの純粋な気持ちすらろくに伝えられないままに二〇年あまりが過ぎてしまった。「みんな、なぜこれしかできないんだ」と胸をたたきながら泣いた老教授の悲しみの前には、恥ずかしさしかない。

「豆乳車は王さまの車」

「豆乳車がきたな」教頭先生が騒がしくなった窓の外に目をやった。平壌第一中学校の人民班の子どもたちの「中間体操と豆乳供給時間」だ。クラスごとに列をつくって、配給の順番を待ちながら体操し、豆乳を受け取って飲んだ子どもたちは、左右に体をゆらして力強く歌い、両腕を振って教室へと行進していった。豆乳一杯に力を得たのか、何人もの子どもたちが飛び跳ねて列を離れたりしていた。時折、少年団の幹部らしい子がそれをとがめて列に戻そうとしていたが、すぐに列は崩れる。

「ちゃんと列にならないといけないのに、あれ、あの、あぁして勝手に動き回る奴らは自由主義者だ！　自由主義者！」もともと「自由主義者」である私は、その言葉にぎょっとしてそちらを見た。

豆乳車は王さまの車
新鮮な豆乳を供給するために、他の車よりも優先的に通過するトラック。

ここでは「自由主義者」とは利己的な行動をする者を批判する言葉だ。叱るような語調の教頭先生の目には、かわいさを隠せないといった笑みが浮かんでいた。私もつられて笑いながら、真似してみた。「よくまぁ、あんなふうに飛び回って……おい！　自由主義はそのくらいにして、しゃんとしろ！」南と北の大人は顔を見合わせて笑った。

「豆乳車は王さまの車」という。豆乳車が走れば、他の車はみな道を譲らなくてはならないという。それほどまでに、この国の「王さま」である子どもに新鮮な豆乳を供給することは国家的な優先事業だという。「将軍が、飢饉が最も深刻な時期であっても豆乳だけは保障せよと教示なさった」といわれ、すべての学校のこどもたちには午前一〇時三五分から五五分の間に豆乳一杯が配給される。その現場を平壌第一中学校の訪問時に目撃したのだ。

どんな田舎のどんな学校にも、そんな「王さまの車」はやってくるのだろうか。

校庭の裏の建物で豆乳を飲むために列に並ぶ子どもたちをみて、私が小学校に通っていた一九六〇年代の韓国の似たような風景を思い出した。私もソウルのある国民学校〔現在の初等学校〕の本館裏の薄暗い建物の前で、トウモロコシパンと脱脂粉乳を溶かしたお湯をもらおうと列に並んでいた。建物の入口には米国国際開発庁（USAID）の握手した手をデザインした星条旗の模様がついていた。星条旗の下に書かれた「アメリカの国民より（From the American People）」の文字を今もはっきりと覚えている。アメリカは世界一豊かな国であり、アメリカ人はおなかを空かせた私たちに毎日食べ物をくれるありがたい人たちだった。

戦争が終わって二〇年も経つのに、韓国の学校では昼食を食べられない子どもたちにトウモロコシパンを配給していた。アメリカから援助された小麦粉とトウモロコシ、脱脂粉乳は貧しい子どもたちの重要な栄養供給源であった。避難民と孤児、極貧層の子どもたちが配給対象であった。そのトウモロコシパンと粉ミルクを味わってみたくて、お弁当を持ってきている子どもたちは唾を飲み、ご飯に飢えていた子どもたちはそのパンをお弁当と取り換えて食べた。私も当時、同じクラスにいた孤児の友人に何度か交換してほしいとお願いして食べさせてもらった。そのパンはいつもパサパサしていて、噛み続けると香ばしい味がしてきた。これこそが豊かなアメリカの味という感じであった。

のちに大人になってアメリカで勉強していたとき、アメリカの農務省と国際開発庁がなぜ戦後、日本と韓国に小麦、トウモロコシ、脱脂粉乳を送ったのかという、国民向けの広報資料を見る機会があった。米を主食とする東アジアの人たちが食糧不足で苦しんでいるときに味の好みを変えてしまえば、アメリカの麦、トウモロコシ、酪農業に依存する国となるだろうという狙いだった。特に子どもの味の好みを変えることは、未来のアメリカの農家のための投資であるという説明がなされていた。よって戦争が終わってかなりの時間がたった一九七〇年代までアメリカの余剰農産物援助は続き、韓国と日本の政府は粉食を奨励した。低穀物価格政策により稲作だけで暮らせなくなった農民は、農地を捨てて都市へと移住し、産業化時代の労働力となった。

戦後の厳しい時期にアメリカの小麦とトウモロコシを食べて育った世代は、星条旗と握手する手の描かれた援助物資を忘れられない。アメリカは良い国、アメリカ人は恩人だ。今日もソウル市庁前広場で太極旗（韓国国旗）を振っている老人たちが、星条旗もいっしょに広げて行進している理由も、まさにあの腹を空かせていた子ども時代に学校で毎日食べていた香ばしいトウモロコシパンと温かい牛乳の記憶と無関係ではないだろう。

将軍はひもじい子どもたちに毎日温かい豆乳を「王さまの車」に載せて送ってくださるという。北朝鮮の子どもも大人も大きな声で唱えている「お慕いすべき父・な・る、将軍様！」の声には、こうして毎日受けている恩情で染みついた感謝が込められているのであろう。

豆乳は「豆乳」ではない

大飢饉のなかでひもじい思いをしている北朝鮮の子どもたちを救おうと立ち上がった韓国の私たちがまず思い浮かべた子ども向けの栄養食品は、当然のことながらトウモロコシパンと脱脂粉乳であった。ユニセフ（国連児童基金）が子どもの緊急支援物資として優先したのは「栄養ビスケット」であった。よって最初の募金でまず支援しようと私たちが準備したのも、粉ミルクと栄養菓子であった。ただ、軍用食糧に転用されないように、長く保管できない状態で提供する方法を講じた。当時、韓国政府と社会世論のせいもあったが、対北支援事業をおこなう民間団体も最弱層にいる子どもと産婦にまず支援が届くようにいろいろ手を考えた。日本の支援団体は「朝鮮の子どもにタマゴとバナナをおくる会」を作った。[☆4] 当初はリンゴも送っていた。軍用に備蓄できないよう、すぐに配布されて消費しなくてはならない食品を送ろうという意味があった。

実際には支援事業を始めてすぐに、支援物資に対する冷戦思考からくる危惧のほとんどは、非常識な心配にすぎないことがわかった。北朝鮮現地の実状を知らず、支援事業に対するこちらの知識と情報があまりに不足していることから生じる問題であった。私たちが参考にするしかなかった既存の飢餓支援活動は、ほとんどが西側先進国の自文化中心的な視点で進められていることがわかってきた。支援される側の立場よりも支援する側の産業の利害をもとに帝国主義的な方法で進められきたのが、国際的な支援活動の本質だということが身をもって実感できた。

支援する側が簡単に自分の都合で進めていく点が、一方的な支援活動の危険性である。支援する側が自問自答しながら行なわないと、よほどのことがないかぎり受益者側は本当に必要なものを求めにくいからだ。北朝鮮は国家レベルで常に相手をけん制して自尊心を守ろうとしたが、官僚が出しゃばって政治と理念を押し通せば、その壁にぶつかって現場の要求もまともに伝わらない。恥ずかしい話だが、未熟だった試行錯誤の経験を共有して今後の戒めとしたい。

支援物資を届けるために北側と協議する過程で明らかになった一つめの事実は、国際的な支援食品である栄養ビスケットや粉ミルクを彼らは食品ではなく間食と考えることだ。いくら子ども向けだとしてもだ。実際、戦争時に韓国でも経験したことだが、米軍がくれたチョコレートやチーズのカロリーがいかに高くても、人びとの空腹を満たしはしなかった。同じ原理で、韓国のチョコパイがどれほど現地で人気があったとしても、飢饉の救援食だと主張することはできないのだ。

国家単位での供給を考える北朝鮮側の官僚は、ＮＧＯが持ってきた少量の食品を最も必要としている人に優先的に供給しなくてはならないという主張を理解できなかった。だからその程度の分量の粉ミルクならむしろ将軍からの贈り物用キャンディを作って分けてやろうと考えたのだろう。こちらが子どもの栄養問題についてあれこれ言い続けるので、それならむしろカロリーの高い食用油をよこせとも言った。

飢饉なのに食用油？　韓国当局側は食用油で大砲の弾を磨こうとでもいうのだろうかと訝しんだ。それほどまでに冷戦思考の警戒心ばかりが高く、支援品に対する基礎的な知識は不足していた。食用油は保存と流通がしやすい高カロリー食品で、油そのものを食べるというよりはいろいろな素材を食べられるように加工するために使う濃縮栄養供給源だった。食用油は世界各地の支援先で好まれていることを後に知った。韓国の民間団体が初歩段階で右往左往している頃、国際支援団体は既に北朝鮮現地で製麵工場を建設して、生麵を供給し始めていた。

「豆乳供給のアイデアは、平壌で「王さまの車」と言われる「豆乳車」を見たのちに具体化した。北朝鮮の子どもの実状と味覚に合う支援物資を供給したいと夢中になっていたところで偶然出会ったのが、先ほど紹介した豆乳配給の場面だったのだ。それでもしばらくは、それまで準備をすすめてきた栄養ビスケットと似たような栄養菓子を供給する道を探そうとしていた。支援方法の思い込みを正してくれたのは、平壌で出会った北の医師たちであった。対外交渉の専門家である官僚とは違い、彼らは専門性があり、心の底から差し迫って必要なものを私たちに伝えようとしていた。

彼らは、すべてのものが欠乏している厳しい条件のなかでも、自分たちがどれほど社会主義の予防医学と栄養管理体系がうまくいくように努力を重ねているかをひとしきり説明したのち、しれっと緊急の要求に触れる。制限の多い公式会合の場でこうした言葉の意味に気付かずにいると、次の会合でもまた同じように理想的な社会主義医療体制を説明し、またしれっと同じ要求に言及するといった調子なのだ。いつも毅然とした態度で話す彼らの微妙な言いまわしに気付くのは簡単なことではない。こちらも既に準備してきた計画があるわけで、現場で新たに問題を理解し、異なる方法ではじめからアプローチし直さなくてはならないと考えるのは正直骨が折れる。しかし、こちらが準備してきたことを押し通すよりは、現場の実態を理解してそれにあわせて対応するのが本当の支援になるのだということを、徐々に理解するようになった。

北側の医師が提起した問題は、栄養欠乏で母乳の足りない産婦の新生児にのませる「子ども用ミルク（＝調整乳。formular milk）」を供給できていないことであった。レシチンという乳化剤がなくて「子ども用ミルク」を作れないという。調整乳を供給できないことは、つまるところ多くの新生児の死を意味する。あけすけな要求はしないが、私たちの持参した栄養ビスケットで解決できることよりもはるかに喫緊の課題を教えてくれたのだ。食糧不足で飢饉がかなり広がっていることはわかっていたが、原材料とエネルギーの不足から以前なら供給できていた薬品と加工食品を生産できず、そこから発生したさらに深刻な問題は実感できていなかった。外からの支援食品も、いつどんな政治的な問題で供給が中断されるかわからない。実際に必要な物量を送り続けられる自信もなかった。そこで、現地で調整乳を作る基本設備と材料を提供することにした。

北朝鮮社会でおなじみの豆乳を基本として、まず新生児のための子ども用ミルクをつくり、あわせてできるだけたくさんの豆乳を生産できる施設を設置することにした。このために韓国有数の豆乳業者に技術支援してもらおうと考えた。協議はあっけなく失敗におわる。真空パッケージの原料はヨーロッパから輸入しなくてはならず、パッケージ工場を稼働させるには数十万単位にならないと単価が見合わないという話を聞いてしまったら、もうあきらめるしかない。原材料を安く送ることはできても、生産設備についてはアドバイスできないということだった。韓国の豆乳は、チョコパイのように商品として進化しすぎてしまったのだ。北朝鮮の子どもたちに必要な、栄養価のある豆乳を別途つくって安い単価で供給しようという考えも意志もなかったというわけだ。

東西ドイツの統一過程とその後の変化を現地で研究したジョン・ボルヌマンの忠告を思い出す[☆5]。企業を信じるなという言葉だ。東ドイツの立ち遅れた産業を現代化してくれると期待して、業種を同じくする西ドイツの会社に東ドイツの企業を払い下げたところ、企業が手始めにしたのは東ドイツの工場の閉鎖だったという。より安価なものを作る競合企業を潰すことから始めたというわけである。古い施設と非生産的な労働力を現代化させるよりも、西ドイツの既存生産施設をさらに動かして新たな消費市場を掌握する戦略をとったのだ。統一後、旧東ドイツの失業率が天文学的数値にまで跳ね上がり、社会福祉に依存する無気力な人びとが増えて統一費用がかさんだのも、こうした初期の政策判断の過ちから始まっているのである。異なる国家体制を統合する際に、市場の論理が常に合理的というわけではなく、対象と状況によって細やかな配慮が求められるのだ。

まず私たちは韓国式の豆乳に対する固定観念を捨てることにした。別の可能性を中国の「豆漿《トウジャン》」生産設備の工場に求めた。保存期間は短いものの、簡単なビニールパッケージの設備を含めて韓国の豆乳に比べ五分の一程度の単価で子どもたちに必要な栄養成分を添加した「豆乳」を作ることができた。その機械で作った試作品を見せたところ、韓国の豆乳会社からは「豆水」のレベルだと鼻で笑われた。

それでも成分分析した栄養学科の教授陣は韓国の豆乳に比べて砂糖が少なく、子どもの健康にはより適しているかもしれないと述べた。紆余曲折を経て韓国の民間支援団体が平壌に豆乳生産施設を設置することができた。そこで一日に二トンの豆乳を生産し、乳幼児から三歳まで三五〇〇名の子どもたちが毎日飲めるようにした。新生児にも消化吸収ができる粉末調整乳も加工して、各地域の産院に補給できるようになった。のちに年間二五〇トンの粉末豆乳を作って、約二〇〇〇名の山間地域に暮らす子どもたちにも供給できるようになった。☆6

その次にクリアした課題は、供給者の名前がついたビニールパッケージへのこだわりであった。北朝鮮の体制と社会組織の特性上もっとも効率的な供給方法は、各学校、託児所、幼稚園単位で豆乳缶に入れて送ったり、はじめから「豆乳の王さま車」に積んで送ることだった。お互いへの信頼さえあれば、既に生産―供給システムのある豆乳工場の中に新たな生産ラインを拡充させて、生産量をあげ、栄養成分を強化するのが合理的な支援方法だ。そのころには、その豆乳を軍人が飲むだろうという危惧などは笑って済ませられるはずだった。北朝鮮当局も、軍人の兵糧米よりも子ども用の豆乳供給の安定化のほうが重要課題と考えているとわかっていたからだ。

しかし韓国の団体名をつけて配らなければ、将軍からの豆乳だと思われて、北朝鮮の体制を利することになるという問題を無視することはできなかった。朝鮮戦争期に援助物資についていた星条旗を記憶している政治家たちは、「大韓民国」マークをきっちり付けた支援物資を送って、体制をゆるがさねばならないと主張していた。そのせいで、北朝鮮当局も韓国の支援物資につけられた商標や文字に敏感であった。しかし現場で支援活動をする人たちは、むしろ「将軍の名」で「王さま車」に積まれてきた豆乳のほうが、不正を経ずにより確実に配給されている事実を知っていた。北の子どもたちの切実な栄養状態を深刻に感じていた人たちであればあるほど、確実に届く効率的な供給方法を選ぼうと努力していた。おなかを空かせた子どもに飲ませることができれば、「汝《なんじ》の右手のなすことを左手に知らしむことなかれ〔他人を助ける際には仰々しく言いふらさずに黙って行なえ〕」の言葉のとおり、本当の「透明性」が実現できると考えたのだ。

支援物資につけられたマークや文字よりも、心を通わせることのできる真心や感謝がより重要だということも知った。暗い廊下で遠くを見つめたまま、ぐっと手を握って力を込めて低い声で静かに「ありがとうございます。ありがとうございます」とつぶやいた、苦労を共にしてきた北側の研究員。急に涙がこみ上げて、私も同じように遠くを見つめながら「これしか支援できなくて、ごめんなさい」と独り言のように答えることしかできなかった。すると彼は私の手をさらに強く握ってつぶやくように、「気持ちがありがたいのです。その気持ちが」と言ったのだ。あやうく涙があふれるところであった。「センチメンタリズム」で相手を困らせてはいけないと、顔をあげて天を仰いだ。

3 「愛しの将軍《チャングンニム》」――恋慕と賛歌

何の計画もなしに、ある小学校を訪問することになった。これは、めったにない状況だ。突然入った最初の教室で、戸惑っている先生と子どもたちと対面した。準備なしの出会いには特に不慣れな社会なので、みなどうしたらいいかわからず困惑していた。二年生の教室だったので、私は二年生のときに九九を覚えるのにえらく苦労したことを思い出して、誰か九九段を言える人はいるかな？と聞いてみた。すぐに聞き取れたようで反応があった。九九段を北朝鮮では九九表と言うらしかった。真ん中に座っていた少年団の赤いスカーフをした賢そうな子が立ち上がって、歌うように朗々と唱え始めた。「五・一が五、五・二が一〇、五・三が一五、五・四 二〇……五・一〇は五〇！」途中でわからなくなったらどうしよう？　という緊張が解けたときの晴れ晴れとした表情、はきはきした声に魅了され、おもわず拍手してしまった。

今度は何か一曲歌ってほしいとお願いした。急な注文に何を歌うかすぐには思いつかないようだった。案内員は、そろそろ行こうと言い出した。この機会を逃してはならないと思い、おそるおそる「準備しているあいだに、私が南の歌を歌ってあげようか？」と言ってみた。突然の提案にみな目をまるくして案内員のほうを見つめていたが、とうとう校長先生の口から「拍手〜！」の言葉が出た。韓国で歌を促す際の言い方とまったく同じであった。

前へ　前へ　前に前に！
地球は丸いから　歩き続ければ
世界中の子どもたち　みんなに会えるね
世界中の子どもたちが　ハハハと笑えば
その声が　聞こえるだろうね　月の国まで
前へ　前へ　前に前に！

共同育児の保育園で子どもたちと歌うときのように、私は両腕を広げて丸い地球のかたちをつくり、行進さながらに足踏みして全身を動かした。身体の大きな中年男が聞きなれない歌を歌いながら踊るのをみていた子どもたちは、口をあけて目を丸くしていた。緊張していた先生方と案内員まで満面の笑みで手拍子を合わせてくれた。いうなれば、おかしな大人が来てしまった、というところだろうか。彼らも懸念がなくなったようだった。気軽に鼻歌を歌ったりして、アコーディオンをひきながら曲を選び出した。「そうだ、新しく習った歌はどう?」

この夜があければ　かなうかな
わたしの　心からの　ねがいごと
一年たてば　かなうかな
わたしの　心からの　ねがいごと
夢のなかでも　お会いしたい　父なる将軍
ほんとに　ほんとに　恋しい気持ちです

子どもたちはみな、まじめな目つきで上半身を前に乗り出すようにして、心から将軍を恋うる気持ちを表現した。私が知るかぎり、もっとも自然な状態で心置きなく選んだ歌をいつも通りに歌っているのだった。はじめは韓国の小学校の子どもたちが愛と恋しさをうたう流行歌を情感込めて歌っているのに似ているな、と思った。首領を称揚する歌は「金日成将軍の歌」のように、毎日どこかで鳴っている行進曲風のクラシックがあるかと思えば、歌謡曲風の歌と童謡もある。これほどまでに首領を思慕する感情を多様な方法で表現する音楽が、常に新たに生み出され、広がっているのだ。

子どものころ、教会の日曜学校の聖歌隊で好きだった讃美歌「主ともにいませり、わたしの友になってください」を歌ったのを思い出した。神様と友人になれるかのような得意げな気持ちで神様を恋慕する讃美歌を歌っていた当時の気持ちを思い出すと、この子たちの表情を少しは理解できるような気がした。彼は神のいない国の神である。韓国人との言い合いに慣れた北の案内員の言葉を思い出す。「見えない神を父と信じて崇める人が、どうして生きている指導者を父と信じるのはいけないと思うんでしょうねえ?」

「低くなった食卓」徳性実話

平壌の普通江《ポトンガン》のほとりにある清流館という冷麺レストランに案内された。手も凍りつきそうな寒い日だったが、平壌冷麺は元来こういう日に食べるものだからというので出向いたのだ。しかし暖房も大してきかない食堂の一室は口を開けば白い息が見えるほど。食糧だけでなく、エネルギー事情も最悪の時期だった。「本来なら、暑いオンドル部屋〔朝鮮半島の伝統的な床暖房の効いた部屋〕で食べるものだけど……」という案内員のきまり悪そうな言い訳を聞きつつ、青ざめた顔で氷の乗った冷麺を食べ始めた。口では「悪くないな」「おいしいね」と言ったものの、腹の中はぶるぶる震えていた。何か寒さを忘れさせるような話題はないかと思ったのか、案内員がこの食堂の下の階の「家族部屋」にあるという「低くなった食卓」の話を紹介してくれた。

冷麺が好きな平壌市民のために、大同江のほとりの有名な「玉流館」とともに普通江に「清流館」を建設せよとおっしゃって、その名前までつけてくださった首領《スリョンニム》は、隣の氷上館の建設現場を現地指導されたのち、この「清流館」に入って部屋をご覧になり、地下の家族部屋に直接お座りになられて、食卓が高すぎるのではないかと心配されました。お付きの党幹部が「その程度でしたら大丈夫でしょう」と答えると、首領は「大人は大丈夫だろうが、子どもには高い。食べにくそうな子どもの姿を見たら親はどう思うかね、低くさせなさい」とご指導下さいました。☆7

こんな「心温まる」美談を聞かされてじっとしているわけにはいかず、下りて行って見てみようと提案した。いつも急な要求を警戒していた案内員も、この時ばかりは率先して地下の「家族部屋」に案内してくれた。急に外部の人が入ってきたので、やはり寒い部屋に座って冷麺を食べていた家族はみな驚いて、席から立ち上がった。南から来たお客さんが「低くなった食卓」を見たいというから来たのだと案内員が紹介すると、驚き固まっていた家族の顔がほころんで、自慢げな笑顔になった。

「低くなった食卓」は、国中の人が幼い頃から何度も聞かされ、誰もが良く知る有名な「徳性実話〔有名な逸話〕」である。「人民を常に愛する首領のありがたい徳性を反映した逸話」の現場に、その事実を初めて知る「無知な」外部の人がやってきたのだ。誰もが知る話を「不思議そうに」聞く私を、その場にいた小学生までもがくつろいだ表情で見つめていた。

清流館の「低くなった食卓」のように、首領と将軍の現地指導の逸話は各家庭の台所のかまどの高さといったことから、託児所、幼稚園、学校の教育教材、病院や工場の施設に至るまで数えきれないほどある。例を挙げると、平壌人民大学習堂〔北朝鮮最大規模の総合図書館〕の閲覧室には、「傾く机」がある。首領がお座りになられて、「人民が座る高さにあわせて、机の高さを変えられるように調節でき、本を読みやすいように机の手前を低く、向こう側を高くできる机をつくりなさい」とおっしゃったという。

どれも美談だ。しかし、ふと「低くなった食卓」や「傾く机」がそこだけにあるということがおかしくないか、という思いにもとらわれる。すべての食堂の食卓を低くしたり、すべての図書館の机を傾くようにつくろうとすると、かなりの費用と努力が必要になる。例外的な事例であることが、むしろ教訓になってはいないだろうか。神話的英雄が山と野と海と木に怪力と奇跡で成し遂げた現象と同じく、まさにこうした話の効果は、アイデアを普遍的に実用化することよりはその特別感にある。彼の立ち寄った場所に残された特別な痕跡とお話は「父なる首領が施された愛と恩情、あたたかさ、そして細やかな配慮の賜物」であるというひとつのテーマのための変奏曲なのである。

「将軍《チャングンニム》の食率《シクソル》」家族国家の標語

食糧危機が長期化して平壌のエリート家庭ですら日々の暮らしが苦しくなってくると、「将軍の食率」と書かれた掛け軸が各家庭の壁にかけられた。「将軍の食率」という文字とともに金正日を象徴する花（金正日花）を描いた掛け軸には「降りそそぐ愛を涙で抱きしめ／まことの道理を尽くされる／ああ 将軍の食率／将軍の民族」という文言が書かれていた。「食率（一家に属する家族）」ということばは、一家に依存して食を共にする家族のイメージを強調したものだ。

食糧不足という状況と逆説的に多く使われ始めた「将軍の食率」は、金正日「将軍」がすべての人民をひとつの「家族」のように愛しているので、つらくても家長を信じてついていく道理を尽くせ、という意味だ。「白米に肉のスープを食べられるように」するという長年の約束を繰り返すことは困難になった最悪の状況にあっても、彼らの間の「家族」関係は断ち切ることもできず、断ち切られもしないという確固たる表現だ。同時に「将軍が責任をもって暮らしを良くしてくださる」だろうという象徴的な信頼を呼び覚ます家族国家の政治的な標語でもある。
からっぽの台所に「将軍の食率」という文字を掲げて、飢えた子どもたちや痩せた母親たちは、どんと腹の出た将軍の写真を見て自分の「家族」と思えたろうか。その本心は知る由もないが、当然湧いてきそうな疑念を晴らす多様な文句はたしかに流布していた。あちこちのメディアが「将軍がおやつれになった」という人民の心配する声とともに、「アメリカの経済封鎖のせいで苦しくなった人民の暮らしを立て直そうと昼夜を問わず骨を折られて、お身体（玉体）に障るのではないかと心配だ」といった調子で伝えていた。

飢えた人民が腹の突き出た「将軍」をそこまで思いやれるはずはないと思い、ソウルに来ている脱北青年に聞いてみた。「北にいたころ、私みたいに太った人を悪質な地主とか資本家だとかいって憎んでいただろう？」。その答えは意外なものだった。「いいえ、先生みたいに背が高くて風采の良い人は、首領とか党幹部のように豊かに見えました」。どうも「われわれ」と「あなた」は必ずしも同じである必要がないようなのだ。むしろ一家を代表する人はより大きく堂々として風采の良い、つまり「代表として良い暮らしをする人」として羨望の対象でなくてはならないということなのだ。

家族国家の国民意識は、日常のなかで積み重ねられる些細な経験によって固められる。日常生活の空間に指導者の写真と文字と絵を配置して、国中の人が「父なる首領」の存在を常に意識し、彼が見守ってくれ、配慮してくれる懐の中で生きていることを実感させる。あわせて多様な生活の中に残された物質的な痕跡を通じて「徳性実話」を直接見聞きし、確認できるようにする。毎年定期的に繰り返す世事風俗のように、指導者の誕生日を祝う祝い事と誕生日プレゼントで、退屈な日常のなかにもちょっとした喜びや思い出にひたれるようにする。こうした仕掛けを通じて、そのゆるぎない「国家的家族関係」から抜け出せない「人民」となるようにするのだ。

「忠誠や　孝行や　すくすく育てよ」

忠誠や　孝行や　すくすく育てよ
ドンドンドンドン　鳴り響け
伽倻琴《カヤグム》　鳴り響け
情け深い　大元帥《テウォンスニム》が　喜ぶように
ドンドンドンドン　鳴り響け

チョゴリ姿で登場しコブシをきかせて歌っていた幼稚園年長組の女の子が、はにかみながら挨拶をして、しずしずと戻っていった。万景台学生少年宮殿の天井までそびえる大理石の柱には「忠誠童」「孝行童」という大きな文字が掲げられている。荘厳なシャンデリアの下がる派手なソビエト式建築の空間に「忠誠と孝行」は明らかに似つかわしくない標語だ。「社会主義革命」よりも「封建君主制」の標語である。

今更ながら「朝鮮労働党」の旗が他の社会主義国家とは異なり、農民を象徴する鎌と労働者を象徴するハンマーだけではなく、知識人を象徴する筆（ペンではない）を追加したことは意味深長だと思う。朝鮮の儒教的な伝統とのつながりを明らかに強調しているからだ。そのためか北朝鮮では新たな支配階級の発生を警戒した中国の毛沢東による文化大革命のように、儒教的な知識層と党官僚を批判する理念的な階級闘争はなかった。また、知識階級の抹殺だけが平等な社会をもたらすだろうというカンボジアのクメール・ルージュのような急進左派による無理な社会実験もなかった。むしろ北朝鮮の金日成と金正日は、文化伝統と歴史的伝統を強調した。

北朝鮮は社会主義を標榜してスタートしたが、一九七〇年代はじめに唯一思想体系（朝鮮労働党が採択した指導理念。主席を団結の中心として結束し思想を統一することで、反対勢力を一掃した）と「朝鮮式」を強調して、「封建的」と批判してきた過去の儒教的な特性を改めて強化するようになった。その内容は一般的な社会主義の平等思想や進歩的な理念が強調する、女性解放や脱権威的な平等な人間関係などとはかけ離れている。金正日はそうした道徳的な規範に適切に合わせた多くの「徳性実話」を残し、その礼法にかなった象徴政治を行なった。つまり、首領が生きていたころ、彼を絶対的な存在として仰ぐ多くの建築物と芸術作品をつくって忠誠心を示し、死んだ後も儒教的な「三年喪」の伝統を守り、盛大な墓のための敷地（錦繍山《クムスサン》記念宮殿）を造成して孝行心を示した。幼稚園の子どもたちはこうした孝行と忠誠を次のように学んでいる。

> 孝行心の厚かった金正日将軍は、大元帥《テウォンスニム》を偲ぶお父さん、お母さん、そしてお兄さん、お姉さんたちとすべての子どもたちの気持ちを理解なさって、錦繍山記念宮殿を作られました。年少組のみなさんは、大元帥の銅像の前で忠誠の気持ちをしっかりと育て、金正日元帥をさらに高くお慕いし、我が国を輝かせるすばらしい一員とならなくてはなりません[☆8]

金正日は嫡子であり長男としての序列による伝統性に加えて、道徳的にも「孝」の模範となるだろう。首領に対する忠誠は、父に対する孝行であるとも言わねばならない。国家に対する忠誠、王に対する忠誠は状況によって変わるだろうが、親子関係と父母に対する孝行は変わることのない運命的なものだ。よって忠孝概念のこうした結合は象徴的にさらに強力な道徳的メッセージとなる。儒教的な君王は臣下と百姓に細やかな「配慮」を施し、彼らから「忠誠」を要求した。北朝鮮の首領も人民の父として、贈り物と恩赦によって「愛」を表現し、彼らの「孝行」を期待した。

金正日の権力世襲の秘訣のひとつとして、彼が父の同志であり多様な分野の権力の実勢を握っていたパルチザン第一世代を丁重にもてなし、定期的に贈り物をして関係を築いていた点が挙げられるだろう。父に対する孝行心とともに長幼の序という美徳まで示しつつ、その子どもの世代までも自分の支持集団にしてしまった。似たような手法で、平壌を訪問した現代グループの鄭周永会長を年長者だからということで直接訪ねていき、中央に立たせて記念写真を撮り、韓国側の保守的な人びとに「礼儀をわきまえた人」という印象を与えた。北朝鮮の権力世襲は儒教国家の「道徳的模範」を示し、王位継承に似た徳目を強調することで成し遂げられたのだ。★4

金正恩時代の子どもたちも幼いころから将軍に捧げる忠誠と孝行の歌を学んで育っている。金正恩は二〇一二年六月六日、朝鮮少年団の創立六六周年記念大会に出席して、「愛する少年団員は巨万の富には変えられない貴重な宝であり、希望と未来のすべて」であると公開演説を行なった。金日成一〇〇才の誕生記念閲兵式で行なった最初の肉声演説につづく二回目の肉声演説であった。若い指導者が子どもたちを重視していることを示す型破りな大衆への歩み寄りであった。☆9

全国から集まった四万人の少年団代表は「私たちは抗日児童団の伝統を引き継ぎ、いつ何時も金正恩将軍のみを信じて従い、決死擁衛する少年決死隊となります」と声をひとつにして宣誓した。金正恩は子どもたちを直接なでて抱きしめた。若いお父さんのような親しみやすい指導者のふるまいであった。大会に参加した子どもたちが、「夢の中でもお目にかかりたい将軍」の生の姿に触れ、飛び上がって拍手し涙を流したのも当然のことである。彼はアイドルのいない国の新たなスーパースターとなった。

注

★1 「アリラン公演」から除外されることは、オリンピック出場の訓練を受けた選手が試合に出られないときの気持ちに似ていると言えるだろう。김현식『나는 21세기 이념의 유목민：예일대학에서 보내온 평양 교수의 편지』、김영사、二〇〇七、二五九～六〇면を参照。

★2 ダニエル・ゴードンのドキュメンタリー映画『ヒョンスンの放課後』(A state of Mind, Kino international, 2004)は、集団体操の準備過程と最終公演の様子を二人の平壌の少女の日常とともに紹介した。もちろん平壌当局が外部に見せたい演出がなされた状況や小道具が多く盛り込まれてはいるが、集団体操に参加する学生ののめりこみぶりと自負心はよく記録されている。

★3 太平洋戦争の時期、英国の心理学者ジェフリー・ゴーラーをはじめとするアメリカの人類学者が、日本とドイツの国民性を研究するため幼少期に受けた厳格な衛生訓練と、成人期の権威主義的な行動特性との関連性を説明しようとした研究。あまりに単純すぎる研究だとして多くの批判を受けたが、育児方式の違いを広めた。

★4 比較文化の観点から見ると、血縁による権力世襲や君主制自体はそれほど目新しいものではない。東西の国民国家は、多様な権力基盤の君主制国家である。国民国家である日本も、権力象徴体制としての天皇制と文化象徴体制としての天皇制のどちらも経験した。絶対的な象徴権力であるサウジアラビアやタイの国王から、立憲君主としての文化的アイコンのようなイギリスやオランダの国王まで、その性格は多様だ。共通するのは、それぞれが国民統合と体制安定、国家のアイデンティティのために必要な制度であると主張している点だ。北朝鮮が異なるのは依然として社会主義を標榜しつつも、君主制国家の価値観を活用して権力世襲をしている点だ。

第三章　父の国の教育

1　「革命の最高種子」――孤児たちの父

国際的な孤立と飢饉で北朝鮮の体制危機が深刻化していた二〇〇〇年はじめ、北京から平壌行きの高麗航空に初めて乗った。人類学を学んでいたため世界各地の飛行機に乗っているが、高麗航空の古いソ連製のイリューシン旅客機は、機体はもちろん、座席やシートベルトに至るまで相当心許ない代物だった。そんななか慰められたのは、素朴なほほえみを浮かべた乗務員たちと、ぶっきらぼうに手渡される『朝鮮』というグラビア雑誌だった。

万景台《マンギョンデ》革命学院を訪問する金正日の表紙写真に、私は完全に目を奪われた。小雪が舞う新年の初日、熱狂する軍服姿の子どもたちを抱く彼の写真は、話に聞いていた遊撃隊《パルチザン》国家、家族国家の象徴そのものだった。学生たちの食卓に、あふれんばかりのお祝いの料理が並ぶ写真。大飢饉のさなかでも「特別な」支援を受けられる特殊な学校が存在することがわかった。文化人類学者として北朝鮮社会の多様な社会集団と教育体制に対する新たな理解が必要だと切実に感じた。

万景台革命学院を訪問された将軍《チャングンニム》
新年の朝に万景台革命学院を訪れる金正日。

「万景台《マンギョンデ》革命学院」

万景台革命学院は、抗日独立闘争で犠牲になった独立運動家の遺児が通う初中級課程の寄宿学校で、開放直後の一九四七年一〇月に「平壌革命者遺家族学院」の名称で設立された。学院建設が迅速に行われたのは、金日成とその夫人である金正淑《キムジョンスク》が特別な関心を寄せて推進したからだ。

金日成は独立闘争の過程で犠牲となった独立運動家の子どもたちを、自分の政治的な養子として特別に面倒を見て教育した。独立運動家の子どものための学校は、国の正当性を抗日武装闘争の歴史を通じて確立する出発点の意味合いも有していた。似たような革命遺児のための学院は他の社会主義国家にも見られるが、北朝鮮の場合は比較的うまくいった成功例であり、「遊撃隊国家」や「家族国家」の特性を持つ社会に進化する際に主軸となる役割を果たした。

革命遺児学院は一九五〇年に始まった「祖国解放戦争（朝鮮戦争）の際に、米帝国主義と闘おうと洛東江《ナクトンガン》まで南下して亡くなった革命家の遺児を受け入れるために」平壌以外にも設立された。「首領」が革命孤児を自分の子どもと同等に育てようと設立したこの学校では、両親が流した血を無駄にすることなくその血筋を継いで革命の先頭に立つようにと、ズボンに「赤い線の入った軍服」を着せ、士官学校のように寄宿舎生活をさせた。[☆1]

初期の「革命遺児」がみな成長して卒業した一九六〇年代後半からは、彼らの子どもたちと高位幹部の子どもたちから選抜された子どもが「世襲で」在学している。一定の選抜プロセスはあるが、まずは「血筋」で入学するようなこうした特別校を「革命の原種場〔革命の最上の種子を育て上げる場所〕」という。勉強さえできれば入れる平壌第一中学校よりも、さらに特別な学校だと言える。万景台革命学院をはじめとする四か所の革命学院では未来の軍事幹部、政治幹部、女性幹部、そして外交官を養成しているという。

その後、現代史の資料を探していたときに、金九《キムグ》先生〔独立運動の指導者的役割を担い大韓民国臨時政府の主席を務めたほか、日本の敗戦後の分割統治のなかで統一国家の樹立を最後まで模索した〕がこの学校の前身である「平壌革命者遺家族学院」の建設現場を見学している写真を見つけた。南と北にそれぞれ単独政府が樹立されることを阻止しようと、一九四八年四月に平壌を訪問した時の写真だ。上海で大韓民国臨時政府の教育部長を歴任した李鍾翊《リジョンイク》先生が当時この学校の校長となって案内した。中国そして国内にいた抗日遊撃隊の遺児三二〇名はすでにそれ以前から平安南道大同郡《ピョンアンナムドデドン》の臨時校舎で学んでいた。万景台の広い空き地に新たに寄宿学校の敷地が拓かれている工事現場を見て、金九先生がどれほどうらやましく悔しく思ったかを想像すると胸が詰まる。

当時、南に帰国した大韓民国臨時政府のメンバーと光復軍〔日本の植民地時代に中華民国の支援を受けて重慶で創設された大韓民国臨時政府の軍〕出身の独立運動家の中には、ソウルで部屋ひとつすら得られず、南山のふもとで洞窟を掘って暮らす人もいた。日本帝国主義が遺した建造物は、親日派と米軍政周辺の人びとがほぼ占拠していた。生きて戻った独立運動家たちはろくに住む場所もなく、その子どもたちもきちんと学校に通えずにいるのに、独立運動に参加して両親が犠牲となった孤児たちは解放後、韓国社会でどうやって暮らしていたのだろうか。南北に分断し韓国に単独政府が樹立されたのち、この子どもたちの人生がどうなるのか、さらにその次世代の社会的地位がどうなるのか、万景台革命学院の敷地を見て回った金九先生は憂慮されたことだろう。

「父の写真をかかげる理由」

平壌で初めて訪問した幼稚園の教室でも、万景台革命学院の話を聞くことになった。幼稚園の年少組で五歳の子どもたちがこんな話を聞かされていた。

金正日将軍《チャングンニム》は、五歳のときに金正淑母上《オモニム》と敬愛する大元帥《テウォンスニム》とともに万景台革命学院をお訪ねになりました。万景台革命学院は、日本帝国主義者に両親を奪われた子どもたちをきちんと育てるため、万景台のいちばん良い場所に敬愛する大元帥がおつくりになった学校です。敬愛する大元帥を見るなり、子どもたちが「お父さま!」と駆け寄ってきて、大元帥の広い胸に抱かれて泣いているではないですか。「あの子たちは、なぜ私のお父さまに会って泣いているのだろう?」と幼い将軍は尋ねられました。金正淑母上はこうおっしゃいました。「あの子たちには、お父さんがないのよ。大元帥は日本帝国主義者と勇敢に戦って亡くなった革命闘士の子どもたちに、食べるもの、着るものを与えて、勉強までできるようにしてあげている。だから、皆のお父さまなのです。お会いしたいと思っていたお父さまがいらしたから、嬉しさのあまりああして泣いているのですよ」「それなら、お父さまがもっとしょっちゅういらっしゃればいいのに」「大元帥は、国じゅうを回らなくてはならないから、そんな頻繁にはいらっしゃれないのだよ」。すると幼い将

軍はお父さまの写真をたくさんつくって、子どもたちに分けてあげようとおっしゃったのです。[☆2]

すべての家庭に金日成と金正日の写真をかけておくようになった由来についての話は、まさにこのように始まる。首領がすべての人民の「父」となった契機は、犠牲となった独立運動家の子どもたちのための革命遺児学院を建てて、自らかれらの「父」となることから始まったのである。革命殉教者の孤児を養子として特別に目をかけ、育ててくれた父なる首領は、自分の革命精神を踏襲するすべての人民の養父の存在であると意味付けられた。少なくともそうした歴史的象徴性を、子どもたちは託児所や幼稚園の時分からおはなしを通して学んでいる。

ある日のこと、新しくできた美術博物館を訪れた幼い将軍は、そこで人を忠実にかたどった彫刻像をご覧になりました。するとまたすぐにあることを思いついて、母上にお話ししました。「お母さま！　万景台革命学院に、お父さまの銅像をつくってはどうでしょうか。そうすれば子どもたちは、いつもお父さまといっしょにいられるから、もう二度と泣いたりしないでしょう」。五歳にしかならない幼い将軍が学院の子どもたちを思って眠れないどころか、このように立派なことを思いつかれたとは、本当に感心なことです。こうして我が国でいちばん最初に万景台革命学院に大元帥の銅像が高々と立たれることとなったのです。これほどに幼い金正日将軍と尊敬する金正淑母上のあつーい忠誠のこころに突き動かされて、我が国にどれだけ多くの大元帥の銅像が立てられたことでしょう。また、どの家にも私たちがお会いしたいときすぐお目にかかれるよう、大元帥と将軍の写真を高く掲げてあるのです。[☆3]

遺児たちの親になって
抗日革命家の遺児を養子として世話をした金日成と金正淑の美談は創作活動の中心テーマ。

幼稚園年少組の子どもたちが、この内容をどれだけ理解できるかという問題はさておき、このおはなしを通して金正日は自身の「神聖なる父」を養子たちと分かち合おうとする懐の深さを持ち合わせた「嫡子」であり、人民を弟妹であるかのように大事にする「長男」としての位置を示している。神の長男として、その神を父と尊ぶ人びとを救うイエスの位置とも似ていると言えるだろう。「父なる首領」とその息子「将軍」の写真と銅像は、カトリック聖堂のイエス像や仏教寺院の仏像のごとく重要な中心的象徴の機能を果たしている。金正日は、そうした写真と銅像を芸術的に作って広めた。彼の芸術装置もまた、ごく幼い頃に万景台革命学院の孤児の養父母関係に配慮する気持ちから始まったと教えている。

「代を継ぐ革命家族」

革命闘争中に犠牲となった同志の子どもたちを我が子のように育てる首領の「父」としてのイメージは、国家全体に拡大した家族の概念の出発点となった。革命学院と政治的な養父母関係の意味については、託児所と幼稚園のときから教育機関で反復学習する。世代を重ねるごとに、革命学院は象徴的な意味だけでなく「家族国家」の拡大宗家としての姿を実際に示している。

革命の本来の目的は、既得権を持つ特権階級が再生産される構造をなくして平等な社会をつくろうとするものだ。しかし北朝鮮では革命を、社会内部を平等にするものよりは外部勢力から解放するものとして概念化した。外部との革命闘争が長期化したことで、「代を継いで」革命をしなくてはならない。それを効率化するために選択と集中は不可避であり、選択の基準は個人の能力よりも信頼が優先されるという論理だ。

特別な信頼を置かれている革命家族の子どもたちは国家の特別な支援を受けて成長する。特別待遇を受け、ややもすれば嫉妬の対象になりやすい革命学院の学生のために、父母、祖父母、曾祖父母世代の犠牲と功労を広く喧伝して特権の正当性を確保した。何世代にもわたるほど長期化した革命の現実は、当初追求していた革命の理念とはかなり異なる様相を見せている。

「赤い線がついた軍服」を着せられ特別な環境で育ったエリート集団にはそれなりに問題がある。過度な特権意識を持っている点だ。他の人民の人生をあまりに知らず、普遍的な状況を受け入れることができない。よって革命スローガンと軍事訓練には慣れているが、むしろ「抵抗的」闘争根性は不足気味となる。

実際、一九八九年に平壌で開かれた世界青年学生祝典に際して韓国の学生運動団体が北に派遣した林秀卿《イムスギョン》〔韓国政府の厳しい取り締まりのなか海外経由で秘密裏に派遣されて訪朝に成功し「統一の花」などと呼ばれた〕は、現在進行形の民主化闘争の前線からきた若き闘士として北の若者の間で熱狂的な人気を博した。その林秀卿とともに板門店で断食闘争に突入した北朝鮮の大学生幹部たちが、民主化闘争で鍛えられていた韓国の大学生ほどには耐えられず、裏でこっそりパンを食べていたという証言もある。[☆4] 韓国の軍事独裁時代に国家権力に任命された「学徒護国団師団長〔学生会長〕」がいくら軍服姿でうまく行進や号令をかけても、軍事独裁に立ち向かって闘った学生運動代表の意志力、指導力とは大きな差があったという事実を想起させる。権力に抵抗する革命闘争と、権力に順応する革命の声は本質的に異なる。

万景台革命学院出身の脱北者とソウルで偶然会う機会があり、酒を酌み交わしながらあれこれ話したことがあった。北では常に重要な職責を担っていたため、韓国にきてから生活保護対象者として〔永久〕賃貸アパート〔低所得層や生活保護などが必要な人びとへの福祉政策の一環として提供される住宅サービス〕で暮らす身の上を嘆きつつ、悲嘆にくれた声で言った。南で暮らしたことで、北の革命学院の同窓生に心から言いたいという。「同志たちよ、ウリ式《われわれ》の社会主義を命懸けで死守しなさい」。彼が言う「社会主義」が何を意味するのか気になった。「ウリ式《われわれ》」という修飾語には様々な意味が込められているように思う。苦笑いしつつ話していたが、冗談として聞くには特権的階級秩序から脱落した深い喪失感がそのまま滲み出ていた。エリート階級意識というのは、それほどまでに強いものなのだ。

2　「他国で育つ子女」――里子の政治

「北朝鮮は〔他の国とは〕まったく異なります」。ルーマニアの首都・ブカレスト郊外で出会った冷戦時代に在平壌ルーマニア大使をつとめた人物は、ひとことで北朝鮮の体制崩壊の可能性を一蹴した。アメリカがイラクに侵攻し圧倒的な戦力により四〇日でバクダッドを占領してからいくらもたたない二〇〇三年七月のことである。前年からアメリカのブッシュ大統領は、北朝鮮をイラク、イランとともに「悪の枢軸」と名指しし、圧迫を加えていた。イラクの次として頻繁に名前が挙がっていた北朝鮮の早期崩壊を国際社会はさも常識であるかのように語り合っていた。金日成と近しい関係にあったルーマニアの独裁者ニコライ・チャウシェスク政権の末路と比較して、元大使に金正日政権の今後について質問しないわけにはいなかった。

「チャウシェスクと金正日は比較になりません。北朝鮮は本当に大きな大家族です。指導者とエリートだけではなく、多くの人民がひとつにまとまった運命共同体なのです」。金日成大学に留学していたという老練な外交官の政治的な解釈を期待していた私の不意をつく、「家族主義」という文化的な説明が返ってきた。この裏付けとなる事例として、彼は「戦争孤児の父」金日成の話をしてくれた。☆5

東欧の朝鮮人民学校

「ルーマニアにあった『朝鮮人民学校』をご存知ですか?」戦争が最も激しかった一九五二年から朝鮮の戦争孤児一五〇〇名の面倒を見て教育していた寄宿学校が、ウクライナ国境に近いシレトとトゥルゴビシュテという街にあったという。金日成はシベリア横断鉄道で、孤児だけでなく朝鮮の教師と学校体系もあわせて送り出していた。ルーマニアの教師から現地の言葉と教育内容を学びながら、朝鮮の歴史と言葉も忘れないよう教育するためである。また定期的に激励のための奨学使節団を送って、祖国を懐かしむようにしむけた。戦争が終われば祖国に戻る人材を育てる一時的な避難地の学校として機能していたのである。そのすべての教育課程において、祖国で彼らを待つ父として金日成という存在を感じさせ、恋しがらせようとした。

ポーランドに渡った戦争孤児
東欧社会主義国家の朝鮮人民学校で教育を受けた北朝鮮の戦争孤児たち。

ルーマニアの朝鮮人民学校で教師をしていたジョルゼッタ・ミルチョユ女史は、当時故国から来た奨学使節団を迎えた学生たちが泣き崩れて故郷と祖国を恋しがっていた姿を鮮やかに記憶し、証言している。戦争で家族を喪失し故郷を失った痛みを、祖国という「永続する」大きな集団への帰属意識を持たせることによって慰め、その集団の政治的な父の配慮と愛によって感動させる。こうした祖国からの使節団訪問と激励は、遠い異国の地で集団生活をする幼い戦争孤児の心に深く刻み込まれたことだろう。[☆6]

北朝鮮の戦争孤児は、ルーマニア（一五〇〇名）だけでなく、ポーランド（一二〇〇名）、ハンガリー（五〇〇名）、東ドイツ（六〇〇名）、チェコ（二〇〇名）、ブルガリアなど、東欧の社会主義国家で総勢四〇〇〇名以上が教育を受けている。中国（約二万名）が最も多い数を受け入れたが、モンゴル（二〇〇名）とソ連（規模は未公開）に送った孤児まで含めると、少なくとも二万五〇〇〇名以上を「社会主義の兄弟」国家が受け入れたという。社会主義宗主国であるソ連は、こうした国際戦争孤児支援費用として一〇億ルーブルを支援した。[★1]

社会主義的な人権概念による戦争孤児の支援事業は、革命的な同志愛を土台とする集団支援が目標とされた。西側諸国の資本主義的な人権概念による支援が、個人中心の慈善事業であったのとは異なった。愛と哀れみの情を土台としている点では大差はないが、実行方法においては個人よりも集団を支援の対象と見なし、社会関係と組織生活を実らせる「教養（教育）」を重視した。

帝国主義と人種差別への批判意識から、公的に戦争孤児の文化アイデンティティと自主的な解放理念を支持し、社会矛盾をただすために闘う、歴史的な使命感を持つ人物に育てることが目標だ。このような集団環境に属していても、戦争孤児たちは家族をなくしたトラウマとカルチャーショックを克服するのに苦労していたという。

北朝鮮政権はこうした社会主義圏における人道主義の理念を最大限活用し、一方的に恩恵を受ける側でありながら援助国に「厚かましいほど」堂々と自主性を強調した。このように、戦争孤児の海外「派遣」は「国際社会主義教育協力」の理念を土台に進められた。よってその対象も両親を亡くした「孤児」だけではなく両親のうち片方が「戦争英雄」として犠牲となったケースなど、国家が「特別な」保護と教育が必要だとして選抜した子どもたちであった。こうして教育を受けた青少年は、祖国に戻って社会発展に尽くすという使命感を持って生きるよう訓練された。異国に暮らして物質的には依存していても精神的には自立して生きるよう教育を受けた子どもたちにとって、金日成は政治的な父となる自尊心の象徴であり盾だった。

冷戦と「養子縁組の政治」

ルーマニアの朝鮮人民学校の話を聞いて、韓国から海外に養子として出された孤児のことを思った。私が小学生だった一九六〇年代半ばでも、食べ物をもらうために空き缶を持って家々を回る戦争孤児をよく見かけた。もちろん韓国にも個人や宗教機関が慈善事業として運営する孤児院はいくつかあった。十分な支援もなく主に外国の支援物資で運営されていたこれらの孤児院は、零細自営業にも似た

「社会事業」である場合が多かった。社会的に孤立した環境で、ひとえに運営する人の良心と能力に任されて育つしかない孤児たちは、あまりにたいへんな暮らしから逃げ出す場合が多かった。

こうして路上をさまよっていた子どもたちを国家が強制的に収容する「保護施設」もあった。代表的な児童保護施設があった安山市仙甘島には、強制労働で死んだ子どもたち、逃げ出したが海に落ちて死んだ子どもたちを集団埋葬した場所もある。☆7 一九六〇年代に『あの空にも悲しみが』というタイトルの本と映画がつくられ、韓国内だけでなく日本にまで広く知られた『ユンボギの日記』は当時の子どもたちに対して残酷だった韓国社会の姿を証言している。[☆8]

韓国社会は戦争時だけでなく今日にいたるまで、孤児のための国家レベルの公共政策をまともに打ち立てられていない。子どもの養育は完全に親の責任と考えられてきたので、血縁の近い親族すら孤児を養子に迎えることを嫌った。その解決方法は、先進国の家庭への海外養子であった。はじめは個人レベルの養子縁組として断続的に行なわれるようになり、戦争が終わって何年かたった一九六〇年代に入ると「ホルト児童福祉会」などの国際的な養子縁組機関を通じて、大規模に推進された。こうしてはじまった韓国の孤児の国際的な養子縁組事業は、これまでに約二〇万人の子どもを海外に送る国際的な「養子縁組産業」となった。いまや経済先進国となった韓国は、世界で指折りの「孤児輸出国」である。

こうした海外養子縁組の背景となった西欧の孤児支援事業は、後進国の戦地で苦しむ子どもたちを先進国の中産階級の家庭に「養子縁組」して、それまで享受できなかった物質的な豊かさと家族愛を与えることを理想と考えた。地獄から天国に一瞬にして引き上げられるキリスト教的な救いのイメージを現実のものにしようとしていた。[★2] 冷戦下の競争状態で海外養子縁組の孤児に与えられた祝福は、アメリカをはじめとする西欧の資本主義国家が「地上の天国」である証拠となった。地獄のような故国の現実に戻ることはなかった。早く過去を忘れ、養子縁組した先に適応し、同化しなくてはならなかった。

個人支援のイメージによる海外養子縁組は、その対象となる孤児に恵まれた環境と家族愛を与える幸せな成功事例として紹介された。しかし一部の孤児は深刻なアイデンティティの葛藤と心理的トラウマを経験することとなった。実際に海外で成人した養子縁組の孤児が、恨みと傷を抱いて故国に戻ることもあった。[★3] それほどまでに急激な言語と文化の断絶によるトラウマと、人種的マイノリティとして味わうことになるアイデンティティの問題は、個人の愛だけで克服するのは困難なものだった。

東欧圏で教育を受けた北朝鮮の戦争孤児は、一九六〇年代半ばまでにみな北朝鮮に戻った。その頃、少しずつ始まっていた東欧圏社会の変化の影響を恐れたためである。帰国直後、彼らは集中的に思想の再教育を受けた。深刻なカルチャーショックで再適応に失敗した事例もあったという。しかし、帰国した戦争孤児の大多数は「父なる首領」の特別な愛を証明する存在として、外交および通訳の分野はもちろん、科学技術分野においても専門家集団として指導的役割を果たした。平壌や海外で彼らと交流したことのある前ルーマニア大使は、戦争孤児のように「父なる首領」と特別な関係にある集団が、国際的な孤立と危機状況においても体制の転覆を防ぐ「安全弁」の役割をしているという。

ルーマニアのチャウシェスクは、革命遺児や戦争孤児と金日成の特別な父子関係の形成に感銘を受けて、万景台革命学院をモデルに数千名の孤児を教育する親衛隊養成校を創設した。しかし彼らがチャウシェスク政権の最後を守ることはなかった。形態は似ていたかもしれないが、歴史的な正当性を確保できなかったこと、特別な家族関係を短期間で築くことはできなかったためだという。北朝鮮のエリート集団は七〇年以上も続く分断と冷戦の状況下で、世代を継いで家族的な運命共同体関係を固めてきた。かれらの関係は、歴史的な危機をともに経験することで形成されており、その危機的な状況が長期化する過程でさらに「特別に」強化されている。

日本の朝鮮学校

「金日成大元帥、ありがとうございます！」一九九〇年代まで日本のそれなりの都市で電車に乗っていると、車窓から赤いハングルの看板が目に飛び込んできたものである。いわゆる民族学校とよばれる在日朝鮮学校だ。厳しい分断の時代を生きてきた韓国人にとっては、その文字を目で追うだけでも国家保安法に違反するのではないかと心配になるほど刺激的な看板。私の世代は海外旅行に行く前に「反共素養教育」を受けた。好奇心で学校の前をうろついたことがばれると国家保安法違反で逮捕されると教え込まれていたので、その中を見学するなど考えも及ばないことだった。

韓国社会が民主化され、南北首脳会談が行なわれて初めて、私のような平凡な学者も中に入ることができるようになった。明るく朝鮮の言葉で迎えてくれるので、むしろ緊張しているこちらのほうが不自然に感じるほどだ。子どもたちが学び、活動する様子を誇らしげに見せてくれるのだが、教室に入ると正面には金日成、金正日の写真や様々なスローガンが掲げられているので、北朝鮮の教室にいつのまにか足を踏み入れた気分だった。少年団の集まりを終えた子どもたちが赤いスカーフをなびかせながら走ってきて、見知らぬ訪問者とすれ違うと必ず立ち止まって「アンニョンハシムニカ」とぎこちなく聞こえる朝鮮語で挨拶した。

朝鮮学校では、みな本名を名乗り、朝鮮の言葉と朝鮮の文字を使って教育している。当然のことに思えるが、すでにその親の世代も日本で生まれている在日三世の教師が四世の学生に対して、自身も慣れていない言葉と文字によって、使う機会がほとんどない言葉と知識を教育しているのは実に特殊な状況と言えるだろう。民族の言葉と文字の教育は、実用よりも民族的な矜持と文化的なアイデンティティを確認する意味合いが大きい。[★4]

日本で最初の大規模な民族教育体系がつくられたのは、朝鮮の解放直後であった。当初から、奪われた言葉と文字、そして名前を取り戻すことが最重要課題であった。これは日本帝国主義によって強制された日本語の使用や創氏改名といった文化的圧迫からの解放を意味し、当時日本に連れてこられた大多数の同胞にとっては祖国に帰るための準備となる民族教育でもあった。しかし、祖国の分断と情勢不安により即時帰国の難しいなか、日本の義務教育体系に入るようにという米占領軍の一方的な命令に抵抗したために、大部分の教育現場が閉鎖されるという危機にも直面した。

米軍政の民族学校閉鎖令に抵抗する民族教育闘争を通じてさらに左傾化した教育者と保護者は、南北が分断状態のままそれぞれに国家ができると、ほとんどが南（大韓民国）側の地域の出身者であるにもかかわらず、北（朝鮮民主主義人民共和国）を正当性のある祖国と考えた。解放直後、故郷である韓国に帰国したが思想的な疑惑をもたれて犠牲となった人の家族、済州島四・三事件や麗水・順天事件で虐殺や弾圧を経験して密航してきた人びとの存在によってその信念はさらに強まった。米軍政の閉鎖令以降、無認可教育施設として民族教育を守ってきた学校は、人民共和国の国旗を掲げて、日本社会でもすでに支配的になっていた反共主義に抵抗した。

この混乱期に北朝鮮から金日成の名前で送られてきた「教育援助費と奨学金」は、民族学校を再建しようとしていた総聯（在日本朝鮮人総聯合会）にとっては命の水であった。一九五七年四月の新学期に合わせて当時の金額で一億二〇〇〇万円という巨額の支援金が到着し、各地の朝鮮学校の建設資金となった。当時、戦後復興事業にかかりきりで余裕がないにもかかわらず、北朝鮮が莫大な教育援助費を送ったという事実に在日同胞は感動し、「祖国」が自分たちにとって大きな力となることを知る決定的な契機となったという。朝鮮学校には当時の感動を表現した歌がある。

祖国から　祖国から　お金を送ってもらえるなんて
夢にも　夢にも　考えられないことでした
教育援助費　奨学金の　たくさんの　たくさんの　大切なお金を
海を越えて　あんなに遠い祖国から　送ってきました
あぁ　首領の　気高く大きなその愛を
山や　海に　例えられようか

異国で　異国で　うまれて育つ
子どもたちも　子どもたちも　知・徳・体を備えて
社会主義　祖国の　担い手になろう
父なる心で　首領が送ってくださった
あぁ　首領の　気高く大きなその愛を
とわに　代を継いで　永遠に伝えていこう☆9

朝鮮学校に対する祖国からの援助金は、それからまもなく推進されることとなった北朝鮮への帰国事業の呼び水となり、在日社会が帰国運動に熱烈に応えたことは民族教育の積極的な参加にもつながった。今日見られる民族学校の大半は、この時期に建設されている。民族学校は地上の楽園である祖国に帰る準備をする場所であり、日本社会での人生は一時的、過渡的なものと考えられてもいた。

祖国が物質的に豊かな楽園ではない事実はすぐに知られるようになったが、日本社会のマイノリティに対する差別と排除のなかで、社会的な自己実現の道が閉ざされていた多くの在日朝鮮人たちは、むしろ祖国建設の使命感を抱いて帰国した。

「民主主義的な民族教育」という朝鮮学校の教育目標のうち、「民主主義」の部分が標榜する教育理念は主体教育だ。民族主体の象徴として、「父なる首領」と「指導者である将軍」の存在はあらゆる公式の場において写真、演説、歌、踊りとして登場する。集団主義の教育方針による少年団の活動と「生活総和」はもちろん、特技を伸ばすクラブ活動、集団体操などもある。

日本社会で頻繁に起こるマイノリティ集団への差別事件は、総聯や在日朝鮮学校の力を弱めるよりも、むしろ構成員がより組織のもとに力を結集しなければならない根拠を強化する。朝鮮学校の女子生徒の制服であるチマチョゴリをナイフで切り裂くという残酷な行為は、すぐさま演劇に、舞踊に、映画になる。差別と弾圧という現実は、過ぎ去った歴史ではなく現在進行形なのだ。

朝鮮学校の生徒や保護者の大半は、朝鮮学校が良いと言う。親たちは子どもが「優しくてひねくれないから」良いといい、子どもたちは「いじめがなくて〔周囲の友人と競い合うような〕勉強もしなくていいから」良いという。教員たちは「他の学校にはできない（特別な意味での）教育が可能だから」良いという。比較的小規模で、献身的な先生たちが学生それぞれの特性を良く知っており、阻害や差別が起きないよう心をこめて組んだ競争よりも協力や支え合いを大切にする教育プログラムを、多様なクラブ活動なども通して身に着けていく学校なのだ。

保護者は、日本の学校で子どもたちが差別されたりいじめられて心理的な苦しみを味わうことを心配してこの学校を選ぶ場合もある。しかしよりポジティブな意味では、この学校に通うことで揺るぎない民族アイデンティティが育まれ、それを土台に世代間の距離が縮まり、家族単位の結びつきが強まることも期待している。

かつて生徒たちは、とりあえず同世代の日本の子どもたちのように受験準備や試験に縛られなくてよかったと考えていた〔現在は塾に通い、子どものうちから英検をはじめとするあらゆる資格取得に励んでいるほか、高校生は民族教育だけでは得ることのできない大学受験資格を取得するためにも熱心に学んでいる〕。未来に対する不安が全くないわけではないが、朝鮮大学校という高等教育機関まであるので、大学に行こうと思えば行くことができる。日本社会での出世よりも在日同胞社会のなかでの現実的な生業を持ったり、祖国と民族のために働くことに意味を見出す生徒も多い。こうした点から在日朝鮮学校は日本社会での生き方を模索せざるをえなかったマイノリティ集団のアイデンティティの確認の場であり、社会的成功の道を探す場でもあった。

学生と保護者、教員が民族教育の成果を確認するのは、日本の学校との学力比較よりもメインストリームの社会にはない独自の芸術公演やスポーツを通じてであった。〔民族舞踊や楽器のクラブのように〕北朝鮮が国家レベルで開発した社会主義的な芸術様式を磨き、水準の高い公演として見せることが重要な教育課程のひとつだ。単純に人に見せるパフォーマンスではなく、メインストリームからその存在を無視されがちなマイノリティ集団が自らの訓練と努力の成果を可視的に表明し、表現する行事でもあるのだ[★5]。

　在日朝鮮学校の生徒にとっても「父なる首領（将軍）」のフレーズは身近なものだ。朝鮮高級学校の最上級生は祖国訪問の旅に出かける。この旅行を意味深くするのは、予期せぬ時や期待していなかった場所で特別な配慮を受ける経験だ。それは祖国のはからいであり、「将軍」からの恩賜である。優先的に施設見学ができる、国家負担で食事がふるまわれる、といったことのほかに、大飢饉の厳しい時期にも祖国訪問は続けられ、妙香山に登っていた祖国訪問中の在日学生にヘリを飛ばして贈り物を届け、感動を呼んだこともあったという。

　韓国では反共教育の時間に、こうしたプロパガンダに惑わされないようにと教える。しかし、北朝鮮という「（物質的に）貧しい祖国」の「父」が、同胞の子どもたちの教育のため数十年にもわたって継続的に細やかに配慮してきたことはまず認めなくてはならない。この間、経済発展に没頭して在日朝鮮人の教育を顧みることができなかった韓国という「豊かになった祖国」が、その事実を無視するわけにはいかないだろう。朝鮮学校と朝鮮という祖国の関係は、親子間の情緒的な関係のごとく歴史的にもかたく結ばれている事実は否定しがたい。

3 「三つ子は国の宝物」――社会工学の実験

「この部屋は暖房がしっかり入っているね」案内員が大きな声を出した。平城《ピョンソン》育児院の上の階にある三つ子用の部屋でのことだ。冷え冷えとしていた下の階と違って床がほんのり温かい。そっくりの三つ子たち二組が床を這いまわっていた。黄色い服を着た下の階の子どもたちと違って、肩に肩章のようなボタンのついた赤い服を着ている。同じ育児院のなかでも、三つ子は特別な空間で別途過ごし、「特別な」対応を受けていた。

そのうちの一人を抱き上げて聞いてみた。

「この子も孤児だったんですか？」

「いいえ違います。両親はいるのですが、特別に五歳になるまでは育児院で育てています」

たまに両親が立ち寄るというが、自分の子どもを孤児院に預けることをなぜ良いと思うのか、すぐには理解できなかった。隣の若夫婦に双子が生まれて夜も眠れず苦労していたことを思い出し、社会的な支援なしに三つ子を育てるのはかなり大変だろうと想像するのが関の山だった。

しばらくして、ある貧しい若夫婦に三つ子が産まれ、子育てのために仕事にも行けず破産に追い込まれる過程を記録したテレビドキュメンタリーを見た。韓国のような豊かな社会でも、核家族が三つ子の育児に取り組むのは容易ではない。しかし、そうした珍しい事例に対する特別な社会的支援はない。深刻な飢饉に見舞われた北朝鮮で、三つ子に対する国家レベルの特別待遇がなかったら、彼らのほとんどは容易に犠牲となってしまうだろう。

韓国にも三つ子に対する幻想がある。少子化の時代に有名な俳優が三つ子を育てているということで、韓国社会は皆がこぞって見守っていた。[☆10]「ヘル朝鮮」〔生きづらい韓国〕の現状認識から、結婚や出産を躊躇している韓国の若者ですら、「大韓」「民国」「万歳」という愛国主義的な名前を持つ三つ子の愛らしさに魅せられてしまった。労働と家事と育児を同時進行しなくてはならない大多数の若い夫婦の苦労と負担を無視したアイロニカルな番組だという批判もあった。しかし、全国民が大変な育児の現実を忘れて夢中になるほど、このかわいい三つ子は特別な存在だった。

「祝福を受けた三つ子」

北朝鮮の三つ子も特別で象徴的な意味がある。「三つ子は、『国の宝』であり、将軍の特別な愛と配慮を受けている」という。昔ならば大半が出産中に命を落としたり、障がいを負っていたかもしれない三つ子の健康な成長は、社会主義的な科学医療の賜物であるというのだ。「親愛なる指導者同志は、三つ子のためならば汽車と自動車だけでなく飛行機も緊急動員し、国のどんなお金も惜しみません」[☆11]といった態度からは、資本主義社会と対比させてこうしたバックアップ体制を社会主義医療福祉体系の象徴と思わせたいことが伝わる。

三つ子は「国が栄える徴し」であり未来を象徴する存在でもある。よって将軍は「世代を継いで長らく伝える愛の贈り物として、銀の懐刀と金の指輪までお与えくださる」。最新の医療施設をもつ平壌産院では「三つ子科」を別途設置して出産と治療、育児支援を総合的に担当する。金正日は平壌産院で一〇〇番目の三つ子が生まれた日には、既に組版を終えていた新聞の一面を再度組み直すようにと特別に指示したという。

三つ子に対するこうした特別な関心と期待は何を意味しているのか？　当初は自然分娩の際の社会的な対応であったものが、今や三つ子に対する社会的な投資の性格が強くなっているように思える。こうした社会的投資を通じて期待する結果とは何か？　政権が幅広くすすめている『祝福を受けた三つ子たち』という冊子は次のように説明している。

こうして長らく愛された三つ子たちは、年をかさねて三つになるころから親愛なる指導者同志の胸をお母さんの胸と考えて、自分の運命をすべてゆだねており、あの方に最も大きな喜びと満

足を捧げようと忠誠と孝行を尽くしている。[☆12]

忠誠と孝行の対象を「首領（金日成）」ではなく、「親愛なる指導者同志（金正日）」に設定しているのは、まさにこの三つ子事業が金正日のプロジェクトであったことを意味している。三つ子は忠孝の意味を込めた文字を一つずつ分けた名前を三人一組でつけ、一組で育ち、一組で軍人となり、一組で音楽家となり、一組で農村応援隊となり、「忠誠の隊列を率いる」。金正日はこうして成長した三つ子に直接会い、抱き上げたりもした。

金正日はこうした三つ子の出産と育児だけでなく、教育と進路にも介入して次世代の模範事例に仕立て上げた。三つ子事業は、オルダス・ハクスリーが『すばらしい新世界』で描いたようなセット複製の効率性を期待するような社会工学実験としての意味もあったようだ。

「すばらしい新世界」

ハクスリーの『すばらしい新世界』は、「三つ子が同じ機械を同時に作動させると最も効率的」という大量生産の原理を土台に、一卵性三つ子の複製を出発点にした未来社会を描いている。彼はこの小説でさらに多くの三つ子が産まれるよう、すべての人の出産を人工的に操る絶対権力者の論理を紹介した。[☆13]

まず、複製した三つ子が「各自がする仕事を正確に知り、楽しく実行できるように」安定的で人工的に統制された環境をつくり、潜在意識にすりこむための条件を整えていく。乳幼児期から「自分のするべき仕事を当然のことと考え、好きになるように」階級別に異なる感情への反応訓練を施す。こうして発達させた生命工学と教育工学の力で、すべての社会構成員が各自与えられた社会的な位置を自発的に受け止め、与えられた仕事に抵抗なく取り組める、そんなディストピアを描いているのだ。金正日が推進した三つ子事業は、技術的にあまりにも早い時期に手荒く試されたといえるが、彼が進めようとした「すばらしい新世界」の側面が垣間見られる象徴的なものであるとも言える。

ユヴァル・ハラリは北朝鮮のような独裁国家の「理念的価値観」に生命工学や人工知能（AI）のような革新的新技術が結合すれば、全体主義的なディストピアが生まれる可能性が増幅するだろうと警告する。「二一世紀の新たな科学と技術は、宗教と理念のような（虚構的）信仰体系を弱めると考えられているが、むしろ成長させる」からだという。「古くからの神話と新たな技術」の結合は、未来への可能性と破局を同時に進行させるというのだ。[☆14]

現在、南北間における科学技術の水準は全般的に大きな差がある。しかし、実際にどの分野に集中して発展させるかは社会体制と政治権力の意志にかかっている。核兵器と大陸間弾道弾ロケット技術が良い例だ。ハラリは社会集団間の利害関係が衝突する韓国や他の開放的な社会とは異なり、北朝鮮の中央集権的な絶対権力は、いともたやすく社会全体に自動運転車両を導入することができ、遺伝子実験の結果を現実に適用することができ、スマートフォンを利用した中央集中監視体制を構築して稼働させることができるだろうとしている。[☆15] 現在の閉鎖的な北朝鮮体制は国際社会との利害関係が希薄で外部世界の牽制もそれほど通じないため、ハクスリーが描いた全体主義的なディストピアを脱近代的に具現化する潜在力がもっとも大きいとしている。

分断七〇年の間、南北は異なる道を歩んできた。両者の政治体制と経済構造のみならず、信じる理念と価値観が顕著に異なるふたつの社会を生み出した。今後このふたつがそれぞれ、またはともに、どこに向かうかを決定するにあたっては、それぞれの社会の構成員がつくりあげ、信じている「物語（虚構的な信仰）」が重要な役割を果たすだろう。

4　「教授の息子は教授に、農民の息子は農民に」――教育と階級の再生産

「息子さんはどこの学校に通っておられますか？」

「私の父が通っていた学校に行っています」

「金日成総合大学なんですね」

私が北で出会った党員たちは、金亨稷《キムヒョンジク》師範大学を出たという一人を除いて、みな金日成総合大学の出身であった。韓国のソウル大学よりもよほど激しい学閥構造であった。

「専攻はなんですか？」

「それも私の父と同じにしました。政治経済学部です」

「勉強がおできになるんですねえ」

口元に自慢げな笑みを浮かべて謙遜した口ぶりで答える。

「まあまあ、それなりといったところです」

「これから何をなさりたいと？」

「父のように党役員として働くでしょう。当然のことですよ。教授の息子は教授に、農民の息子は農民に、党役員の息子は党役員になるのが、もっとも良いことではないですか？」

「えっ？」

一瞬、耳を疑った。どうしてこれほどまでに自信満々で階級が再生産されていることが良いと露骨に言えるのか理解できなかった。

「それでは不平等だと不満を言う人はいないんですか?」

「いやそれは資本主義社会の話であって、我々の社会では職業に貴賤はありません。みんなが平等ですから、両親の職業を代々やっていくのがもっとも効果的で良いだろうという話です」

咸鏡道《ハムギョンド》の山奥の農民や炭坑労働者も同じ考えなのかを尋ねようかと思ったが、それはやめておくことにした。彼は自分の価値観を述べているにすぎない。文化人類学者はまさにこうした状況が社会構造を知る上で良いチャンスだと考える。実際に人びとが一般的と考えている価値観と社会組織の原理を把握することができるからだ。

たしかに、北のスポーツ選手、芸術家、サーカス団員、作家などは、たしかに親世代の職業を世襲しているケースが多い。平壌のテレビでも世代を継いで仕事をしている模範的農夫、研究員、労働者によくスポットが当たっている。こうやって首領世襲も正当化されていくのだなと感じる。「首領の世襲」のおかげで、どんな職種でも「世襲」が奨励され、権力中枢の職位すら世襲されているようだ。職業世襲は財産相続ぐらい、社会の平等性を測る際に核心となる問題だ。この問題に関連する文化規範、そして実際の事例を検討してみることで、その社会の階層秩序がどんな性格を有し、どのように維持され、変化しているかがわかる。

韓国社会でも表向きは「職業に貴賤なし」であり、学縁、血縁、地縁による差別は良くないことだとされている。しかしながら、大学入試の結果が一生の仕事と地位を決定すると考える多くの親によって、子どもたちは乳幼児期から学習誌や塾に縛りつけられている。いわゆる「ＳＫＹ」〔ソウル大学、高麗《コリョ》大学、延世《ヨンセ》大学という韓国のトップ大学の頭文字を組み合わせたもの〕という名門大学に入学してこそ能力を認められ、高い地位にいられると考えらえているのだ。

韓国で人気のあったテレビドラマ「ＳＫＹキャッスル」は、入試教育の厳しい現実をうまく描写したと話題になった。ドラマでは、医師の家族が子どもたちを名門医大に入れるために、あらゆる手段を総動員するさまが赤裸々に描かれる。実際、多くの韓国の親が子どもの未来のために経済的、社会的、文化的資源を総動員して各種のスペックを保持しようとしている。その結果、親の地位、所得、学歴が子どもの大学入試成績に決定的な影響を及ぼす。そんな競争を客観的に管理し評価するためとして、同じ日同じ時間に全国で国家がしゃしゃり出てきて作った問題を用いた共通試験が行なわれる。いわゆる「修学能力（大学共通）試験」だ。社会全体がそうした入試結果を客観的な能力評価だと受け止め、それをもとに教育を通じた階層構造が維持される。★6

理念的に「社会主義」や「革命」を標榜するからといって、実際にその社会が平等な社会構造をもっていたり、もっと平等な社会関係を望んでいるというわけではない。実際に社会主義国家体制が崩れて、誰もが知ることとなった事実だ。問題は、不平等な資本主義社会と異なる不平等な社会主義社会はどのように作り出されたかという点だ。資本主義社会の我々は合法的な競争による格差と不平等を当然と考えて生きているが、社会主義社会のかれらはどのような段階を踏んで格差と不平等を当然のものととらえるようになったかを探らなければならない。

平壌の「教育熱心派」の母親たち

平壌で現地の母親たちと子どもたちの教育や入試準備について虚心坦懐に話す機会があった。家庭訪問はもちろん、住民との個別の接触すら許されていない平壌訪問の合間にも、時折そういった瞬間が奇跡的に訪れる。

平壌を訪問した私は、現地研究ができる興奮と好奇心から、なかなか寝付けないことがたびたびあった。同室の同僚を起こすわけにもいかず、部屋から出たとしてもホテルの外には出られない。ホテルの中をあちこち歩き回ってもたいていの店は閉まっているが、偶然ある店のドアから出てくる従業員と鉢合わせた。看板を見ると「KARAOKE」とあり既に終業したようだったが、わたしがしきりに覗きこむので、中にいた人がいいですよお入りなさいと招じ入れてくれた。一人で歌うのも気まずいのでビールを注文して飲んでいたのだが、相手もいったい何者なのかひどく気になるようだ。ちょうどその日は教育機関をいくつか見て回ったので、従業員に幼稚園や託児所に行った話を切り出してみた。そこにいた一人が、あらまぁと驚いて嬉しそうな顔をした。私の訪問した幼稚園に子どもを通わせている保護者だったのだ。

「あそこの幼稚園は、ピアノの先生がすばらしいんでしょう？　その先生は音楽の教材も作っておられるそうですね？」

その日聞きかじった話を持ち出すと、手をたたいて喜んでくれた。息子がまさにその幼稚園の年長組でピアノを習っているという。自分は漢陽大学の教授だがソウルで託児所の園長もしていたと自己紹介すると、今度は相手が興味津々だ。

「漢陽大学といったら、ほら、デモとかをよくしていると聞くけど、先生も大変じゃないですか？」

「なぜ男性が託児所の園長をされていたんですか？」

風変りな韓国の大学教授に、南の教育に関する質問が次々と浴びせられた。「韓国教育問題についての深夜討論」は、時が過ぎるのも忘れるほどだった。私が申し訳なくなって、そろそろこれくらいにして閉店しないといけないのではと尋ねると、むしろ彼女たちが「大丈夫です」と引き留めるほどだった。おかげでこれまで書籍を通じてしか知らなかった北朝鮮の教育に対する親、特に母親の期待と心配事、長期戦略に至るまで生の声を聞くことができた。向こうから子どもたちの勉強と進路、夫や婚家の圧力についての話が出れば、私は韓国ではどんなふうにまわりの人の目を意識して競争しているかを話した。ぺちゃくちゃと話し、笑い、「おんなじだ！　同じね！」と手をたたき、異なる点がでてくると「どうしてなんでしょう?」と首を傾げたりもした。

韓国の大学教授が平壌の「教育熱心派」の母親たちに出会ったのだ。はじめに私と鉢合わせた三〇代中盤の女性は、キム ユノク（仮名）と自己紹介した。音楽を専攻していてアコーディオンを演奏する。息子もキョンサン幼稚園でピアノを習っているが、夫は私と同じ大学教授だという。もう一人は「南朝鮮の林秀卿」が平壌に来た当時に自分も金日成総合大学で科学を専攻する大学生だったと言い、名前はパク ソンスク（仮名）と名乗った。娘はチャングワン幼稚園を卒園したが、まさに私が訪問した平壌第一中学校の付属小学校の四年生だという。私がタバコに火をつけると、大学時代に会って結婚した自分の夫も「タバコをたくさん吸う」新聞記者なのだと文句を言った。夜な夜な続いた深夜討論を通じてわかった北朝鮮の教育に対する実に興味深い事実を簡単に整理すると次のとおりだ。

その一、私が出会ったような党幹部である父親たちが当然のように話していた職業と地位の世襲は単なる可能性にすぎず、自動的なものではない。母親たちが大変な苦労をして身につけた戦略を駆使して、幼いころからそうなるように仕向けなくてはならない。つまり、北朝鮮なりに制度化された無数の競争と選抜過程を経るため、母親も隔日で働き、家に帰ったらどんなに疲れていても子どもたちをつかまえて一日三時間は勉強させるという。

その二、熾烈な競争と選抜はごく幼い頃から始まるが、できるかぎり早いうちから国家から支援を得られる特別な才能教育機関に通わせると成功する確率も高まる。私の訪問したところはどこも外部の人びとに公開するような特別な教育機関であり、託児所、幼稚園、小学校（昔の人民学校）、初級と高級学校（昔の高等中学校）と段階ごとに山があり、学年があがるごとに「脱落しないように」しなければならないので、気を緩められない。そのかわり、それらの特別な教育機関に最後まで残ることができれば、大部分は金日成総合大学やピョンソン理科大学、キムチェク工業総合大学、ピョンヤン医科大学などの「中央級大学」に進学できることとなる。

その三、子どもが小さい頃は、自分たちもよく知る教示やお言葉をつねに繰り返し読んで覚える「原文通達式（暗記注入式）教育」なので「大丈夫」だが、だんだんと子ども自身が内容を理解する必要のある「教え諭す（討論応答式）教育」が増えて自立性と創造性が強調されるようになると、家で手伝うのは難しくなるという。さらに、そうした学科学習だけでなく、少年団の組織生活（生活総括、「良いこと実践」など）と、特技をのばすクラブ課外活動の評価比重も高いので、家では道徳教養教育をしっかりしないといけないそうだ。

これらすべての過程をうまく乗り越えてはじめて、学校から大学に志願できる「推薦書」をもらうことができる。このとき、身分や身体条件、特技まで見極められて決定がなされるが、大学入試自体は韓国に比べるとそこまで大騒ぎというわけではなさそうだ。北朝鮮では、初中等学校への進学と進級の過程であらかじめ選抜されて決定されているので、最後の大学入試の競争者の数は限られているからだ。

建国初期には、特殊才能教育は平等教育原理に反すると批判もされていたという。しかし一九六〇年代後半から金正日の主導のもと、音楽、美術、舞踊など芸術分野の人材を早期に発掘して養成する教育機関が設立され始めた。[☆16] 特別な支援を受けて設立された才能教育機関は、施設と教員、教育内容が桁外れに良かった。また、初期教育機関であればあるほど平壌中心部に位置しており、平壌に暮らすエリート集団の子どもたちの方が絶対的に有利だった。韓国や日本と同様に、平壌の教育競争は少数のエリート集団内で幼少期から始まる。

大学教授の妻であるキム ユノクさんは、自分は夫ほどには勉強ができないが、子どものころから音楽の才能教育を受けてきたと話した。いま、息子も音楽才能教育で有名なキョンサン幼稚園でピアノを学んでいる。将来はピアニストにしたいのかと尋ねたところ、「国家が早くから才能教育をさせてくれているから、当然それに応えなくてはならないのだけれど、男の子だからやっぱり平壌第一中学校に行かせないと」という。将来、将軍が卒業された金日成総合大学の政治経済学部に入学するためには、そのルートがいちばん確実らしい。よって、今も家では音楽の勉強よりも他の勉強を一生懸命させているそうだ。娘ならどうしたかと聞いてみたところ、女の子なら芸能を伸ばして「自分みたいに」結婚に成功すればいいのだ、と笑っていた。これも南北は似ているねと笑ったが、北朝鮮において芸術人、作家、スポーツ選手は韓国に比べると確実に地位が高く、尊重される存在と言えよう。新聞記者の妻であるパク ソンスクさんは、子どもが娘一人しかいないのは、自分が「利己的」だからだと言う。平壌第一中学校附属小学校に通う娘は科学に関心があり、両親が卒業した金日成総合大学に進学したがっているという。

この二人の母親はどちらも夫の両親（舅、姑）と暮らしている。韓国では年を取った親の面倒を見たがらないと聞いているが、それならそのかわいそうな老人の面倒はだれがみるのか、どうすればそんなふうに「道徳」をなくした人として生きていけるのだろうと心配していた。一九八九年の平壌の世界青年学生祝典当時、韓国の女学生であった林秀卿が板門店を越えてくるのを見て涙が止まらなかったというパク ソンスクさんは、「あのときは、南朝鮮の軍人が今にも銃を撃つのではないかと気が気ではなかった」と言う。また、「林秀卿が離婚したと聞いたけれど、変節して不幸になったのではないか」などと言ってもいた。個人の不幸までも政治理念に関連づけて因果応報だと説明しているようだった。

私の妻が私よりも一歳年上だと話すとひどく驚いて、「いったい、どうしてそんなことが？　何かの間違いじゃないんですか？」と一種の背徳行為、人の道にもとるとでも言いたげであった。妻も大学教授だが自分と似たような仕事をしているので、次は平壌にいっしょに来られるように努力してみようと話した。すると目を輝かせて喜び、どんな女性なのか絶対に会って見なきゃと約束させられた。「間違いなくすばらしい美人」だろうと期待しているので負担にも感じたが、必ず会わせると約束した。南北関係が複雑になってその約束は果たせなかったが。

二年ぶりにやっとチャンスが巡ってきて再訪すると、二人ともまだそこで働いていた。まるで離散家族に再会できたかのような喜びようだった。韓国から準備してきた文房具を差し出すと、子どもの学年まで覚えていて、それにピッタリなプレゼントをくださるなんて、と驚きつつも喜んでくれた。予想どおり、キム ユノクさんの息子は平壌第一中学校の付属小学校に通っており、パク ソンスクさんの娘は初級中学校二年生になって科学クラブの活動に一生懸命だという。ほかに準備していた簡単な電子計算機をその子にプレゼントすることにした。

南北交流がまた活性化してお客さんが増えたのか、新しく仕事を始めたもう一人が挨拶にきた。声楽を勉強して芸術団で合唱をしていたという。初級中学校二年生の娘がいるが、やはり芸術教育で有名な金星《クムソン》第二中学校に通っていて、特別に才能が抜きんでているので万景台学生少年宮殿で合唱公演をするのだという。私が明日そこに行く予定だと言うと、合唱の二列目の左から五番目が自分の娘だから絶対に探してみてほしいという。こんな子ども自慢も南北同じだねとからかうと、楽しそうに笑っていた。

韓国の男性客五名が入ってきて、酒と肴を注文してにぎやかにおしゃべりを始めた。大きな声で聞こえるように昔の民主化運動の闘争経歴を自慢している。お酒を何杯か飲んで、お嬢さん方きれいだね、こっちに来て座りなさいとセクハラめいた言葉でしつこく誘い始めた。ちょっと前まで子どもたちの教育の話で盛り上がっていた平壌の母親たちを見ていると不憫で腹も立ったが、片隅に座っておとなしく観察していることにした。きわどい嫌がらせを受け流しながら、母親たちはたまに私に視線を向けたりして窮屈そうにしていた。「南北交流の実状」を研究する機会ではあったが、場を乱すこともできずぐっとこらえた。幸いなことに彼らは何か急ぎの用ができたらしく、あわてて出ていった。

お疲れ様というつもりもあり、また気になることもあってひと声かけた。「韓国のお客さんは何度も相手をしているでしょう? どんな人がいちばん偉そうにしていますか?」。安心したというように笑いながら、異口同音に言うには、「南朝鮮の男性はみんな同じです」「大企業だろうと、中小企業だろうと、公務員だろうと、活動家だろうと、みーんなおんなじ」「でも、大企業の人たちは、ちょっとは気をつけようとしているじゃない?」。いくつか評価を聞いたが、どれも鋭い分析力を感じた。

ホテルのカラオケの従業員にこうした人たちを配置した北朝鮮当局の意図がわかる。経済危機の状況下で、外部の人と接触させられるほど確実に信頼のおける、体制の核心となる人員を前面に配置しているのだろう。信任を受けている彼女たちは、革命事業の最前線で働くつもりで服務していることだろう。身体は疲れるが、派手な職場で働きながら外貨も稼ぐことができる、そのこと自体がすでにひとつの特権だとも言えよう。

平壌「ＳＫＹキャッスル」とオルタナティブ教育

金正恩時代の平壌には、「黎明通り」と「未来科学者通り」という七〇階建ての高層アパート団地が建設された。二〇一七年四月の完成を記念して、金正恩は未来科学技術発展という価値を掲げて、まず手はじめに金日成総合大学と金策《キムチェク》工業大学の教授陣と科学者の入居をすすめた。黎明通りの四七〇〇世帯のアパートのうち一二〇〇世帯が金日成総合大学の教授たち、大同江の川岸にある未来科学者通りには金策工業大学の教授と科学者を優先的に入居させたという。金正日が作家、芸術家、スポーツ選手、軍人を「特別に」優遇した方法を、金正恩は新時代の目標にあわせて変えたのだ。そんな平壌新都市には、韓国のアパート団地に似て、食堂、美容院、銭湯など日常に必要な施設がほぼ入っているという。

以前、平壌のホテルのカラオケで会った教授や記者の妻たちを思い出す。そして韓国で放映されたドラマ「ＳＫＹキャッスル」の母親たちのイメージがそれに重なる。黎明通りと未来科学者通りは、それ自体が巨大な「ＳＫＹキャッスル」だ。最近韓国ドラマ好きだといわれる北の人びとが、すでに金日成大、金策大、平壌医大をあわせて「平壌ＳＫＹキャッスル」と呼んでいるかも、という子どもじみた想像を巡らせてみたりもする。これまでは教育を受けた母親たちが素朴な家庭学習でカバーしていたものが、すでに有名教師による課外学習に「発展」したという噂も聞いた。それ以外にも、初期才能教室、学習誌、上級学校の推薦をめぐる賄賂と不正など、韓国社会ではすでにありふれてしまった「教育ゲーム」のテクニックが総動員されているようだ。

しかし、文化の変わりようは他の方向でも明らかだ。大飢饉を経験したのち、二〇〇二年一一月に詩人のリョム ヒョンミは次のような詩を発表した。

幼稚園から帰るやいなや
手綱のきれた　子ヤギみたいに
山だ川だと　飛び出していく子を見て
義母も夫も　私のせいだという
よその家の子みたいに
何か才能をのばす　習い事をさたほうがいいんじゃないか

そんなときわたしは聞こえぬふりをして
真っ黒に日焼けした子に　せっけんを泡立てる
何を言っているやら　この子の好きにさせているのに
慈愛に満ちたこの地に　サッカーボールみたいに　思いっきり転がらせて

雪がふったら　雪だるまにもなれ
雨がふったら　はなびらみたいに　びしょびしょになれ
赤とんぼやバッタを　追いかけて
ちくちく　イラクサに刺されなさい

青いこの大地の　美しいすべてのものを
白紙のような　まっさらな　おまえの心に
しっかり　こころして　刻みつけなさい
この母は　おまえの心臓を　つくってやりはしたが
心臓のなかを　生涯あつく　駆けめぐる血は
ほかでもない　おまえ自身が　つくらなくては　ならないのだ[☆17]

国家と体制からの保護を受けられず自力で危機を克服しなければならなかった人びとは、個々人が体得した経験と生命力の重要性に気づいた。だから、体制の提示する道とは異なる可能性を探そうとしたり、体制の枠内であっても最大限の自立性を確保するために、異なる生き方を実践してみようとする人びとも現れた。

もちろん、危機を経験したことで、さらに強迫的な競争に縛られてしまう人びとが多く出てきてしまったことも事実だ。韓国でも朝鮮戦争の時代の「避難民文化」は今日まで続いていて、何世代にもわたる生存競争の方法として確固たる位置を占めてしまってはいる。

平壌の新都市、黎明通りの「SKYキャッスル」では、北朝鮮のエリート教育体系の枠にあわせた競争のなかで成功する子どもを育てようと躍起になっている親がたくさんいることだろう。しかしそんな教育体系の中においても、実際に生きている生命《いのち》としての子どもたちが、自ら新たな可能性を探しそれを伸ばすことができるような環境を整えてやろうと努力している親もいることだろう。新しい北朝鮮の「自律的」で「創造的」な未来世代は、いったいどこに向かって成長しているのだろうか。

芸術公演と拉致

金剛山観光が活発に進められていたころ、北朝鮮が直営していた金剛山ホテルのレストランでは女性従業員の公演があった。接待ぶりには何となくぎこちなさを感じたが、舞台に立って楽器を手に取り公演を始めると、別人のようにカリスマ性と技量をいかんなく発揮し始めた。公演が終わって器を下げに来た従業員に声をかけた。平壌の言葉づかいであった。「すばらしい演奏でしたが、もしかして子どもの頃、キョンサン幼稚園に通われましたか?」彼女は片付けをしていた手を止め、目をまるくしてこう尋ねた。「あら、どうしてご存じなんですか?」。私が何年か前にキョンサン幼稚園に行ったときに子どもたちの公演を見ていたく感動したことを伝えると、「あそこにいる、あの人も同じ幼稚園の出身」と言う。従業員のなかには元山《ウォンサン》出身者もいるが、公演は主に平壌から来たメンバーであるのだという。隣に座っていた（韓国の）研究員が不思議だといわんばかりに尋ねた。「偶然ですかね?」。北朝鮮の教育体系を理解していれば、この程度の占い師ごっこはそう難しいことではない。

朴槿恵《パククネ》政権末期の二〇一六年、国会議員選挙を目前にして中国のある都市の北朝鮮レストランの従業員が集団脱北し、韓国に入国するという事件が起こった。私の知る北朝鮮体制の特性上、なかなか起こりえないことだったので、「本当にずいぶん変わったのだなぁ」と思っていた。

しかし、政権が変わって明らかになった事実は、韓国の国家情報院に抱き込まれたレストランのマネージャーが、中国の他の都市に移るといって二〇代の女性従業員たちをだまして韓国に連れてきたということだった。今も平壌では親や家族が拉致された娘たちを返してほしいと主張し、韓国政府と国際社会に向けて嘆願している。北朝鮮の教育制度を理解していれば、そのレストランの従業員一人ひとりが、いったいどんな家庭のどんな母親がどんな思いで育ててきた娘たちであるか、すぐに想像がつくだろう。

注

★1　チャールズ・アームストロングは、北朝鮮の戦争孤児支援プロジェクトは「社会主義国家が手を取り合ってともに実施した共同プロジェクトのなかで調和をなした唯一の事例」だと述べている。冷戦初期においてアメリカと西側世界の人道主義支援事業に対抗することは、社会主義陣営としても重要な国家連帯事業であった。「アメリカ帝国主義の軍隊の無差別爆撃を耐え抜いて勇敢に戦っている」北朝鮮の人民の姿が社会主義圏国家に広く知られたことで、危険な状況にある北朝鮮の戦争孤児の支援活動が草の根から自発的に広く行なわれたからである。Charles Armstrong, "Fraternal Socialism: The International Reconstruction of North Korea, 1952-62." *Cold War History* Vol. 5, Issue 2, 2006, 161-87p.

★2　特に、アメリカの中産層家庭の典型的な象徴である青い芝のある白い家と自家用車は、地上で享受しうる最高の豊かさと平和な生の象徴であった。そこに、つい数日前まで凄惨な戦場にいた子どもがやってきて、天国のような人生を享受することになるのである。

★3　スウェーデンに養子縁組されたトビアス・フビネット（韓国名はイ サムドゥル）は、韓国の海外養子縁組は本人の意思に関係のない半強制的な移住であったという点から、個人に対する犯罪行為であるとまで批判した。

★4　民族の言葉と文字の強調は、在日同胞社会の内部で自己のアイデンティティを確認するためには意味を持つ一方、実生活で使う言語ではないため、常に自分は何かが欠けた存在であると生徒が認識してしまう副作用もある。言語的に不利な状況で均衡を保ってくれるのは、日本社会では疎外されたマイノリティとして暮らしているが、祖国のためには何かを成すことのできる存在であるという社会的な役割の強調であった。その文脈から、「力のあるものは力で、金のあるものは金で、知恵のあるものは知恵で」という金日成の言葉は繰り返し引用されてきた。

★5　マスゲームのような集団主義的な活動も、抑圧的な政治状況で画一的に強要されるのではなく、マイノリティ集団が自分たちの団結力と練習の成果を可視化するアイデンティティ確認の道具として活用する際には、その教育的な意味が本質的に異なってくる。

★6　韓国社会の学閥による身分制度的な差別構造と「公平な競争」という「能力主義」文化論理の問題点に対しては、정병호「서열경쟁과 교육게임」『교육개혁은 왜 매번 실패하는가』창비、二〇〇八、六六〜一一四면を参照。

第四章　「太陽民族」の誕生

1　「お日さまとひまわり」──首領と人民

真冬の寒さが感じられる平壌にも春は訪れていた。私が初めて平壌を訪れた二〇〇〇年三月は「民族の太陽、金日成首領」の「太陽」が、長男「金正日指導者同志」へと移行する権力世襲の最終段階の時期だった。「金正日将軍」が「二一世紀の太陽」として昇ったことが大きな赤い文字で書かれた看板が全国各地に建てられた。

権力の世襲は、一夜で簡単に成し遂げられるものではない。無数の新しい歌がつくられ、新たな神話が絵画、演劇、キャッチフレーズで表現される。最高権力の継承は、こうした長期にわたる漸進的な象徴化の過程を経て実現した。託児所と幼稚園の子どもたちは、金日成首領《スリョンニム》に捧げていた「花のつぼみ」という歌を、今度は金正日指導者同志に捧げるようになった。

私たちは花のつぼみ　綺麗に咲く花のつぼみ
指導者同志の胸元で咲くのです
お日さまだけを追う　ひまわりのように

指導者同志を　皆が追って咲くのです
お日さまを追ってニッコリ！　美しく咲いてニッコリ！
ひまわりのように　私は幸せです

皇帝、君主、または最高権力者を「太陽」と比喩するのは、人類学的な観点からみて不可思議なことではない。エジプトやインカ、アステカ文明がまさにそうであった。日本の例で天皇は、天照《アマテラス》という太陽神の神話と太陽崇拝信仰との関連がある。太陽は生命の源であり宇宙的なエネルギーとして表される。その明るさは野蛮に対する文明の象徴とされることもある。

北朝鮮では赤い太陽は「首領」である。すなわちその存在が温かい日ざしのごとくすべての人民に直接伝わり生命力を与えるというのである。こうした感情は音楽、歌曲、映画でも表現され、子どもには「お日さまと花のつぼみ」として、大人には「太陽とひまわり」として人民と首領の関係を象徴的に示している。[★1]

金日成を「民族の太陽」として崇めるのは、単に彼が一国の権力の頂点に立っているという側面よりも、彼の存在により民族全体が暗闇から光を得て、また死から命を得たというシンボリックな意味を強調する側面が大きい。こうして彼の光を浴びた民族は「太陽民族」となる。彼は死んでも「永遠に私たちと共にいて」、金日成将軍の後を継いだ金正日将軍が「二一世紀の太陽」として昇り「世を照らす」ことになる。すなわち、この新しい太陽を「代々（高々と）崇める」というのだ。[★2]

今日「永遠の太陽」として崇められる金日成が、当初から「太陽」のようなシンボルだったわけではない。初期には「金星将軍」とされ、民族の運命を占う「新星《セッピョル》」であり「希望」であるというシンボリックな意味合いが大きかった。多くの星の一つでしかなかった彼が唯一の「太陽」になったのは政治的に内戦と冷戦、そして長期にわたる権力闘争の過程で無数のライバルが消え去ったからだ。☆1けれども文化的に彼を太陽として象徴化し、太陽民族の始祖としたのは、彼の後を継いで太陽になった金正日による芸術政治である。

「故郷の春」

久しぶりに聞きなれた歌が聞こえた。小学二年生の教室から赤いネクタイを締めた女子生徒が上半身を前に乗り出すようにして元気よく歌っていた。鼻声の混じった高く透明な声だった。

私が暮らした故郷は花咲く山の里
桃の花　杏の花　そして小さなツツジ
色とりどり花の宮殿　綺麗な集落
その中で遊んだ頃が懐かしい

その子は遠く離れた故郷の家を思い浮かべるかのように切ない感情を全身で表現していた。
私が訪ねた託児所、幼稚園、学校や学生少年宮殿〔課外活動を専門的に行なう施設〕など行く先々で、ほぼ同じ声と動作で「故郷の春」を歌う子どもたちに出会った。あまりにその表情が切なくて、なぜあれほど情感たっぷりに故郷について歌うことができるのか、あの子どもたちが思い描く故郷はどの

父なる大元帥《テウォンスニム》は永遠にわれらの太陽

大元帥《テウォンスニム》はお日さま、人民はひまわり、子どもたちは花のつぼみ（平壌の通り沿いに見られるタイルモザイク画）。

ような場所なのだろうかと気になった。答えは北朝鮮のあらゆる幼稚園と学校に設置されている三つの聖なる部屋ですぐに得ることができた。

どの教育機関でも建物の中心には特別にしつらえた三つの部屋がある。各々金日成首領、金正淑母上《キムジョンスクオモニム》、金正日将軍の幼年時代を学ぶ「教養室」である。初級中学からは「思想研究室」と呼ばれる。これらの部屋は他の教室と異なり、カーテンがかかっていて白樺の床材で造られている。各クラスは週に一回この部屋に入り、敬意を表して彼らの子ども時代の物語を学び暗記する。部屋には裸足はもちろんのこと汚れた靴下をはいて入ることも許されない。その授業がある日に生徒は、別途準備した綺麗な靴下に履き替える必要がある。三人の聖人を崇める場所ともいえる。

子どもたちは三歳の時からここで故郷の家のイメージと幼少期の経験を五感で学び、物語と歌、踊りで表現しながら成長する。託児所と幼稚園には各聖人の故郷の家の模型が設けられている。小、中、大学と進学するにつれ、故郷の家の模型は写真になり、それぞれの場所についての物語には政治思想的な意味合いが込められる。無機質な他の教室とは異なり、花木で飾られた故郷の家の写真は、華麗で温かい故郷の天然色のイメージで生々しく刻まれる。

「敬愛する首領金日成元帥の幼少期について学ぶ時間です」

「年少組のみなさーん」

「ハイッ！」

「年少組のみなさーん」

「ハイッ！」

先生が両手を広げ丁寧に模型を示しながら語る。

「ここが偉大なる首領金日成元帥がお生まれになった万景台《マンギョンデ》の生家です。万景台の故郷の家に春がきました。ツツジも咲き、レンギョウも咲き、桃の花、杏の花も咲きました。みんな一緒に言いましょう。万、景、台故郷の家！」

子どもたちがみんなで叫ぶ。「万、景、台、故郷の家！」

「何の家と言いましたか？」

一人の子どもが手をあげ、起立してハッキリとした声で「万、景、台、故郷の家！」と答える。

「万、景、台、故郷の家は美しい花が満開の花園です。偉大なる元帥がお生まれになった故郷です。万景台故郷の家には世界中の人びとが訪ねてきます[☆2]」


金日成の誕生日は四月一五日、花が咲く春である。この日を「太陽節」として全国で華やかな春祭りが開かれる。各都市の広場では若い男女が正装しての舞踏会が開かれ、夜には花火も打ち上げられる。他の文化圏での春祭りと同じく生命と復活、そして新しい船出を謳歌する日だ。

春に万景台故郷の家で生まれた金日成は、植民統治によって凍えた祖国に温かい光を与えた存在として描かれる。植民地の民に新しい政治的な生命を与えた存在ということだ。したがって彼を「太陽」にし、彼が生まれた一九一二年を主体《チュチェ》元年とする。主体的な暮らしがようやく始まった年という意味だ。金日成が生まれた年を起点にしたのは明らかにイエスの誕生を起点にした西暦起源に対応する宗教的な性格が濃い年号概念と言える。★3 国家の歴史よりも英雄（または聖人）の生涯を時間の起源としたのだ。

「万景台故郷の家」

金日成が生まれた「万景台故郷の家」は政治的国父の生家という意味合いを持つが、それ以上に宗教的聖地としての機能を果たしている。花木にあふれた里山のふもとに復元された小さな家屋二棟を中心に大同江《テドンガン》を一望できる「万景峰《マンギョンボン》」という楼閣と、「軍艦岩」、泉、草一本、木一本まで万物を、金日成の幼少期の遊びにまつわる伝説的な物語に関連づけ、北朝鮮の人民の「心の故郷」となるようしつらえてある。

実際のところ、ほとんどの近代国家において国の英雄の生家は復元・再建されて歴史的な巡礼地となっている。アメリカの初代大統領ジョージ・ワシントンのマウントバーノン生家がその代表例だろう。南北統一を成し遂げたエイブラハム・リンカーン大統領のログハウスは、生地ではなく彼の政治的故郷ともいうべきイリノイ州スプリングフィールドにテーマパークのような形で造成されている。すべてが国家主義的な必要性から「創られた伝統」である。☆3 違いがあるとすれば、北朝鮮では国家指導者の生家を「国民的な故郷」という共通感情を築くためのもっとも重要な教材にした点だ。

金日成が北朝鮮の人びとのみならず、外部社会の人びとからも尊敬される存在であるべきという点は主体思想の核心になる重要な価値でもある。国際的に孤立した状況だからこそ「世界中の人びとが万景台故郷の家を訪れる」物語は欠かせない。金日成は朝鮮民族のみならず抑圧された人類に光を照らす「太陽」だから、世界中の人びとが訪ねてくると説明される。この生家は最も神聖な聖地であるため、いまだ清算されていない帝国主義支配の厳しい環境で暮らす人びとの巡礼が絶えないとされる。

平壌を訪問するすべての外部の人の日程は、万景台故郷の家から始まる。六回の平壌訪問で、毎回万景台故郷の家を訪れなければならなかった私が常に見たのは、正装した各界各層の北朝鮮住民が団体ごとに待ち並ぶ姿であった。彼らは列を乱して入ってくる外部の客にいつも順番を譲らなくてはならない。二つのグループは交わることもなくお互いをチラチラと眺めながら通り過ぎる。外部の訪問客は彼らの厳粛かつ規律正しい姿勢に緊張し、すれ違う多様な北朝鮮住民の服装や表情を眺めることで社会の雰囲気を感じ取る。

北朝鮮住民も部外者である私たちを見て、故郷の家の大切さとこの地を訪れる「世界中の人びと」を再認識したに違いない。すなわち、異質な人びとを近くで見るという貴重な経験からこの場所の「世界性」を確認するのである。万景台故郷の家を訪れる外国人や韓国人、在外コリアンは、その存在自体が北朝鮮住民への見世物となり、北朝鮮住民が誇りを抱くきっかけとなっている。

私が故郷を離れる時
私の母は
門の前で涙をながし
行ってきなさいと一言
ああ耳に響く

万景台故郷の家の敷地内にはいつも静かな音楽が流れている。この切ない歌は北満州独立軍が歌っていた「思郷歌（望郷の歌）」だという。北朝鮮では金日成が白頭山の密林で遊撃隊闘争をしていた際にこの歌を歌っていた点を強調しつつ、「彼が作った歌」として伝えている。「思郷歌」は「故郷の春」と共に、日本の植民地時代における民族離散の記憶と郷愁を国民に伝承する歌になった。

2 「故郷の家から宮殿まで」―神話と巡礼

万景台故郷の家に向かって、赤い旗を掲げた一群の少年少女が覇気を感じさせるも節度ある行進で進んで来た。皆がユニフォームを着て耳まで覆われる防寒帽に赤いマフラーをし、足元には白いゲートルを巻いていた。切ない「思郷歌」が流れる聖地の芝生の間から近づいてきた隊列は、急にその場に現れた部外者（私たち一行）のせいで列が入り乱れ、混乱が生じた。

近くでみると若い学生たちであった。嬉しくてつい声をかけてみた。外国人が朝鮮語を話すことに驚きを隠せず怖がって逃げる学生たちもいた。数人が返事をしてくれた。高等中学校四、五年生（現在の中三と高一）であるという。

彼らは背が低く小学校四、五年生ぐらいに見えた。帽子を手に取り聖なる故郷の家から出てくる学生たちの額にはすでにしわがあった。

いまだに影響を及ぼす大飢饉の傷跡が若い世代の顔に残っているのを目にすると、何とも言えないやるせない気持ちになってしまった。私の表情を読み取ったのか、戸惑った引率の教員が説明を始めた。彼らは二月末の北風をくぐり抜けて千里を歩いてきたという。言ってしまえば疲れ果てた状態なのだと。鴨緑江《アムロクガン》の川辺から平壌まで四〇〇キロメートルを赤い旗を掲げて一四日間も行進を続け、遂に「首領生誕の地・万景台故郷の家」にたどり着いたのだという。先生が説明する間に、疲れ果てた学生たちの表情が誇らしげな笑みに変わっていた。

一校で一つの小隊が選抜されるこの栄誉ある行軍を「学びの千里道」というらしい。満州に暮す一二歳の少年であった金日成が「朝鮮を知るべき」という父の一言に従い、平壌の万景台まで歩いた道をたどる「選ばれた」少年たちの巡礼の旅なのである。二年後、父が日本の警察に捕えられたと聞いて、金日成が平壌から中国の八道溝〔鴨緑江を渡った中国東北部に位置する。金日成はここで小学校に通っていた〕まで戻る「光復の千里道」もこの万景台故郷の家の巡礼から始まる。一四歳にして祖国が解放されるまでは戻らないという決意の上で出発したということから名付けられた。もちろん当時鉄道が敷かれていた道程を、若き金日成がすべて歩いたわけではない。しかし現在の巡礼では、徒歩でその聖なる道を歩くことになっている。赤い旗を掲げ行軍の態勢で駅伝のように各区間の地名を唱えながら歩く。若者に大変な行軍の旅は典型的な「通過儀礼」〔成人式〕の形式に倣っている。苦難を克服する過程を通して平凡な少年からリーダーシップのある青少年へ、歴史的な使命を引き継ぐ未来の人材という自負心を抱き成長するようにしている。★4

大同江を眺める万景峰の楼閣で比較的色白ではつらつと「光復の千里道」に出発しようとしている子どもたちに出会った。平壌市温泉郡で一番優秀な学校の学生たちであると案内員が教えてくれた。さすが外部の客と接する表情にも余裕すら感じられる。教師が指示しなくても丁寧に帽子を脱ぎ挨拶をする学生もいた。このような模範学生を選抜し、千里道の巡礼を通じて身体も鍛錬し意志も育むという。

「民族の太陽」

金日成が生まれた万景台故郷の家から彼が眠る錦繍山記念宮殿までの全生涯はテレビドラマ、舞台のみならずあらゆる芸術分野で主題とされる。彼の人生は典型的な英雄神話のつくりで展開していく。物語は多くの神話で普遍的にみられる「文化英雄」が通過儀礼を経験していく物語の構造をもっている。すなわち、ありふれた出自の幼い英雄が、少年時代に家を離れ遠い異国で苦労して立派に成長する。亡き父の「聖遺物」であるピストル二丁を持ち、聖なる山・白頭山に入り、生死の境をさまよう試練を経験しながら民族の敵を退け、最終的に故郷の万景台に戻り新しく国を建て、自らが解放した祖国「地上の楽園」の太陽となって永遠に生き続けるという物語だ。★5

神話的に「文化英雄」は自然と文化の対立を統合する「仲介者」の役割を果たす。ここで生老病死の生涯の中で重要な局面ごとに象徴的な儀礼を通じて「文化的」に意味のある存在になっていく。英雄の「通過儀礼」のごとく少年金日成は二度にわたる千里の旅路を経て青年になる。そして「外」から「内」に戻る凱旋将軍としての「帰国」、「下」から「上」に上りつめる首領としての「建国」が壮年に至る過程だ。彼の老年は「民族の太陽」として崇められ愛と利他に満ちた人生であり、彼は死後も「生と死」を結びつける「先祖神」として「永生」する。

実際、金日成の死後、北朝鮮は国をあげて三年間の喪に服し、全国民が彼の永生と復活を祈願する花をささげた。「民族の太陽」を意味する数千の金色の銅像と「金日成首領は永遠に私たちと共に生きる」という文言を刻んだ数千の「永生塔」が建てられた。生前彼が執務した大理石の宮殿はすべて彼を記念する巨大な墓地である「錦繍山記念宮殿」になり、彼の亡骸は永遠に腐敗しないよう真空のガラスの棺に納められ、何万もの人が参拝している。

金日成個人の生涯を描いた神話的な英雄史は民族の近代史と相通じるようになっている。つまり「植民と解放」「苦難と栄光」「貧困と繁栄」「戦争と平和」「従属と自尊」「屈従と主体」など対照的な民族史の経験が金日成個人の英雄譚と結びついている。金日成は奴隷状態に置かれていた民族を解放した「救世主」であり、戦争の廃墟から国を建てた「指導者」であり、絶望的な過去にも未来を夢見ることができた「預言者」であり、暗闇を取り除いた明るい「太陽」のような存在として描写された。英雄神話の叙事を通じて金日成は「民族」そのものを象徴する存在になった。彼に対する崇拝は個人的な崇拝を超えて民族の「自尊」と「永遠性」に対する崇拝となった。「金日成崇拝」は民族そのものを崇拝する「民族宗教」と化し、現在北朝鮮では「わが民族」「朝鮮民族」を「太陽民族」「金日成民族」とも呼ぶ。

「太陽記念建築」

「民族の太陽」として金日成を崇拝するシンボリックな装置は、建築、彫刻、美術、音楽、演劇、祭典、大行進に至るまでまさに総合的な芸術活動であるといえる。その中でもっとも目立つのが建造物だ。

金日成の生涯を記念する主な象徴建築は、平壌市南西から東北の端まで延々と配置されている。すなわち南西にある万景台故郷の家から幼少期が始まり、三〇代の青年将軍の凱旋を記念する凱旋門《ケソンムン》と金日成競技場、六〇歳という壮年の姿で立つ万寿台《マンスデ》の銅像、七〇歳を記念する主体思想塔と人民大学習堂の大理石座像、八〇代の老年と死を称える永生塔《ヨンセンタプ》と錦繍山記念宮殿がある。そこからさらに東北に見える彼岸の稜線には彼の妻金正淑と部下たちが眠る「大城山《テソンサン》革命烈士陵」がある。首都平壌はまさに金日成の生涯を象徴する都市であるとも言える。

人類史上もっとも代表的な太陽崇拝の巨石文化は、エジプトのピラミッドとオベリスクだ。この形式は平壌の主体思想塔と全国各地に建てられた永生塔、そして檀君王陵といまだ未完成の「柳京《リュギョン》ホテル」にも見られる。なかでもオベリスク形式の塔として代表的なのが主体思想塔である。「金星将軍」すなわち新星《セッピョル》であった金日成が「太陽」になり始めた一九八〇年代の初期の作品である主体思想塔は、その名こそ「主体《チュチェ》」だが内容は「金日成塔」である。彼の七〇歳の誕生日を記念して建てられたこの塔は、そのことを象徴的に示すために、当時の年齢にあたる七〇段になっており、彼が生きた日数である二万五五五〇個の石で積まれている。高さは一七〇メートルで米国建国の父を記念するワシントン塔の一六九・三メートルよりも高い。☆4

大同江をまたいで主体思想塔と向かい合わせに金日成広場と人民大学習堂がある。主体思想塔と同時期に建てられた人民大学習堂の巨大な玄関扉を開けて中に入ると、白い大理石彫刻の金日成座像が

太陽記念建築

左上より時計回りに、凱旋門（1982、30代の金日成の抗日闘争凱旋記念の建築物であり、70歳の誕生日に建築）、万寿台金日成銅像（1972、60歳の誕生記念に建築）、主体思想塔（1982、70歳の誕生記念に建築）、人民大学習堂金日成座像（1982、70歳の壮年の姿）。

ある。ワシントン塔の向かい側にあるリンカーン記念館の、白い大理石でできたリンカーン座像に似た形式の彫刻像だ。重要な国家行事の際には人民大学習堂を背景にし、金日成広場のほうに設けられたパレードの中央に像が位置するようになっている。行進する軍隊と人民の上に君臨する彼は、大同江の対岸に見える主体《チュチェ》思想塔と対称をなす「太陽」の象徴であることを体現している。

主体《チュチェ》朝鮮の首都・平壌のシンボルとなるモニュメントが、米国・ワシントンの記念物を真似ていても驚くに値しない。新生の民主主義国家であった米国も国民統合のために南北戦争の直後、エジプトのオベリスク形式のワシントン塔とギリシャのパルテノン神殿を真似たリンカーン記念館を建てた。第一次世界大戦後、世界最強の豊かな国となった米国は、新しい帝国としての国家の立ち位置を示そうと、ローマ帝国の建築物を真似て首都ワシントンの国会議事堂や博物館といった主要な建造物を造成した。そのローマも、ギリシャとエジプトを真似ている。現代における国民国家もそのほとんどがいまだに巨大なモニュメントで権威を誇示している。

主体思想塔から平壌市街をはさんで西側に、柳京ホテルが長年コンクリートの骨組み状態のまま放置されていた。ニューヨークのエンパイアステートビルよりも高い一一〇階建ての建築計画が財政難で中断され、二〇年近く放置されていたが最近外壁の工事が終わった。三つの三角形が並ぶ山の形をした柳京ホテルは古代ピラミッド遺跡のようなシルエットであり、平壌式の太陽巨石文化が挫折した側面をあらわしていた。

大同江を眺望できる万寿台の丘には、六〇歳の厳格な表情をした金日成の銅像が立つ。そのうしろには朝鮮革命博物館があり、その壁面に描かれた雪をかぶった白頭山天池〔朝鮮半島最高峰で聖地とされる白頭山の頂上にある湖〕の巨大なモザイク画が像の背景となっている。両脇に巨大な赤い大理石の旗

ふたつの太陽像
笑顔の金日成と金正日が並ぶ万寿台の金日成銅像建築（2012、金日成100歳誕生記念建築）。

と軍人、農民、労働者、知識人を網羅する全人民を象徴する群像彫刻を率いて、金日成像は金色にそびえていた。彼が金色である理由は「太陽」だからだ。片手を広げて東を見つめる彼は朝日に照らされて赤く輝き、白頭山天池を背景に昇る太陽となる。

金正日の死後、万寿台の金日成銅像は大々的な工事に入った。二〇一二年四月、長男金正日の銅像と並んでより金色に輝く、笑顔の八〇歳の姿の金日成銅像が建てられた。巨大な一組の銅像にかしこまった多くの人民が参拝する。結婚や長旅、困難に直面した時や慶事の際にも、花束を手に訪ねてきて報告する聖なる地だという。

大同江の対岸、首領の目線が届く場所に党創建記念塔が立っている。労働者、農民、知識人を象徴するハンマー、鎌、筆がそびえ立つ巨大な石造造形物である。各石像の高さは五〇メートル、全体面積は二五万平方メートルのこの巨大造形物は飢饉真っただ中の一九九五年に党創建五〇周年を記念して建てられた。[★6] 対岸にある黄金の金日成銅像と川を挟んで対称を為すことで、現実を超越した歴史の流れを空間的に表現している。それぞれが置かれた位置から互いをシンボリックに相照らしながら、太陽崇拝の文化的メッセージを空間的に演出しているのだ。

始祖王陵―檀君陵、東明王陵、王建王陵

一九九二年四月一五日、八〇歳の誕生日を迎えた金日成は一九九四年七月に死去する直前まで「始祖王陵改築事業」に没頭した。いわゆる檀君陵（一九九四年）、東明王陵《トンミョン》（一九九三年）、王建王陵《ワンゴン》（一九九四年）がこの時期に造成された。古朝鮮、高句麗、高麗の始祖王の墓を新しくし、民族国家の歴史的な起源と正統性をシンボリックに示そうとした。この作業は、金日成自身が建てた「朝鮮民主主義人民共和国」の民族史的な位置づけと、国家始祖として自身の歴史的な立場を明示しようとするものであった。

一九九二年五月、開城の高麗太祖（王建）王陵を視察した金日成は、「王建は我が国で初めて統一国家を立てた人物」と称え、王建王陵の改築を具体的に指示した。[☆5] 実際に作業を進めた金正日も「新羅ではなく高麗が初めての統一国家」であるとし、『三国史記』に依拠した既存の歴史観を翻した。「高麗は高句麗の統治政策を引き継いで祖国の分裂を終わらせ統一のために積極的に戦った反面、新羅の封建的な統治者たちはいつの時代も本気で三国を統一しようとする志も力も持ちえなかった」とした。[☆6]

朴正熙時代の韓国では新羅を統一国家の起源とする象徴化の作業が進められた。一九七〇年代には民族の精気を回復するために天馬塚《チョンマチョン》発掘をはじめ佛国寺改築など新羅遺跡の復元事業を大々的に推進し、新羅の「花郎《ファラン》」が統一を成し遂げた組織であると歴史的な意義を強調した。金日成と金正日はすなわち朴正熙の統一新羅の象徴化作業に対抗し、高麗の「自主的な統一」が真の統一であると主張した。金日成が祖国統一案〔南北の体制優位を競う時代にそれぞれが統一案を提唱したが、金日成は「高麗民主連邦共和国」を掲げた〕を提示した際に「連邦国家の国号に高麗という呼称を使用するよう教示した」のもこの「高麗統一説」に依拠していた。[★7]

王陵の改築とともに王建の出身と系譜も強調されるようになった。王建は開城の人物ではなく、先祖が白頭山から移住した高句麗の流民であるとし、金日成と金正日の白頭山関連物語と象徴的に結び付けられた。高麗と高句麗の系譜を引き継ぐ国家としての北朝鮮を金日成は想定したのである。[★8]

同じ時期、平壌近郊の竜山地域の高句麗古墳の一つを東明王（朱蒙《チュモン》）の墓であると推定し、巨大な王陵として造成する作業が進められた。歴史学者たちは高句麗の発生地である卒本《チョルボン》や廣開土《クアンゲド》大王の陵がある中国の集安ではなく、平壌の地に高句麗の始祖である朱蒙の墓があるという史実を説明できず困り果ててしまった。金日成は直々に学者たちを呼び寄せ、新しく、創造的な解釈を教えた。それは金日成が、日本から帰国した同胞たちが遺骨の入った骨壺を抱えて船から降りる姿を見かけたことにヒントを得ていた。高句麗の民が五世紀の初め首都を平壌に移転する際、始祖王の墓も移したという「首領《スリョンニム》の卓越した解釈」をもとに東明王陵の改築事業は急ピッチで進められた。一旦、東明王の古墳と確定されると周囲の他の古墳は彼を護衛する将軍たちの付属する塚と推定され改築した。男女が眠ると推定された四号古墳は「温達《オンダル》将軍と平岡《ピョンガン》姫」（『三国史記』にある高句麗の王女が下級武士の温達に嫁いだことから生まれた説話の主人公たち）の墓になった。

新しく作られた東明王陵を訪れる人びとは、歴史を描いた壁画の飾られた記念館の展示室を回覧しながら「東明王」朱蒙が建てた「強盛大国」の建国説話と高句麗忠臣列伝が聞かされる。なかでももっとも臨場感あふれる物語は、東明王が扶余《プヨ》（満州南部から発し、紀元前四世紀に中国東北部、朝鮮半島の東北部にあった国家）に残してきた長男「ユリ（類利または儒留）」が、折れた刀を探しだしてきた長男として認められ太子になるエピソードである。[★9]東明王陵ではユリ太子（王子）が「人間社会において、王と家臣、人びとの間で道徳と義理を重んじることよりも大切なものはないという遺言を残した」という物語もつくられた。[☆7] 東明王陵はこのように始祖王の建国武勇伝とともに長男への権力世襲、家臣の忠誠と義理を表象する象徴造形物としての機能を果たしている。

平壌は韓国の江華島《カンファド》と全羅北道の高敞《コチャン》とともに青銅器時代の「コインドル」という支石墓群が数多く分布する地域である。[★10] 植民統治時代の一九三〇年代に人びとが江東《カンドン》郡にある支石墓のひとつを檀君陵と推定して石碑を建てた。[★11] 金日成は一九九三年一月八日に檀君陵の発掘を指示し、その年だけでも二〇回以上の「教示」を行った。支石墓の発掘を進めるなか、ある一か所から男女の遺骨が出土した。金日成は「遺物の中で重要なのは人骨」とし、年代測定を急ぐように指示したが満足するような結果が出なかったため「最新測定機器」で再鑑定することにした。その結果五〇一一年（誤差範囲＋／－二六七年）前という測定結果が出たため、この骨を檀君とその妻の遺骨として確定した。[☆8]

金日成は「檀君の遺骨が発見されたので檀君の出生地と古朝鮮の首都、民族の起源地を、檀君の遺骨がある場所を基準に新たに考察せよ」と指示し、「学者たちが解決できない問題に対してひとつひとつ明晰な研究方針を提示した」[☆9]。檀君は実在の人物であり、平壌で生まれ、平壌地方に檀君が建てた古朝鮮の首都があるので平壌は朝鮮民族の起源の地であるという事実を「朝鮮民族の利益にあうように歴史的に解明せよ」としたのである。

さらに、金日成は「単一民族について独創的な解明も行った」という。彼の平壌中心説はすなわち「平壌が我が民族の発祥地であるので、民族の単一性も平壌を中心に形成された。（中略）他の民族と異なり、わが（朝鮮）民族は血統的な同質性を成し遂げた」という人種論につながった。[☆10] これについては六章三節にある「多文化は民族抹殺論―人種差別」で詳述したい。

金日成は始祖王陵の改築事業の中で、彼が最も高い関心を持っていた檀君陵が完成する前に死去した。死去する二日前、金日成は韓国と海外同胞が檀君陵を訪問できるようにせよと伝えたという。[★12]今まで神話としてのみ扱われていた檀君は建国の始祖として、檀君朝鮮は初の古代国家として我が民族史において重要な意味合いを成すから、と。[★13]

金日成の遺訓のおかげで、私も平壌訪問の初回で檀君陵の遺骨がある空間に入ることができた。文化人類学者の視点から眺めると、檀君陵は歴史的な遺跡というよりも政治的な造形物としての意味合いが強く、多様な次元で象徴を結合させる場であった。まず山頂にそびえる巨大な白色の石造墓は太陽崇拝をともなう巨石文化の象徴であるピラミッドの形をしている。[★14]陵の位置も遺骨が出土した場所ではない。遺骨の出土地周辺で最も高い大朴山《テバク》の名所を金日成が指定したため、山の斜面を頂上まで石積みの階段にして「高く崇めている」らしい。史実は政治的な象徴化の前で無力になる。

墓には檀君陵を守る大きな虎の彫像が立っている。「世界最大の虎彫刻」と誇らしげに語る案内人に、檀君神話に登場する檀君の母になった熊の彫刻はどこにあるかと聞いてみた。すると「これほど重要な史跡でそんなくだらない神話の話をするのですか?」と不遜な質問だとでも言いたげに顔をしかめていた。[★15]

檀君陵には檀君の四人の息子の石像も立っている。それぞれの名前と役割の説明を受けた。東側上段の長男「夫婁《プル》」に関する説明は特別であった。彼は中央の大臣クラスを統率する政治家としての品位を備えていたため、檀君を継いで二番目の王になったという。冷たい強風が吹く中、真剣に語られる古朝鮮初の権力世襲についての説明を聞かなければならなかった。金日成の死後一〇〇日が過ぎ、改築を終えた現地を視察した金正日は満足げだったという。

巨大銅像と銅像公園

二〇〇三年七月、私はハンガリーのブダペスト中心街で「銅像公園（Statue Park）」に向かう観光バスに乗った。一時間ほど走ると荒野に高くそびえる銅像が目につき始めた。共産党の統治時代、ブダペストをはじめとする主要都市ごとに建てられていた無数の銅像と記念碑を撤去し集めた場所である。公園と銘打っているが、社会主義時代の銅像の共同墓地のようであった。銅像公園の入り口にトーテムのように立っている巨大なマルクスとレーニンの銅像が印象深かった。その下にはマクドナルドの広告があった。ほとんどの観光客は巨大な銅像の下で笑顔の記念写真を数枚撮って帰っていく。私はその公園で銅像と記念碑をみながら、半日を過ごした。それほど規模も大きく内容も豊富であった。

銅像のほとんどは社会主義では典型的な写実主義の作品であり、筋肉質の男女の英雄が闘う姿を形どったものだった。中でも興味をひいたのはあちらこちらの隙間におかれた造形物と記念碑だった。共産化される前のハンガリー農民を教育していた夜学運動を記念する小さな碑もあったし、初期の労働運動を率いたリーダーたちの胸像もあった。日本の植民地支配期の農村啓蒙運動の象徴である、安山市常緑樹駅近くの小さな夜学の記念銅像を思い出した。[★16] ソビエト共産主義の失敗によって二〇世紀のハンガリー社会で生まれた無数の改革運動の歴史的な記憶までもが、銅像の共同墓地に集められているようであった。

東欧社会主義システムの崩壊とともに東ドイツをはじめとする数か国で旧時代の銅像とモニュメントは破壊された。しかしハンガリーはその時代の歴史的なシンボルを保存し展示する方法を選んだ。最初はブダペスト郊外にゴミを捨てるように集め、名ばかり「銅像公園」と呼んでいたが、意外にも歴史文化資源として注目を浴びるようになり、新時代の国際観光商品となったのである。

今日、平壌をはじめとするすべての都市や村の景観を支配する数多くの銅像、塔そして記念碑は北朝鮮社会が新たな未来を開拓しようとする際には重荷となるだろう。[★17]これら巨大造形物をどう扱うのだろうか。一時代の権力が造ったモニュメントは次世代の問題にもなる。

韓国社会も似たような歴史を経験している。巨大な銅像の建設は、韓国の李承晩《イスンマン》像（一九五六年）の方が北朝鮮の金日成像（一九七二年）よりもはるかに速かった。李承晩像は彼の八〇歳の誕生日を記念し、大日本帝国が天皇崇拝のために建てた、ソウル南山の「朝鮮神宮」の跡地に建てられている。建設当時では、世界で最も高い二五メートルの銅像であった。[★18]そしてその隣ではお腹をすかせた戦争避難民が穴を掘り、小麦のすいとんすら口にできないような状態で命をつなぐ貧しい状況が続いていた。巨大な銅像の前で制服姿の学生たちが国歌と「国父・李承晩」の賛歌を斉唱した。そして彼の銅像は一九六〇年の四・一九革命当時、学生と市民によって倒され、割れた頭部のみが一時期、南山公園に放置されていた。

そのような恥辱を経験した李承晩像を再建しようと、破壊から半世紀を経た二〇一〇年に南山自由会館前に金色の銅像が建てられた。同時期に慶尚北道亀尾《クミ》にある朴正熙《パクチョンヒ》の生家の隣にも朴正熙の銅像が建てられた。彼の長女朴槿恵《パククネ》が大統領になる頃であった。韓国の国力に見合う大きさの朴正熙銅像を建立すべきと主張する、人びとの声も高まった。数年後の光化門には無数のろうそくを持った市民が集い、朴槿恵は弾劾された。

3 「首領は永遠に私たちと共におられる」――永生と復活

北朝鮮の過酷な飢饉がまだ終わっていない頃だった。大城山《テソンサン》革命烈士陵を訪問した際、錦繍山記念宮殿方面に向かう沿道の田畑を掘り起こし木を植えている人びとが目についた。どのような樹木を植えているのか尋ねてみると、「花の咲く木」と返ってきた。私は不思議に思った。少しでも多くの食糧を生産すべき時だったからだ。何か特別な果実でも実るのかと聞くと、「首領が生前の姿のままでおられる錦繍山記念宮殿を、花畑のような楽園にするために四方一〇里の田畑を掘り起こして、全国の花木を植えている」という説明があった。「海外で働く駐在員も各国から貴重な花や木を持ち込んでここに植えるのです」と補足した。「田畑を掘り起こし」という表現には不思議と力が込められていた。あなた達には決して理解できないだろうという意味なのか、あるいはそう話す自分も理解できないという意味なのか分からないが、ハッキリと力を込めて話していた。

理解できないことは他にもあった。平壌行きの飛行機に搭乗するため北京空港で荷物を預ける時のこと。食糧不足で苦しむ北朝鮮の子どもたちを想って粉ミルクや栄養ビスケットをぎっしり詰め込んだ箱を預ける私たちの隣で、北朝鮮の外交官や外貨稼ぎの駐在員らしきスーツ姿の男性たちが季節外れな花束を丁寧に抱えて飛行機に搭乗していた。到着後、そのまま万寿台の金日成像に捧げるための花だという。おそらく彼らの一部は外国の「貴重な」花の種を持ち込み、あの沿道のどこかに植えたのであろう。一〇里離れた彼方に巨大な錦繍山《クムスサン》記念宮殿のシルエットが見えた。

「楽園の花畑」

私が花畑づくりを目撃する一年前の一九九九年、資源不足で苦しむ平壌にて出版された数少ない本の中に『錦繡山記念宮殿伝説集』という四巻本があった。目を引くタイトルのこの本には、錦繡山記念宮殿の周辺を「楽園の花畑」にするため孫とともに木を植えに行く老人の物語がある。

地下鉄の楽園駅で下車し、錦繡山記念宮殿方面に向かうと緑の森が永遠に続いていた。(おや、いつからこのような森があったのだろう?)(中略)木が森になるためには半世紀はかかるはずなのに、ここはたった三～四年で森ができたので、不思議で仕方がない。(中略)樹木には果実が実り、良い香りで充満しているので昔話にでてくる楽園もこれにはかなわないだろう。皇帝が天子や天女を連れて遊んだとしてもこれには及ばないだろう。[☆11]

神秘に酔った老人は孫とはぐれてしまうが、発育不全だった孫はその森で不思議な果実を食べて半月で一尺も背が伸びた。平壌の地下鉄と連結した錦繡山記念宮殿の最寄り駅は「楽園駅」と命名された。そして「楽園の花畑」は全国のみならず全世界の貴重な花木が育ち、奇跡の果実が実る「天下一の聖地」になったという。

ちょうど海外出張から戻った老人の子ども夫妻は、祖国に戻る際、貴重な木を数本持ち帰ったという。家で植え替えると発育の悪かったその木が「天下第一聖地　錦繡山地区」では「すぐに根を下ろしすぐさま育った」ため、驚いた一家は錦繡山記念宮殿に向かって三回お辞儀したという。[☆12]

花畑は楽園、花は復活、果実は奇跡、お辞儀は祈願を意味する。土着信仰の原型をよくあらわす巫歌の「バリテギ説話[☆13]」に現れている象徴である。バリ姫は七番目の娘であるため自分を捨てた王を救うための旅路にでる。苦労の末に天人世界の花畑から花と泉水を持ち帰ると、王の亡骸に花を捧げ、泉水を飲ませて死んだ父を生き返らせた。

バリテギ物語は朝鮮人の生と死、復活に対する想像の世界を描いた典型的な親孝行の物語であると同時に、シャーマンになる通過儀礼の過程を象徴的に描いた物語でもある。巫女はまず神病に罹り死に至るほどの苦痛を経験した後、強力な霊的な力を持つ存在として生まれ変わる過程を経験しなければいけない。このように死と復活の過程を媒介する象徴として、死の危機ごとに常に復活の象徴としての花が登場する。

金日成の死後、北朝鮮住民は飢饉に苦しみながらも、全国にある首領銅像に捧げる花を求めて東奔西走した。海外から帰国する人びとも競うかのように貴重な花を持ち帰った。錦繍山宮殿にも一〇里四方の花畑が造られた。常識では到底理解できない「花」に対する強い執着は、苦難と死に迫られる絶望的な現実のなかにあって、「奇跡」の力による共同体復活を夢見る国家的な祈願儀礼であったともいえよう。

「錦繍山記念宮殿の伝説」

金日成の生涯をモチーフにした多様な芸術作品は、神話的なストーリーに様々な宗教的な奇跡のエピソードが肉付けされ、「情緒的にも感動しやすい」ダイナミックなドラマを展開する。神秘的な「胎夢《テモン》」〔妊娠を予兆する夢〕をみて、雷が鳴り、星が昇り、虹がかかるといった気象現象はもちろん、未来を占う予知能力と土の下まで見通すことのできる透視力、千里を一日で走るといった能力が示される。

解放前から北朝鮮社会ですでに普及していたキリスト教的なシンボルと信仰体系も幅広く活用されている。キリスト教世界では、「聖母の涙」や「キリストの血痕」のようなシンボルを、直接確認したがる大衆の宗教的な感情に応えるためのプロセスが多方面で進んだ。神話を現実世界で可視化させ、感じさせるものである。金日成と関連した多様な建築、彫刻、造形事業などモニュメントの作成とともに新しい伝説が次々とつくられた。彼が住んでいた錦繡山記念宮殿に不思議な光が射し、夜でも針の穴が見えるほど明るくなった、彼の死後、天から千羽の鶴が下りてきて石になり、錦繡山記念宮殿の土台になったといった伝説までつくられた。☆14

このような珠玉の伝説は父なる首領と偉大なる将軍の偉人としての神的な立場を明らかにしており、国宝としての価値が非常に大きく民族の財宝となりうる。（中略）将軍が（こうした）伝説をまとめて後世に絶やさず伝えよとの訓示を受けて（中略）幅広く発掘しまとめた。偉大なる将軍は貴重な時間を割いて自ら伝説の資料を一つ一つ確認なさって、内容が良いと評価され、また一部は『労働新聞』に掲載するよう指示された。☆15

土着的な風水思想とトーテム信仰のシンボリックな寓話に満ちた『錦繡山記念宮殿伝説集』は、金正日自ら編さんし、監修にも関わり、広報まで指導したとされる。万景台故郷の家から錦繡山記念宮殿、そして革命烈士陵に至るまで一連のモニュメントが偶然その場所に建てられているわけではないことを証明している。一貫した物語の構造の中から、その物語をつくり消費する人びとの持つシャーマニズム的な土着信仰、風水的な世界観を反映して意図的に作り上げられている。

　風水思想を基盤にした万景台故郷の家の地が「聖人が生まれる良好な地」であることを明らかにし、大城山革命烈士陵の場所と錦繡山記念宮殿の場所を「民族が隆盛し世界の中心となる聖地」に、そしてここから金日成・金正日像のある議事堂までを「地脈がつながる」権力の中心軸として概念化した。中でも金日成の死に関わる北東側の錦繡山記念宮殿と、彼の妻の墓がある革命烈士陵はシャーマニズムの信仰体系と風水思想がもっとも明確に表現されている場所でもある。

『錦繡山記念宮殿伝説集』には、錦繡山記念宮殿と大城山革命烈士陵の関係を示す物語が掲載されている。金日成が生前、執務室として使用していた金繡山記念宮殿の部屋の窓際には金正日が贈った望遠鏡が置かれていたという。金日成の死後、責任書記が望遠鏡をのぞいてみると大城山革命烈士陵の頂にある金正淑の銅像が見えるように固定されていたというのである。金日成は執務室の窓から金正淑を眺めながら毎朝毎晩のように彼女と「談話」を分かち合い、生涯最後の日まで同志として相談していたという☆16。

「今日も主体《チュチェ》の最高聖地である錦繡山記念宮殿と大城山革命烈士陵の衛兵は、星の輝く夜には二人の会話を聞く幸運に恵まれており、首領の覇気に満ちた声と金正淑同志のやさしい声がはっきりと聞こえる」と伝説集には記されている。

4　「三人の将軍伝説」――白頭血統の誕生

錦繡山記念宮殿と大城山革命烈士陵はそれぞれ金日成と金正淑を象徴しており、二人は向かい合って会話を交わす仲睦まじい関係である。死後も別れることのない永遠の結合を象徴して村々に建てられている、「天下大将軍」「地下女将軍」のトーテムのような一対を成している。金正日の誕生によって北朝鮮の神話は三人の大聖人、三位の神格を備えるようになった。けれども土着信仰だけでは「息子将軍」のイメージが受け身かつ矮小な位置付けにとどまってしまう。この限界を超えるためには、別次元の象徴体系が必要となった。「赤子」が「救世主」になるキリスト教のそれである。キリスト教的な象徴と信仰は解放前には北朝鮮住民の間で普及していたので、文化的に翻案することは容易であったろう。

「正日峰の誕生神話」

金正日の誕生説話はイエス・キリストの誕生をめぐる伝説と聖書の表現をアレンジした形で展開する。説話は聖なる白頭山の冬の夜、雪が積もった松の木々の間に不思議な光が輝くとき「正日峰」の下の丸太小屋に「龍馬にのって天から降臨した」赤ちゃんが生まれたという伝説から始まる。キリストの生誕で天では天使たちが歌い、救世主の誕生を知らせる星に従って東方三博士が訪ねたのと同様、金正日の誕生はまず民族の郷土星である「光明星」という一番星が昇ることで予見されたという[★19]。地上では、馬小屋に生まれたイエスに東方三博士が贈り物を捧げたのと同じように、白頭山の丸太小屋で生まれた「幼い将軍《チャングンニム》」に忠誠を尽くす遊撃隊《パルチザン》護衛隊員が素朴なおもちゃを捧げたという。

金正日の生まれた雪の積もる丸太小屋は、イエスの誕生を描いたヨーロッパの典型的なクリスマスの宗教画と似た色彩で描かれ、写真、壁画、モザイクは全国どこでも見ることができる。今ではイエスの誕生地ベツレヘムのような聖地となった白頭山の正日峰の麓にある丸太小屋には、金正日が生まれて初めてもらったという木製のおもちゃの贈り物がそのまま展示されている。金正日の誕生をイエス・キリストの生誕に近しいものとして描き、父・金日成は「天下大将軍」から「神様」へ、母・金正淑は「地下女将軍」から「聖母」へ新たな象徴的な意味合いも持つようになった。☆17

「偉大なる共産主義革命闘士、金正淑母上《オモニム》は、いつどこでお生まれになったのか、聞いてみましょう」子どもたちは一斉に合唱をするかのようにリズムに合わせて答えた。「主体《チュチェ》、六年、一二月、二四日、鰲山徳《オサンドク》故郷の家でお生まれになりました」先生は緊迫感あふれる表情で説明を加える。

「一二月二四日は大雪の降るさむい冬でした」

改めて正確な発話法を習うかのように抑揚をつけて答える。

「オサンドク、故郷の家！」

子どもたちは大きく繰り返す。

「オサンドクのある会寧《フェリョン》には杏の木が多いです」

「オサンドクの杏は、おいしいです」

託児所に預けられている時期から始まるこうした問答は、一種の信仰儀礼がごとく高級中学まで続く。大雪が積もる金正淑のオサンドク故郷の家の視覚的イメージは、春の花が咲く金日成の万景台故郷の家のそれと同様に、会寧《フェリョン》の杏の味を連想させることで味覚にも訴えるようになっている。一種の教理問答のように捉えられる内容を

正日峰誕生説話
白頭山「正日峰」と金正日が生まれた「光明星節（2月16日）の丸太小屋。

任意で変えたり、疑問を提起することはそれ自体が冒とくと捉えられる。

会寧の杏の味はどうですか、という教師の質問に「会寧の杏は見たこともないのでよくわかりません」と答えてしまったため酷く叱られて退学の危機に遭った学生もいたという。一九七〇年代初め、次世代の権力集団を育てる万景台革命学院で起きた出来事である。この疑問を抱いた学生は北朝鮮のエリート外交官として成長したが、結局は脱北しソウルに暮らしている。☆18

「革命の聖山、白頭山」

白頭山の天池から眺められる高い峰の絶壁には「革命の聖山、白頭山」という金正日の書が大きく刻まれている。白頭山の天池からバスで一時間、三池淵《サムジヨン》湖の水辺には巨大な金日成の銅像とパルチザンの闘争をかたどった大型の彫刻がある。白頭山の神話的な象徴性と、金日成のパルチザン闘争の戦跡地であり金正日の誕生地である事実（あるいは伝説）を結ぶ「神話を歴史にするプロセス」の一環であると言えよう。★20

三池淵の大記念碑からさほど離れていないところに白頭山「密営」がある。白頭山の鬱蒼とした密林に隠された金日成の率いる遊撃隊の秘密宿営地を指す。今では金正日の出生地として革命聖地になり数多くの巡礼者が訪れる。私はこの聖地を訪問する数年前から、幼稚園の「三聖人の幼少期」の授業での問答で金正日の故郷の家の物語を知っていた。

「偉大なる指導者、金正日元帥はいつ、どこでお生まれになりましたか?」

「主体《チュチェ》、三一年、二月、一六日、白頭山密営の故郷の家でお生まれになりました」

「寒い冬は去り、新芽が出始める頃です。金正日将軍がお生まれになった白頭山密営の故郷の家は丸太小屋です」

「白頭山密営の故郷の家には、何という峰がそびえていますか」

「正日峰です」

「故郷の家のふもとには何がありますか」

「泉があります。おいしくて澄んだ水が流れています」

故郷の家の入口で人びとの話す声が聞こえてきた。

「これがあの泉だな、じゃあ、さっそく飲んでみよう」

子どもの時から何度も聞かされてきた泉の水を飲むことになった人たちは、喜色満面の表情だった。三聖人の故郷の家は、このように感覚的なイメージと結び付けられ北朝鮮の人びとが共有する記憶になった。すなわち、万人の「心の故郷」になったのである。

私もテーブルの上に置かれた金正日のおもちゃをみた。パルチザンの護衛隊員がつくって捧げたものだという。数年前、日本の朝鮮学校を卒業した在日コリアンの女性から聞いた話を思いだして一人で天を仰いで笑ってしまった。修学旅行で祖国を訪問して歓迎もされたが、延々と聞かされる物語に次第に懲りてきた。白頭山密営に展示されているおもちゃを見たときに感情が爆発してしまい、「もういい加減にしなさい」という日本語が無意識に飛び出たという。

抗日パルチザン制服姿の女性講師の説明を聞いているときに、同行した韓国人女性が質問をした。

「これほど寒い山奥で抗日遊撃隊の女性たちはスカートで戦ったのですか?」

彼女は聖なる場所で真剣な質問は禁物であるということを一瞬忘れてしまったようだった。スカートにブーツ、そしてかわいいピストルまでを腰に備えた「昔の女性遊撃隊の姿」で説明をしていた講師は今まで聞いたこともない質問に言葉を失った。空気が凍り付いたので私が一言加えた。「芸術的に表現するとそうなるのでしょう」周囲にいた北朝鮮の人びとの表情が和らぎ、相づちを打っていた。

「そうです。歴史的事実を芸術的に表現したのです」

芸術はいつも事実を凌駕する。北朝鮮の人びとなら誰もが知っている常識だ。

5 「アリラン公演」――劇場国家の祝祭

二〇〇五年一〇月、肌寒い秋の暗闇が深まる頃、私は「アリラン公演」が開かれる綾羅島《ルンラド》五月一日競技場に入った。十五万人を収容できるスタジアムの規模には圧倒されてしまった。韓国から来た私たちと外国人の諸団体が指定エリアに入ると、すでに客席を埋めていた多くの人びとの拍手で迎えられた。隣のエリアに座る北朝鮮の人びとの表情が良く見え、彼らは好奇心に満ちた熱いまなざしをこちらに向けていた。彼らにとってはイベントを観に来た外部の人の存在がとても興味深かったようである。

スタジアムは光と音、そして熱気に満ちていた。公演が始まる前から様々な照明が煌々と点り、最終点検を行っているのか、様々な形で動いたりもしていた。ネオンサインや街灯の光がない平壌市内の夜とはあまりにも対照的でまぶしかった。北朝鮮の人びとはより一層感じただろう。ＶＩＰ席の向かい側には二万人の平壌市内の学生で構成された背景隊《カードセクション》の一団が、最終リハーサルのために原色で書かれた文字をつくりながら競うかのように大きな声を出していた。客席の下側では出演を控えた数千人の幼い学生たちが薄い舞踊体操着を着ていたが、冷たい夜風で身体は震えていた。緊張をほぐすために隣の学生たちと小声で話しているのが小鳥のさえずりのように鳴り響いた。

「アリラン公演」は日本統治下で抑圧される人びとの苦しい生活を、暗い色彩で描く場面から始まった。新派風の歌と踊りで絶望的な状況が表現され、場内が暗闇に包まれた瞬間いきなり背景隊が真っ白い雪が積もった白頭山の天池を明るく見せた。そして大きな背景画が少しずつ動き出し、赤い太陽が昇り始めた。「将軍《チャングンニム》、将軍……」観客が何かを語りだしざわめきはじめた。赤い太陽は高く昇りその朝日がスタジアムを埋めた数千人の踊り手たちの金色の衣装と扇子で光を発しながら端から端まであっというまのスピードで広がっていった。「うわあー」と観客が熱狂した。

「首領《スリョンニム》、首領……」

まるでその朝日が自身の身体を貫いたかのように立ち上がり熱烈な拍手を送った。赤い太陽は金日成であった。彼の存在をあたたかい朝の陽ざしのように直接迎え入れたかのような姿であった。

「首領」と「人民」の関係を「太陽」と「花」で連想させるこの感覚は、すでに託児所、幼稚園、学校、軍隊、職場では長年の間、周期的な儀礼を通じて内面化されている。またあらゆる芸術ジャンルを通じて形式化され人々はすでに慣らされている。「アリラン公演」は誰もが知っているドラマをひときわ華麗に、そして巨大に再現し、この場に参加したすべての人びとがドラマを直接感じられるようにつくられている。つまり、公演を行なう側から、背景をつくる背景隊《カードセクション》の側、そして客席の観客までもがともにドラマを演じるのである。スタジアムを埋め尽くした出演者の情熱的な演技のように、観客が表現する熱烈な感動も、すべてが共感を生み出す演技と化する。

「アリラン公演」が初めて開催された二〇〇二年、北朝鮮はいまだ飢饉の傷痕が癒えない困窮期でもあった。外部では米国のブッシュ大統領が北朝鮮をイラク、イランとともに「悪の枢軸」と規定して、戦争の危機感が高まっていた。そうした時期にこれほど多くの人的、物的動員を伴う大規模な公演が開かれたため、外部の専門家もその意図を理解するのに苦しんだ。多くの人が「日韓サッカーワールドカップに対抗」または「外貨稼ぎ」のイベントと解釈した。さらに公演は海外観光客の誘致に失敗したとか、「脳死国家」状態の北朝鮮の最後の痙攣という酷評まで飛び交った。[☆19] 劇場国家の原理を理解できない部外者による自己中心的な分析の典型例とも言える。

「アリラン公演」は北朝鮮が今まで開催した国家的な集団体操公演のなかで最大の規模を誇る。初年度の二〇〇二年だけで一〇万人の出演者、二万人の背景隊、四〇〇万人の観客が参加し、二〇〇五年から二〇一三年までにほぼ毎年数百万人が観覧する、名実ともに国民公演といえるイベントである。[★21] 二〇一〇年一〇月九日、党創立六五周年記念前夜祭の公演には金正恩が金正日と共にＶＩＰ席に立ち、大衆の前に初めてその姿を現した。大規模な国家儀礼を通じて中央権力の持続性を内外に確認させる場であったのである。

深刻な経済的、政治的な危機状況にもかかわらず「アリラン公演」には、莫大な人員と資源が投入され行わる典型的な劇場国家の行事の特性が表われている。食料や武器の購入が優先される状況にもかかわらず国家的な儀礼を行う目的は何か。

劇場国家の権力者は、領土や物理的な強制力を拡大するよりも、人びとの心をつかむことに注力した。また、劇場国家の政治と行政システムは国家儀礼の準備と執行を他の福祉、経済、軍事よりも強調した。それでは「アリラン公演」が意味するものとは何か。それは国家の荘重さと矜持を確認することである。

国家が脅かされている状況であればあるほど自らの存在感を内外に誇示する必要がある。それを文化的に長けた芸術創作のスタイルを総動員し、総合的に表現したものが「アリラン公演」である。すなわち、「アリラン公演」は金日成に象徴される反帝国主義闘争の政治的な正統性を再確認し、主体《チュチェ》的な生活を守るための金正日の先軍政治の力を誇示し、未来のユートピアである統一祖国で「太陽民族」「金日成民族」が永遠に世界の中心に立つイメージを投影している。[☆20]

メッセージの核心は、金日成は死去したが彼が作った国家体制、そしてそれを守る「模範的な」役割は金正日と金正恩が順次世襲することでより完璧に近づき、再生産されるというものである。このような国家的なシンボルと儀礼を通じて、北朝鮮は大飢饉という危機を経験しながらも、現代国家のシステムではほとんど不可能なカリスマ権力の世襲を孫である金正恩までもが実現した。[☆21]

「動かぬ中心」動き出す

国家的公演の主演ともいえる首領や将軍はなかなかその姿を現さない。特別な場合に姿を現すとしてもVIP席に座り、無表情な顔で無機質な拍手を送るだけである。文化人類学者クリフォード・ギアツはこの役割を「動かぬ中心」と表現している。[☆22]

劇場国家であるヌガラ（Negara）の国家的な儀式で神的な存在となった王は動かないか、夢幻状態であるか、死者の姿として公演の中心になる。すなわち、『動く世界の固定された中心軸』のような存在として、彼の役割は明白に動かないことによって動く中心から静粛を発信するのである」。

固定性と落ち着きはそれ自体が逆説的である。座した仏陀の平静や踊るシヴァのバランスが取れた姿のごとく、王は動かないまま自身（または王権）を動かす世界の中心軸と思わせるのである。このような能力は自身の感情と行動を厳格に統制するよう訓練された主演俳優の演技力にかかっている。
北朝鮮の巨大な国家的イベントで金正日が頻繁に欠席したり、参列していても無表情だったりするさまは劇場国家の王の役割と一致する。彼の後を継いだ金正恩がデビュー時に見せた演出された無表情と儀礼的な動きは、「動かぬ中心」の象徴的な機能を正確に演じたものである。
「アリラン公演」のラストシーンは巨大な地球儀を中心に動き回る群舞を通じて、朝鮮が地球の中心であり宇宙的秩序の中心であるというイメージを演出している。その動きが秩序だって持続できるように世界を固定する中心軸が指導者である。彼の能力や活動よりも彼の存在そのものが象徴的に重要なのである。★22
しかし、指導者は記号として存在するだけではなく、権力の主体であり政治の主役である。あれほどの規模の儀礼と行事を定期的に組織し、華麗につくりだすには莫大な規模の人間と物資を組織する国家経営術が必要である。問題は神聖なイメージの権力になればなるほど、実際は神聖さを作り上げる世俗的な権力行事から距離を置くことになるという点である。その結果、指導者は政策の失敗に対する責任を負わなくても済むが、次第に儀礼に囚われ、側近に依存しながら実際には動けない状態になるリスクも高まる。☆23
劇場国家の新しい制作者であり主演俳優になった金正恩は、権力基盤を固めながら自ら語り始めた。二〇一八年九月、平壌で開かれた南北首脳会談で「アリラン公演」のハイライトシーンを集めた「輝く祖国」を公演した。金正恩は自ら韓国の文在寅大統領を紹介し、平壌市民の前で演説するよう促した。北朝鮮も閉鎖的な劇場国家の「動かぬ中心」の役割だけで動く社会ではなくなったことを告白し、今後は中心が動き出すことにしたという劇的な宣言ともいえる。

「錦繡山記念宮殿」と「ホー チミン廟」

二〇一九年二月、ハノイで開催された米朝首脳会談が決裂した後、帰国直前に金正恩はベトナムでの公式日程としてホー チミン廟を参拝し献花した。万感の思いであっただろう。半世紀前の祖父金日成の足跡を辿る、象徴的な六五時間に及ぶ列車での旅程で、アメリカとの長年にわたる敵対関係を終わらせ、北朝鮮の「新時代」を開こうとした夢が挫折したためである。

半世紀の間に北朝鮮とベトナムの状況と立場は完全に逆転した。金日成の北朝鮮はアメリカとの戦争を「休戦（北朝鮮としては勝利）」で終わらせ、冷戦時代の国際社会主義陣営の代表的な成功モデルとなった「朝鮮の奇跡」を成し遂げた。非同盟国との外交舞台においても金日成はインドネシアのスカルノ、ユーゴスラビアのチトー、中国の周恩来と並ぶ世界的な人物であった。一九六四年、二度目のベトナム訪問を果たした金日成は、アメリカとの戦争で焦土と化した国を率いていたもう一人のポストコロニアルの英雄ホー チミンを激励し、支援を約束した。

近年ベトナムは中国とともに「市場社会主義」の成功モデルになった。金正恩はベトナムに「国家建設と経済発展の経験を共有してほしい」と協力と支援を乞う立場になった。その間北朝鮮はアメリカに脅威を与える核兵器と大陸間弾道ミサイルを開発し、世界中の注目を集めることには成功したが、そのゆえ国際的には孤立して経済は脆弱になり、国家と政権の命運も不透明になってしまった。米朝首脳会談が成果を得られず決裂することで、武力の誇示を通じて獲得しようとしたすべてが泡と消えた。追加交渉の可能性を残し、トランプ大統領の前でちゃぶ台を返すこともできず、過去に戻ることもできない立場になった。このような状況で祖父のかつての同志、ホー チミンの廟の前に立った金正恩は何を感じたであろうか。

錦繍山記念宮殿に比べてあまりにも小さく簡素なホーチミン廟をみずぼらしいと感じたかもしれない。あるいはホーチミン廟に比べてあまりにも大きく華麗な祖父金日成の廟を思い浮かべて戸惑ったかもしれない。実際、今では貧弱になってしまった北朝鮮の産業現場を直接訪問し、現場指導を行ってきた彼としてはベトナム社会のダイナミックな経済をすぐさま実感したであろう。このように対照的な両国社会の現実は、すなわち自らを権力の頂点に昇らせた父金正日の芸術政治の結果でもある。彼は北朝鮮の巨大な象徴造形物とみずぼらしい社会の現実という意味合いを直感的に理解できただろうか。

平壌の錦繍山記念宮殿とハノイのホーチミン廟を訪問したことがある私は、この二つの空間が象徴的に示す両国の対照的な国家の特性とリーダーシップの違いについて考えてみた。二〇〇五年一〇月に錦繍山記念宮殿で見聞きしたことをまず紹介したい。

錦繍山記念宮殿は大きく華麗であった。その広大な広場に立ったとき、無意識に「タージマハル」が浮かんだ。巨大な建物をまるごと墓としてつくりあげた記念宮殿の姿は美的な感動よりもその規模に圧倒されるというのが正直な感想だ。平壌の空港から市内に入る途中に車の中から眺めた景色とは全く異なるものであった。

朝七時きっかりに東側の出入口に車が停まり、乗客はみな降ろされた。空港のセキュリティチェックと同様、すべての所持品を出してX線検査機を通す。金属物はボールペン一本持ち込むことができない。セキュリティ以上の特別な意味があるかのようであった。

記念宮殿の建物の側面にある入口まで再び車で移動。ナイフが装着されたライフルをもつ衛兵二名が入口の両側に立っていた。早朝から警備に立っているのか眠気で目を細めた若い衛兵のひとりが銃を手に取ったままうたた寝をしていた。建物の外で横に並び服装を整える。重い扉を開けて中に入ると床と壁面がすべて大理石で造られていた。二階にあがる大理石の階段の上段、下段に二名ずつの衛兵がライフルを構えて立っていた。

濃い文様の大理石で装飾された二階の広いホールには、高くそびえた大理石の柱と灯の消えたシャンデリアがあった。この大理石はすべて朝鮮の鉱山から採掘されたという。金日成が生前、外国からの来賓を接客した部屋であり、金正日もこの場で弔問客を迎えたという。悲しみにくれた人民たちをモチーフとしたものがあちらこちらにあった。次の部屋の両壁には悲しむ人民を慰労する金正日の姿を描いた大型絵画がかけられていた。

次の部屋は死体が安置された、建物の中央部分であるようだった。その部屋に入るために二重になった狭い部屋を通る必要があった。赤いカーテンをかきわけて入ると天井からスプレーで液体が噴霧された。暗闇の中で液体をかけられたので一瞬身構えた。香水の匂いがした。カトリック教会の入り口で聖なる水をつけるのと同じような一種の宗教的な浄化儀礼のようであった。私は自らが汚染された存在であるような気がして委縮した。

赤いカーテンをよけて中に入ると赤いトーンで少し暗い照明に照らされた広い部屋が現れた。微かに「金日成将軍の歌」が聞こえた。部屋の中央にあるガラスの中に安置された金日成の姿が見えた。彼の足元の方面に長い行列をなしていた人びとが丁寧にお辞儀した。よく見ると北朝鮮の人びとは九〇度、外国からの訪問者は三〇度くらいでお辞儀をしていた。足元から時計まわりに回りながら四方で一度ずつお辞儀をして退室する仕組みであった。四角い部屋の頭方向にある壁には赤い大理石でできた旗が飾られ、赤いトーンの薄暗い照明に照らされて床も赤い大理石のように見えた。胸元まで赤い旗がかけられたスーツ姿の遺体は濃い化粧のせいか腫れぼったく見えた。国家的なシンボルとして崇拝の対象になった人物が死後もこのような姿におかれていると思うと畏怖よりも虚無感にとらわれた。どの人も畏まった表情で頭を下げて丁重に動いている光景は、まるで定型化した歴史劇のワンシーンを見るかのようであった。

武装した警備兵たちが至る所に立つ厳格な儀礼空間から外に出ると、空気が新鮮に感じられた。やっと巨大な錦繍山記念宮殿の全貌が視野に入った。建物の正面広場は隙間なく石で舗装されていて、大きな長方形の四角い湖の上には白鳥のような鳥が泳いでいた。大きな広場の端には「千羽の鶴」が刻まれた石壁があり、その彼方には革命烈士陵がみえた。その間に新しく造成された百町歩の「楽園の森」が広がっていた。

金正日は人民が「最初であり永遠の主席」である金日成の「永生を感じ取れる」よう、生前は執務空間であった主席宮を華麗に改築して錦繍山記念宮殿と呼ぶようにした。「世界の進歩的な人類の太陽」である金日成が「永遠にいる空間を代々にわたって輝かせる作業に終わりはない」と言いながら、大飢饉のなかでも改築事業に三億ドルを投資したという。飢饉の救援活動のために北朝鮮を訪問した私としては、錦繍山記念宮殿の建築を金正日の孝心の証のように語る点に違和感を覚えた。そのような象徴化の作業を通じて金正日自身も「首領と同じような偉大なる愛の太陽」になりたかったようである。いま彼は父・金日成の隣に眠っている。

錦繍山記念宮殿を訪問してから数年たった二〇一〇年六月、ハノイのホー チミン廟を訪問した。

朝八時という時間にもかかわらず、参拝客の長い行列ができていた。ただ立っているだけでも塩を吹くほどの大汗をかいた。たまたま日曜日だったせいか子どもの手をとって訪れている家族連れがほとんどであった。赤いスカーフをまいた少年団員と引率教員の姿も見えた。老若男女、外国人までが混ざった参拝の行列は、テントで日陰のできた数百メートルに及ぶ参道を埋め尽くしていた。長い行列の周囲では花を売る人、あちこち行き来する子どもたちも多かった。誰もが蒸し暑さに耐えつつ長時間並んで待っていた。

ホー チミン廟は七時に開き、一一時半まで参拝が可能であるが、毎日六万人程度の参拝客が訪れる。朝九時に訪ねると、長時間待たされたうえに廟のなかには入れず途中で閉館時刻になってしまう可能性もあるという。カメラを預けて番号札をもらった。他の荷物検査はなかった。摂氏四〇度の暑さのなか、金色の帯がかけられた白い正装姿でライフルをかまえる警備兵は観ているだけで息苦しそうだった。それでも制服に対する矜持があるのか力強い表情であった。

ホー チミン廟は現在ベトナムの主席宮になった旧フランス総督の官邸に比べると簡素で、単純な四角い建物にすぎない。遺体の安置されている赤い大理石の建物は近くでみてもそれほど大きくなかった。中に入ると強めのエアコンが効いていた。二階への階段に上がりながら無秩序だった人びとは自然と二列の行列になっていた。列に続いて扉の中に入ると廟室は全体的に暗く、中央に低めに置かれたガラスの棺の部分だけが明るく照らされていた。明るいベージュ色の労働服姿の白髪のホーチミンが化粧された姿で横たわっていた。中央のガラスケースよりも低い四つの隅にそれぞれの衛兵がライフルをもって立っていた。

参拝客はガラス棺の周囲を二列で移動する形であった。大人たちの参拝道の内側には三〇～四〇センチメートル高くなっている子ども用の通路がつくられていた。「ホーおじさん」を訪れた子どもも大人もより近くで参拝するための設備であった。特定の宗教儀礼のような参拝ではなく、誰もがいつもどおりの歩き方をしていた。今思えば唯物論者である社会主義革命家に対する追悼はそれが妥当な気がする。

金正恩はホー チミン廟を参拝しながら何を感じただろう。簡素なリーダーの廟を参拝しながら、錦繍山記念宮殿をバブル建築のように感じたのではないだろうか。父が作り上げた象徴的な権力の世襲装置を省みるきっかけになっただろうか。ベトナムのように「普通の国」に進む道とは、結局は数多くのシンボルを自ら解体する道であることに気づいただろうか。ハノイから戻った金正恩は自らを神格化するなという異例のメッセージを党の初級役員たちに書簡形式で送った。「偉大さを強調するために首領の革命活動と風貌を神秘的に描くことは真実を隠すことになる」とし、「首領は人民とはかけ離れた存在ではない」と伝えた。[☆24]

注

★1　絶対権力者「太陽」に対して人民が「花」となる比喩は、象徴的にも特別な意味がある。他の文明で「太陽」は小麦、麦、トウモロコシ、ブドウといった穀物や果物を育てるものだが、ここでは「花」とされているからだ。ひまわりも種を食べられるが、ここではそうした実用的な側面よりも、常に太陽を向くという忠誠の意味合いが強いと言える。北朝鮮の「首領」と「人民」の間の関係は、機能性よりも、「花」が象徴している情緒的、宗教的意味が更に強調されているのだと解釈できよう。

★2 軍関連の経歴があまりない金正日が自らを「将軍」と称したのは、父である金日成「将軍」との立場を合わせる必要があったからだ。二七歳の若さで権力を世襲した金正恩も、公式のキャリアの最初から「青年将軍」と呼ばれた。北朝鮮で「将軍」という肩書は正規軍体制の階級を表すよりも、「非正規軍《パルチザン》」国家体制の最高指導者を称する意味がより強いといえよう。

★3 北朝鮮は、金日成の死後三年の喪が明けた一九九七年七月八日から彼の永生を称えるという意味で主体《チュチェ》という年号を公式に採用した。中国と東アジアの封建王朝の年号は開国した年や創始者が即位した年を起点とする。この方式によれば主体年号の開始年は一九四五年か一九四八年でなくてはならない。

★4 少年金日成は、价川《ケチョン》―平壌《ピョンヤン》間は汽車に乗ったという。選抜された少年団員の千里の道の行軍は一九七四年三月に金日成の指示で始まり、次世代を鍛錬する国家的な青少年通過儀礼となった。

★5 金日成の「解放祖国」や「統一祖国」は、既存の不平等な文明秩序を打破し、地上に天国（ユートピア）を先に打ち立てようという宗教的革命運動「千年王国運動」の象徴的なイメージを多く採り入れている。西欧帝国主義の侵攻を受けた伝統社会では、一九世紀末から二〇世紀初頭に多様な千年王国運動が展開された。アメリカ原住民のゴースト・ダンスや中国の太平天国運動、朝鮮の東学革命もその代表的な事例だ。

★6 新石器時代の太陽崇拝巨石文化の典型である英国のストーン・ヘンジを連想させる尖突型の象徴物である。

★7 김은택『고려태조 왕건』평양：과학백과사전종합출판사、一九九六、一二四면。改築された王建陵にあらたに建てられた文臣像のひとつは新羅王である金傅《キンプ》を、武臣像のひとつは渤海の皇太子・大光顕《テグァンヒョン》を形象化したのも、北朝鮮の立場から南北統一の力関係を例示する政治的メッセージだといえよう。同書、一三五〜三六면。

★8 こうした象徴性を繋ぎ合わせることで、北朝鮮は古朝鮮、高句麗、高麗のあとを継ぐ自主的な民族国家であり、これに比べて韓国は新羅、朝鮮のような事大主義〔強者に追随して保身を図る態度である〕の従属国家の系譜であるという歴史解釈を図式化した。

★9 すでに広く知られている高句麗説話だが、改築された東明王陵で聞くとこれまでとは違った位相の政治的な意味を感じさせる。古朝鮮の流民である朱蒙が秀でた弓の技術と知略で外敵を追い払って「高句麗」を建国したように、高句麗の地である平壌で育った金日成は日帝を追い出し、「朝鮮」を建国した。また、長男である嫡子のユリが後妻の子たちをのけて王位を受け継いだように、金正日も嫡男として後継者になったというのだ。始祖王陵の造成作業で繰り返し強調された嫡男世襲の論理は、金正日の権力世襲を正当化する事例にはなるが、後妻が生んだ三男の金正恩には不利だろう。金正日の嫡男とされる正男氏の権力排除と死をこの説話と関連付けて嫡子世襲制の矛盾から解釈したりもする。

★10　北朝鮮地域では、約一万のコインドルが確認されていると言われているが、特に平壌と黄海道地域に集中している。

★11　檀君の業績と祭祀に関連した遺跡は、平安南道江東邑《カンドンウプ》にある檀君陵のほかにも江華島摩尼山《カンファドマニサン》の塹星壇《チャムソンダン》と三郎城《サムランソン》、妙香山《ミョヒャンサン》の檀君窟と石柱石黄海道《ファンヘド》の信川の御天臺《オチョンデ》と九月山の三聖寺《サムソンサ》、太白山《テベク》頂の祭天壇などがあり、これと関連した民間信仰も多々あり、宗教団体がつくった遺跡も全国各地に分布している。

★12　사회과학원「단군릉발굴보고」『단군과 고조선에 관한 연구론문집』평양：사회과학출판사、一九九四、八면。金日成の遺訓により改築された檀君陵を最初に訪問した韓国人は、李承晩政府で初代教育部長官をつとめた安浩相《アンホサン》（大倧教総伝教〔檀君を始祖とする民族宗教の最高責任者〕）だった。彼は一九九五年四月一四日、檀君陵で檀君の昇天を記念する五天節の行事をおこない、南北でともに開天節〔古朝鮮の建国記念日〕を祝おうと提案した。安浩相はドイツ留学当時ナチのヒトラーの人種主義の理念を称揚したことがあり、反共意識に徹した民族主義者として知られている。

★13　전영률「위대한 수령 김일성 동지께서 단군 및 고조선과 관련하여 하신 교시는 력사연구에서 새로운 전환의 계기를 열어 놓은 강령적 지침」『단군과 고조선에 관한 연구론문집』、二〇면。「檀君が朝鮮民族の原始祖であり今日の朝鮮民族の後裔という認識は朴赫居世と東明聖王を始祖とする地域的限界性を克服し、朝鮮人民全体を階級と出身、思想と信仰の違いに関係なく、ひとつの先祖を持つ単一民族という血縁的な同質性でより親密に結びつけてまとめることができる。」というのが、「民族の利益にかなった歴史」との主張である。

★14　中国集安にある将軍塚に似た階段式の石墓を積み、てっぺんは小さな石で平たく仕上げたピラミッド形式である。

床面の一辺は五〇メートル、高さが二二メートルで、改築した年を記念して一九九四個の大きな石を積んで二七段九層とした石階段が詰まれている。

★15 予想していたとおり、檀君神話の女性（陰）の象徴である熊に関連した象徴物はなかった。虎と刀のような陽の象徴だけが強調された造形物となっていた。体制権力の太陽象徴に対する執着は、ほかの象徴化作業にも一貫してあらわれている。ソウルオリンピックのマスコット［ホドリというトラのマスコット］が熊ではなく虎となったことも似たような文脈から解釈が可能だ。

★16 京畿道安山市は、沈薫による実話小説『常緑樹』を記念して、地下鉄の駅と行政区域の名前を「常緑樹」とし、その主人公である崔容信の墓と夜学のあった場所に小さな記念像と記念館を建てた。

★17 二〇一九年現在、金日成と金正日の銅像は一二〇二体、永世塔は三二〇〇基ある（統一部北韓情報ポータル）。

★18 李承晩の八〇歳の誕生日一九五五年三月二六日を記念する事業として国会で正式に承認され、国会議長李起鵬《イキブン》が建立委員長となり二億六五六万ファン（一九五三年から一九六二年まで韓国で通用された貨幣単位の一つ。当時国民所得六五ドル、七万五〇〇〇ファン水準）の予算を銅像建立に投入した。一九五六年八月一五日、除幕式を挙行した。「이성 잃은 자유당 정권 〝이승만을 우상화하라〟」『노컷뉴스』二〇一五年六月二九日付（http://www.nocutnews.co.kr/news/4435570/）。

★19 北朝鮮は一九九八年八月、最初に発射した中距離ミサイル（テポドン）を地球軌道を回る人工衛星「光明星」だと発表した。金正日の先軍時代の開幕を全世界に知らせる象徴的な信号弾だった。

★20 和田春樹、徐大粛ら北朝鮮史の専門家は、様々な証言と資料を総合して、金正日の出生年と出生地を一九四二年二月、ソ連領内の遊撃隊基地だったと主張している（和田春樹『北朝鮮――遊撃隊国家の現在』、岩波書店）。三池淵大記念碑をはじめとする白頭山密営と正日峰周辺の革命遺跡地は一九七九年に新たにつくられ、毎年二〇万人の訪問客が訪れる革命の聖地となった。

★21 二〇〇二年は金日成生誕九〇年と金正日生誕六〇年、朝鮮人民軍創建七〇周年が重なる年で、これを記念し金日成の誕生日である四月一五日の「太陽節」にアリラン公演は開幕し、二か月の間に五四回公演された。二〇一三年までに毎年多様な規模で開かれ、二〇〇六年だけ水害で公演が中止となった。전영선「북한의

대집단체조예술공연『아리랑』의 정치사회적・문화예술적 의미」、『중소연구』九四호（二〇〇二）、一三一～五六면を参照。

★22　劇場国家の指導者は、他の象徴物とあわせてひとつの「記号（アイコン）」として国家儀礼の目的であり対象となる。ロラン・バルトも日本文化に関する文章で「空っぽの中心」という概念で言及した。Roland Barthes, *Empire of signs*, New York: Hill and Wang 1982.

第五章　パルチザンと苦難の行軍

1 「アメ公どもの鼻っぱしらを折ってやる」―抵抗の歴史

美術教育で有名な平壌の幼稚園を訪問した。歓迎公演が始まり、男の子たちが一列に並んで勇ましい足取りで入ってきた。軍人が行進するように両手を左右に力強く振りながら足並みをそろえ、「ピシッ、ピシッ」と左向け左をして、こちらを向いて立った。一二人。室内でも手がかじかむくらい寒い日に、青い半ズボンと白いシャツを着ている。顔は白、唇は赤に塗っている。口角をぐっとあげて「ニッコリ」の笑顔を見せる。やせこけた顔は白いお化粧のせいで蒼白で、やせた体に半ズボンはだぶだぶだった。前歯の抜けている子もいて、扮装した喜劇俳優でも見ている気分だ。

子どもたちが弾けるような声で力強く歌う。やせこけた子どもの口から出たとは思えないほど大きく力強い合唱だった。両手を前に突き出して、何かを強くつかむ動作をし、一斉に右手をぐっと伸ばして親指を立てた。

アメ公どもの鼻っぱしらをへし折って—
アメ公どもの鼻っぱしらをへし折って—

敵を憎む心
幼稚園の運動会での「かけっこ競走」。

光明星《グァンミョンソン》が飛んでいく将軍の国
強いでしょう　強いでしょう
世界でいちばんー　強いでしょう！
世界でいちばんー　強いでしょう！

歌い終えた子どもたちは、その場でピョンピョン飛び跳ねながら万歳の声をあげる。勝利した軍人のようにニコニコと懸命に歓声をあげる。再び列をつくって退場していくか細い子どもたちのきびきびした足取りに、「遊撃隊国家」のアイデンティティがまさに生きて動いている様を見た気がした。

今も北朝鮮は、民族解放叙事詩のなかに国家の存在意義を刷り込み続けている。つまり、日本帝国主義の侵略に立ち向かって戦った抗日パルチザンのように、全世界を支配しているアメリカという最強の帝国主義勢力と真っ向から対決する「唯一の」国だと。こうしたプライドは体制を支える基本的な力となっている。国際的な孤立と繰り返す戦争の危機は、こうした叙事詩をより実感させる事実として用いられている。[★1]

「太平洋戦争のとき、日本の子どもも同じような歌を歌っていましたよ」私が撮影した平壌の幼稚園の動画を見たある日本人の老教授がため息をついた。自分が国民学校に通っていたころ、これと同じく「鬼畜米英」を打ち倒すジェスチャーをしながら日本が世界で一番強いと歌っていたという。体格も大きく力も強い西洋の怪物を、小さくて幼い日本の少年が目をむいて立ち向かい、強い精神力で殲滅するという歌だった。

彼自身もそうした歌を歌うことで、天皇と祖国を守るために最後の一人まで竹やりを持って戦う「必勝」の意を固めていたという。西洋帝国主義の奴隷状態にあった東洋の人びとを解放した大日本帝国の「軍国少年」としての矜持を感じたそうだ。彼曰く、天皇と軍国主義を称揚した当時の日本人を思えば、今日の北朝鮮も理解できるとのことだった。

「悪いものを退けた歴史」

朝鮮革命博物館の第一展示室で出くわす意外な歴史文化財は、いわゆる「斥和碑《せきわひ》」とよばれる「衛正斥邪碑（正しいものを守り、悪いものを退ける碑）」であった。朝鮮王朝末期に大院君《テウォングン》が建てたこの石碑は、中央陳列室でまぶしいほどの照明が当てられていた。「西洋の蛮族の侵略を前に戦わないのは和解と同じであるため、和平を主張することは国を売るのと同じである（洋夷侵犯 非戦則和 主和賣國）」という文句が鮮やかに刻まれている。帝国主義の侵略に対する朝鮮初の民族抵抗の象徴として展示しているという。[★2]

斥和碑の側面には、「わが万代の子孫に警告する。丙寅年につくり辛未年に立てた（戒我萬年子孫丙寅年作 辛未立）」の文字が刻まれている。朝鮮王朝は、丙寅年（一八六六）にフランス軍、辛未年（一八七一）にはアメリカの侵略を江華島《カンファド》で追い払った。まるで今日の外部世界に対する北朝鮮の態度をそのまま盛り込んだような内容だ。

韓国では、「斥和碑」について全く異なる意味合いで教える。西欧の近代文明をいち早く吸収すべき時に「国の門を閉ざして締め出した」時代錯誤な政策の象徴と考えるのだ。当時、西欧列強に門戸を開放していたら、より早く近代化が進み日本の侵略を受けずに済んだだろうと歴史教師は説明する。韓国は「グローバル化」を発展のための必須の課題として、グローバル競争に没頭してきた。一方、北朝鮮は「外勢」を追い出して、「ウリ式《われわれ》」で暮らすことが正しいと強調している。

外勢に抵抗した朝鮮近代史の出発点として、一八六六年八月に大同江を遡ってきたアメリカ船籍・ゼネラルシャーマン号を火攻めにして撃沈させた「平壌人民の勇敢な戦闘」の絵が朝鮮革命博物館に展示されていた。日本帝国主義の侵略に抵抗した三・一独立運動を紹介する展示室では、万歳行列を率いた金日成の祖父の姿も描かれている。このように、金日成の家系は各時代で重要な歴史的事件が起こるたびに、外勢への抵抗勢力を率いた主人公として登場している。

朝鮮革命博物館の展示は、いまも続くアメリカの侵略を、民族受難の歴史的な山場にさしかかるたび深く介入してきたアメリカ帝国主義と関連付けて説明している。日本とアメリカの戦争は帝国主義勢力の領土争いであり、アメリカが勝利して韓国に進駐したのは、解放ではなく新たな征服者への交代にすぎなかったとされている。「祖国解放戦争〔朝鮮戦争〕」で米軍は無差別爆撃を敢行し、平壌をはじめとする全国土を廃墟にし、数多の人民が亡くなり傷を負った。☆1 近代史を通じて朝鮮民族を苦しめてきた「悪魔」であり、「不倶戴天の敵」であるアメリカは、そうした証拠写真とともに展示されていた。

一方、平壌の中心を流れる大同江の川岸にはゼネラル・シャーマン号の撃沈碑が建っており、その船に設置されていたという大砲のレプリカも置かれている。ゼネラル・シャーマン号に火を放ったという現場の川べりには、約百年後に北朝鮮の領海を侵犯したとして拿捕された米海軍の情報船プエブロ号がともに展示されている。★3 ここを訪問する子どもたちは、最先端の装備を持った米海軍の軍艦に飛び乗ったただ一人の小さな北朝鮮海軍兵士が、数十名の大きな米軍兵士をたった一丁の銃で威嚇して降伏させた姿を描いた絵を見ることになる。こうしたダビデとゴリアテの伝説のような武勇伝を見聞きした子どもたちは、物質に対する精神の勝利を絵と歌で表現したりもする。

こうした歴史教育の現場で重視されるのは、客観的事実ではなく理念的な意味合いである。つまり、「主体的《チュチェ》」立場から信じ従うべき事実を、いかにもありそうな話の構造のなかに織り込んで伝えるのだ。たとえば、日本帝国主義の植民地支配から民族を解放したのはアメリカやソ連のような強大国の軍隊ではなく、少数のパルチザン兵力で日本を退けた伝説的な抗日闘士である金日成将軍だとされる。長きにわたる苦難を克服し、「不可能を可能とし」たその闘争の意味を事実として信じられるようにすることが、民族のプライドを高める「主体的」に正しい歴史なのだ。

北朝鮮に進駐したソ連についてはその痕跡を少し残すにとどめられ、その存在を意図的にぼやかされ消されている。ソ連軍参戦を記念して建てられた「解放塔」は牡丹峰《モランボン》の丘にあるが、彼らの役割は金日成将軍が率いた解放戦争の補助者として曖昧に矮小化された。こうした歴史の叙述では国際政治の状況はほぼ省略され、「主体的」に意味を持つ部分のみが細かく誇張されて扱われる。つまり、金日成の遊撃隊による闘争の事実のみに焦点が当てられ、国家レベルの解放叙事詩となっているのである。こうして公式に編集された「物語」を軸に北朝鮮の近代史は構成されることとなった。★4

金正日の芸術理論がもっとも強調しているのは、歴史を「理念的に正しく、道徳的に活気に満ちて」再現する力量だ。このような歴史芸術において、政治精神は実証的な歴史の知識よりも優位に立つ。創作という作業は大衆の道徳的・政治的な意識を高め、国家指導者により大いなる栄光を捧げるものだ。こうした文脈から、歴史の細かい事実を改めることは修正やねつ造というよりは実用的な手法と考えられている。実際のところ他の国民国家の歴史も、大抵はこうした構成主義の手法によって作られている。北朝鮮のケースは、それがどこまで可能なのかを示す極端な事例といえよう。

「遊撃隊国家」の歴史は、単に上意下達で強要された自己中心的な権力物語だけではない。主体性のある解放叙事に飢えていた脱植民国家の集団が、物語をつくりあげて広めることで自然とひとつの文化的な論理を受け入れるようになった点に注目する必要がある。皆がこうあってほしいと願いを込めてつくった物語に、具体的な事実はそれほど必要ない。教訓的なものとして、説得力のある意味合いを持つことが重要だ。その物語を通じて、その社会の大人と子どもがどう考え行動するかという価値観教育の効果がより重要になる。

首領と国家権力に関連した問題だけでなく、社会教育効果を目的とした数々の英雄譚も必ずしも事実である必要はない。驚くほど多くの神話や英雄譚形式の誇張された物語が、託児所、学校といった公教育の現場だけでなく、職場、軍隊など社会組織を通じて常に流布している。情報メディアが統制されているなかで「物語」に飢えている大人も子どもも、同じ主題とはいえ常に新しく創作される変奏曲を繰り返し消費している。

彼らとの対話するなかで、そうした物話に込められた事例のいくつかは事実に基づいていないと指摘して、信じるなと説得しても大した効果がないことがわかった。彼らもここまで誇張された話がすべて事実だと考えて信じているわけではないという。ただ、物話自体は寓話や美談のようなものだから、全体の教訓的意味、そしてそれを受け止める前向きな姿勢が重要だというのである。事実がひとつふたつ違っていることが証明されても、それは全体として真実を伝えている話にケチをつけようとする歪んだ主張としか受け止められない。例えば、脱北した人に朝鮮戦争で先に攻撃を始めたのは北側だったという事実を伝えようと具体的な証拠を列挙すると、はじめは半信半疑で聞いているが、なるほどそうかと納得したあとにも、「でも、祖国解放戦争を先に始めるのがそこまで大きな過ちだろうか」と反問されるといった調子である。

「仇敵を憎む心」

強くて悪辣な外部勢力に対する敵愾心は、正当な義憤であると北朝鮮ではごく幼い頃から物語を通して学ぶ。幼稚園の年長組（五才児くらい）では次のような話を問答形式で学習している。


「敬愛する首領、金日成元帥は幼いころに万景台故郷の家のうらにある万景峰に父上とのぼられて、おもしろい話をお聞きになったり木や花を植えたりされながら、国を愛し日帝という仇敵を憎む心をはぐくまれたといいます。大元帥はここで学ばれて、『よし、大きくなったら国を守るぞ！』と決心されました」……「首領はここで仲間とともに戦争ごっこをしながら、日帝の連中をやっつける心を育てられました」

「年長組のみなさ〜ん」

「ハイッ！」

「みんなで万景台故郷の家をいつまでも愛しましょう。そして、敬愛する大元帥の子どものころを見習って、お勉強もがんばり、身体も丈夫にして、人民軍隊にも行き、銃も撃てるようになり、それからどうすればいいでしょうか？　アメリカの連中を叩きのめす心を育てなくてはなりませんよね？」

「ハイッ！」

「じゃあ、みなさんは敬愛する大元帥を大切にして、偉大な領導者、金正日元帥に喜んでいただける忠誠者、孝行者として大きくなりましょう。できますか？」

「ハイッ！」☆2

こうした五歳児向けの単純なメッセージからも、北朝鮮が帝国主義に立ち向かう脱植民地的な闘争主体をどう捉えているかが読みとれる。金日成は幼い頃から「日帝という仇敵を憎む心を育て」、「国を守ろうと決心し」、遊ぶときにも戦争ごっこをして「日帝という仇敵を粉砕する心を育てた」。子どもたちはそれに倣い、「アメリカの連中を粉砕する心を育て」なければならない。帝国主義的な支配から民族的な自主性を守る脱植民主義的な闘争の主体にならなくてはならないのだ。

『先軍時代の偉人の政治と歌』の冊子では、金正日の言葉を引用して次のように主張している。「我々は敵に称賛されてはならない。憎まれなくてはならない。敵から憎まれるということは、我々がしていることがごく正当であり、うまく事が運んでいることを意味する」☆3。敵を憎む心と積極的に「戦う意志」と「自負心」は幼いうちから育てるべき必須項目というわけである。

北朝鮮の青少年のアメリカと日本に対する強い敵愾心を目の前で確認したことがある。日本で清廉な政治家として知られた故・三木武夫首相の夫人、三木睦子女史が二〇〇三年の秋にソウルを訪問したとき、脱北した青少年たちとのささやかな交流の場を持った。一九九五年に北朝鮮で「大洪水の被害」が起きて多くの人が飢えに苦しんでいるという話を聞き、三木女史は「朝鮮の子どもにタマゴとバナナをおくる会」を組織して支援に取り組んでいた。

三木女史は彼らに大飢饉の被害について尋ね、日本から送られた卵やバナナを食べたことがある人はここにいるかと尋ねた。清津《チョンジン》出身の少年が尋ねた。「どれくらいお送りになったんですか?」。卵一〇万個とバナナ一万房くらいになると聞いたとたん、彼は「えー、それっぽっちしか送っていないのに、僕らの口に入ると思います?」と反応した。大変な思いをして募金を集めて送った側にとってはたくさんの量に思えるだろうが、大きな苦難を経験した少年は五〇万人いる清津市民の一回分のおやつにもならないような量であることを即座に見抜いたのである。

三木女史が話題を変えて、韓国に来たのだから今度はどんな国に行ってみたいかと尋ねた。会寧《フェリョン》出身の痩せた少女が笑いながら言った。「アメリカと日本に行ってみたいです」。なぜかと尋ねたところ、迷いなく即答した。「私たちの民族をあれほどまでに苦しめるようなことができるのは、どれほどお偉い方々なのかをじかに確かめたいからですよ」。平和主義者の三木女史も脱北青年の断固たる返答に二の句が継げなかった。

2 「朝鮮がなければ世界もない」――先軍政治

寒波が迫る豆満江の川岸に立った。マイナス二四度。一九九九年一二月末、中国に身を隠している脱北難民に会うため延辺《イエンビエン》地域に来たついでに、人びとが往来する豆満江の現場を把握しておこうと図們《トゥーメン》市を訪ねた。キーンと澄み切った空は冷え切ったガラスのようだった。凍てつく豆満江は白い雪で覆われていた。無数の足あとが残り、誰かが河の上を行き来していることを示していた。自転車のタイヤの跡もところどころ目についた。それでも明るい日中は、いつ人が行き来するのかもわからないくらい人影もなく寂寞としていた。短時間立っているだけでもあまりに寒くて川岸の売店に入った。手持ち無沙汰そうにしていた朝鮮族のオーナー夫婦が喜んで迎えてくれた。

身体を温めつつしばらく話をしていたところ、窓の外に薄着で震えながらうろうろしている男が目に入った。北朝鮮の人だろうという。私がカップラーメンでもごちそうしようと中に呼び入れようとした。オーナー夫妻は、余計なことをするもんだねと言いつつも嫌がらずに声をかけてくれた。薄っぺらい服に運動靴のような履物をはき、寒さで顔面蒼白になった若い男が入ってきた。熱いカップラーメンをたて続けに二つ食べてやっとリラックスした男は、ありがとうと言った。

食糧を求めて中国側にやってきたが徒労に終わり、今晩にはもう帰ろうと思っていると言う。朝鮮族のオーナーが、食べ物もない北朝鮮になぜ帰るのかと尋ねると、家族がいるからと言いつつもそれ以上は何も言いたくなさそうなそぶりをみせた。その態度が気に入らなかったのか、朝鮮族のオーナーがもうすぐ滅びる国なのに家族を早く連れて出てくる気はないのかと聞くと、男はいきなり硬い表情になって、ウリ《われわれ》式社会主義を守って生きていくという。

「そんなの俺たちだってさんざんやってきたが、無駄なこった」朝鮮族の夫婦が顔を見合わせてあざ笑うように言った。「アメリカの連中の封鎖のせいでこうなっているだけで、ウリ《われわれ》式社会主義は正しいでしょう?」男は負けずに言い返した。「こりゃただ者じゃないね」。たしかにそう言われてみると、教養がありそうな顔つきをしている。「だからって核開発なんかするもんじゃあない」とオーナーが言う。「こっちに核爆弾があるかないか私には言えませんけど、アメリカが朝鮮を攻撃すれば世界は終わりです。みんなただでさえ生きにくい世の中なんだから、戦争でも一回やってすっきりしてから死のうとまで言ってます」「それじゃあ北朝鮮の人だけが死ぬことになるじゃないか……」朝鮮族のオーナーは舌打ちして諭すように言った。男は目を見開き歯をぐっとかみしめて言い放った、「朝鮮がなければ、世界もない！」

「朝鮮がなければ、世界もない！」。先軍政治時代、北朝鮮のどこにでもあった看板のスローガンだ。強烈な叙事的表現だなぁと感じていたその言葉の隣には、より実感を持たせるように「決死擁護」「総爆弾」「自爆精神」といった具体的な行動綱領を表した看板が並んでいることもあった。果たして朝鮮がなくなったら世界もなくなるのか？ 朝鮮の人びとがみな爆弾となって自爆するとしてもこの世界がなくなるとは思えないが、朝鮮という精神的な象徴の終末は、必ずや世界文明の終末となるという主張らしかった。

呆れるほど自己中心的なこの主張は、米ソ中心の冷戦体制が収束した一九九〇年代に出てきたものだ。「ソ連と東欧の国々から社会主義の旗が下ろされて社会主義を懐かしむ人たちがオロオロしているなか、我が祖国はひとつも政策を変化させずに社会主義の赤い旗を更に高く掲げて守り続けたことで、社会主義の砦として威厳を保ち名声を高くとどろかすことができるようになった[☆4]」という主張である。ソ連が崩壊し、中国が資本主義体制と妥協していくなかで、北朝鮮は「アメリカの帝国主義的覇権が主導する新たな世界秩序に強制的に組み込まれることを拒む集団闘争の先頭に立ち、第三世界の人びとの精神の柱となりうる火をともし続ける原動力となった[☆5]」のだ。

外部は、北朝鮮が頑なに変化を拒んでいることを、孤立を招く自閉的な決定で危険を伴うものと解釈している。しかし世界中が変わっていくなかで唯一変わらない革命国家であることを北朝鮮は新たな使命と誇りと捉えているようだ。社会主義理念の世界的な中心がなくなるなかで、東アジアの辺境にある社会主義国家が新たに中心的役割を果たそうという意志を掲げたのだ。敵対勢力に完全に包囲されている状況に絶望せず、主観的な意志をもって現実を勝ち抜こうとする抗日パルチザンの伝説的な解放叙事詩はこうした主張を裏付けるものだ。

一見無謀とも思える主張だが、朝鮮時代の政治思想史に似た前例がある。いわゆる「小中華思想」である。東アジアの儒教的な文明世界の中心であり、禮の典範（お手本）であった明を宗主国として仕えていた朝鮮は、明を崩壊させた蛮族の国・清の武力に現実では屈服したが、小国である朝鮮がむしろ滅びた文明の中心（中華）を精神的に引き継いで、新たな中心（小中華）の役割を果たさねばならないとする思想である。朝鮮こそが「東方禮儀之国」として文明的な価値である「禮」を模範的に受け継ぎ、現実の政治で「禮」を具現化した国だからである。こうした小中華思想は現実世界での敗北を認めない朝鮮の士人《ソンビ》（文人）たちの精神主義的楽観論とも言える。

朝鮮の士人たちは、丙子の乱〔丙子胡乱。一六三六年に清の侵入を受けた〕の惨禍を経験し清に忠誠を誓ったが、現実を受け入れてはいなかった。清帝国の隆盛を見ても蛮族の物質文化だと貶し、精神面では朝鮮が正統なのだと主張することをためらわなかった。大日本帝国の圧迫により清の朝貢国から独立して大韓帝国を建てたときでさえも、高宗と臣下たちは「変わることなく明の国をお手本に、輝かしい文化と厚い礼儀がそのまま一統に集まっているところはただ我が国のみ」として、ずいぶん前に滅びた明の伝統を自分たちが引き継いだという「主体的中華意識」を強調した。[★5]

冷戦が終わっても社会主義の理念を主張し続ける北朝鮮当局の頑強な名分論は、明に対する儒教的儀礼を主張することで丙子の乱を招いた斥和派〔親明の朱子学勢力で、明以外の外国を強硬に排斥しようとした保守勢力〕の態度を連想させる。こうした主張は国内では誇りと使命感を鼓舞しうるが、対外的には孤立と危機を招くものとなる。冷戦後の北朝鮮にとっては、アメリカがもっとも危険視する敵となり、アメリカが主導する外勢のけん制と封鎖の集中砲火を浴びる原因となった。★6

かたやアメリカへの儀礼を主張する韓国政治家の名分論も、斥和派が明に対して守ろうとした事大主義の論理に似ている。冷戦は終わったが、未だに米軍を韓国に駐屯させ戦時作戦権も委任し続けるという主張である。文禄慶長の役（壬辰倭乱《イムジンウェラン》）以降、朝鮮にそのまま駐屯した明の軍隊の撤収を恐れて、引き続き朝鮮を守ってほしいと皇帝に懇願していた朝鮮王の上奏文と同じ論理だ。★7 分断体制における権力集団というのは南も北も、時代に合わせて態度を変えているというより、名分や儀礼といった政治論理を守ろうとしている点がひどく似通っている。

アメリカをはじめとする諸外国も、一九八九年にベルリンの壁が崩れソビエト体制が崩壊して以降ごく最近まで、ひたすら北朝鮮の「急変事態」と体制崩壊を待つだけだった。中国やベトナムのような、既存の共産党権力が主導する改革開放や市場社会主義への転換の可能性は予想しなかった。しかし周囲が体制崩壊を期待して圧迫し続けてきた三〇年の間、北朝鮮は六回もの核実験をし、水素爆弾と大陸間弾道弾を開発し、二回も権力世襲を行なった。むしろ更に進化した武器で武装した遊撃隊国家となったのだ。軍隊を前面に打ち出す先軍政治が、人民の人生にどのような影響を及ぼしたかを見てみたい。

「銃を持っている人の言うことは聞かないとな」

私たちの案内員となった党幹部が、大同江につながれているアメリカのスパイ船プエブロ号を見に行こうと言うのでついていくことにした。春風はまだ冷たかったが、うららかな日曜の午後だった。大同江沿いの土手にはあちこちから煙がのぼっていた。学校単位で来ているのか何人もの子どもたちが小さなほうきとスコップをもって芝を燃やしていた。春を迎える行事を前にして、冬場に枯れてしまった芝を燃やして消毒をするのだそうだ。先生と数人の子どもだけが火が燃え広がらないよう見ているくらいで、他の子どもたちはまわりで大きな声をあげながら追いかけっこをしたりしていた。

私たち一行が大同江の岸にある階段を下りているとき、船着き場からプエブロ号のブリッジの前を警備していた武装哨兵が急に大声で「とまれ！」と警告した。みな驚いて立ち止まった。少し離れた川岸でたわむれていた子どもたちも、何事かと驚いてこちらの様子をうかがっている。休日なので観覧はできないということのようだった。

しばらく周辺をうかがって状況を把握した案内員は幹部が着る色の人民服の襟を正して、一歩前に進みながら大きな声で尋ねた。「外からのお客様をお連れした。中に軍官（将校）はいるか？」。哨兵は銃を構えなおして「無駄口をたたかずに、さっさと行け！」と再度声を張り上げた。いい年をした党幹部たちは顔を見合わせて、どうしようもないなという表情で若い哨兵を眺めていたが、後ろに立っていた私たち一行に目を向けて、えらく気まずい表情になった。ひとりの幹部が先にこちらに向きなおって言った。「銃を持っている人の言うことは聞かないとな」。

二〇〇〇年の春に金正日が先軍政治を宣言してから五年、党と軍の序列は日常生活レベルでもここまで変わっていた。川岸で遊んでいた子どもたちがこの光景を好奇心に満ちた目で見つめていた。

いかなる主義を標榜していようとも、銃を持つ人の前では身をすくめて生きるしかない民間人の姿は痛々しい。峠道の検問所でソウルに住む息子に持って行ってやろうと運んできた米を日本の憲兵にとられ、横っ面を張られたという母方の祖母の話を思い出した。日本の植民地時代に教師をしていて「倭奴《ウェノム》（日本の連中）があまりにひどいふるまいをしたので、長い剣を持つために軍官学校に行った」という日本陸軍士官学校出身の大統領・朴正熙のことも頭に浮かんだ。

銃を持つ人の前で小さくならざるをえない党幹部の姿は、平壌市の境界に設置されている検問所を通るたびに見ることになる。銃を持って目をいからせている幼い哨兵たちの前で、何とか威厳を保とうとするような言葉遣いでやりとりしている表情は気の毒であった。

韓国でも長く続いた軍事独裁の時代にはよく見られた光景なので理解はできる。「しばし、検問を行います」。都市の境界ごとに設置されている検問所で、鉄かぶとを目深にかぶった憲兵が着剣した銃を持ってバスに乗り込んできて厳しい目つきでざっと見渡し、怪しそうな人をひきずり降ろすこともあった。みな、顔をあげてはいるが目は合わせないように気をつかっていたのを思い出す。平壌の検問所でも、私は慣れているから何ともないといった表情をつくって、哨兵のきつい視線をかわそうとしていた。

北朝鮮は核とミサイルにしがみついていて、経済的な破たんに直面していると外部からは見られている。しかし彼らは、軍を前面に出した先軍政治の力で体制を維持して「自主性」を守るのだと主張している。ソ連と東欧の社会主義国家は、軍隊が「銃を一度も撃つことができなかった無力な集団」になってしまっているので、「結局は社会主義制度が崩壊して、人民は戦争と略奪、民族紛争によって自分の住み慣れた土地すら奪われ、他の国に流浪の旅に出ることになってしまった」が、朝鮮はそういった破局を防ぐことができたのだという。[☆6]

主体《チュチェ》思想の論理によれば、「自主性は社会的人間の生命であり、人民大衆の生命であり、国と民族の生命」である。反革命勢力の圧迫の中で、その生命のような「自主性」を守るためには、軍隊を防波堤として「銃をしっかりと強く握っていなくてはならない」のである。

金正日が選んだ「軍事優先社会主義」すなわち「先軍政治」は、社会主義宗主国であるソ連の失敗を克服するものであり、隣り合った社会主義覇権国である中国の変質した「経済優先社会主義」と対比して正当性があると主張されている。[☆7] しかし先軍政治は社会主義体制の基本的な国家運営の原理である「党」と「軍」の序列を逆転させてしまった。物質的な土台が十分あることを革命の原動力として強調する伝統マルクス主義の存在も置き去りにされている。[★8]

先軍政治は社会主義の原理から外れた「軍権主義政治」だという批判を意識して、金正日は次のように述べている。「帝国主義に包囲されて、絶えず軍事的な脅威にさらされながら社会主義国家建設に励む我が国は、強力な軍がなければ人民もなく、社会主義国家も党も存在できなくなってしまいます。その意味で軍はまさに人民であり国家であり党であると言えます[☆8]」。しかし「軍がまさに人民」であるという主張は、言いかえれば人民も軍の運命共同体として軍人精神で武装し、軍が最優先される現実のなかで生きなければならないことを意味する。

『先軍時代の偉人の政治と歌』という冊子は、北朝鮮の大飢饉が最悪の状況にあった一九九九年の秋、金正日が「わが人民がろくに食べることもできず苦しい暮らしをしていると知りつつも、アメリカは我々を恐れている」と述べたことばを引用して、「アメリカの連中がなぜ我々をそれほど恐れるのか。領土が広いからか、人口が多いからか。否、軍隊と人民が一体となって領導者を慕って付き従い、命を躊躇なく捧げる覚悟ができているからだ。首領中心の団結に刃向おうとする者はこの世にはいない」と主張した。[☆9] 平壌の高層ビルに掲げられている「一心団結」「総爆弾」「自爆精神」の看板は、こうした主張を裏付けるスローガンである。

「総爆弾、決死擁護」

われらが握る銃剣にはみな
将軍さまを守る誓いがあらわれている
赤旗をはためかせる革命の首脳部
千万の総爆弾となって決死擁護せよ[☆10]

平壌のホテルのテレビから、ぞっとするような歌が流れてくる。「千万の総爆弾」の表現が突き刺さる。軍隊だけではない。国民すべてがともに「決死擁護」する歌なのだ。路地のあちこちに貼られている殺伐としたスローガンは、すべての国民に向けられた言葉であった。単なる誇張か。感情的な政治扇動にすぎないのか。なぜこうした論理の飛躍が可能なのか。実際にそう信じて行動に移すことができるのか。気にもなるし、恐ろしくもある。

ひとつの家族国家として、首領と人民は父子の関係にあり、愛情と義理にかためられた「ひとつの家族、釜の飯を共にする者」だという。しかし、親である首領を守るために子たる人民が自爆すら覚悟する「総爆弾」になるという論理は到底納得がいかない。近代国民国家の政治指導者と軍隊が、国民を守るために命を懸けて戦うという主張は珍しくない。子どものために犠牲になるという一般的な論理と符合するからだ。しかし、親である国家指導者のために子どもである国民が命を投げ出すと歌われることはあまりない。

国民が父である国家指導者を「決死擁護」するために「自爆」した歴史的な事例を私たちは知っている。軍国主義下における日本の天皇と臣民の関係がそれだ。大日本帝国の臣民はみな天皇の「赤子」として「国体」である天皇を守るために命を投げ出すことを誓った。このとき天皇は単純な国家指導者というよりは国家そのものの象徴であり、個人を越えた集団の全体性と永続性を象徴する存在であった。よって天皇を護ることは、有限な存在である個々の国民が生命をかけて国家（または民族）という集団の生命を「永遠」なるものとすることを意味した。[★9]

北朝鮮の建国初期には金日成というカリスマ指導者を父とみなす個人崇拝から始まった。しかし長男である金正日に権力が世襲される過程で朝鮮の儒教的家族概念が融合し、嫡子相続の論理が強調されることとなった。金正日の三男である金正恩に権力を継承する段階では、「白頭血統」という「革命の宗家」を強調することで、家門（一族）への忠誠を主張した。朝鮮王朝時代の両班の家の門中概念（家門の概念）を国家体制のなかで制度化したものと言えるだろう。

帝国主義時代の日本において親への孝行心と天皇（または国家体制）への忠誠を同等に形成しようとした国家戦略のひとつが、国民学校で教えられた「教育勅語」だ。韓国でも朴正熙政権はすべての教育現場で「国民教育憲章」を暗唱させ、国民に個人の運命と祖国や民族の「無窮の栄光」を同一視させようとした。「維新体制」を構築した一九七〇年代には、「忠孝思想」も強調した。

同じ時代に北朝鮮は「唯一思想体系」という社会主義独裁体制を確立し、家族的な倫理である

「孝」と首領（国家）に対する「忠」、このふたつを同一視する「忠孝一心」のスローガンを強調した。父なる首領・金日成同志がくださった貴重な「政治的な生命」に対して、人民は「忠誠」によって報いなければならず、革命の偉業を代々受け継いで最後まで完成させなくてはならないとした。[☆11]

首領は、革命の最高「脳首（または首脳部）」とも表現される。国家と人民に「政治的生命」を与える存在だからだ。よって首領なしの革命はありえず、さらに言えば国家も人民もない。首領は身体部位でいえば頭、より具体的に言えばすべての思考と意識を司る脳を意味する。[★10] 他の身体部位が死んだり麻痺したりしても、脳が生きているかぎりは死亡ではないとする医学的な連想も可能だ。物質に対して精神の優位を主張する極端な精神主義を象徴した比喩とも言える。果たしてそんな抽象的な比喩を国民は信じ、死まで覚悟できるものだろうか。

物質に精神は勝ると信じさせようとする宗教的な信念体系の事例は、古今東西の人類社会に多く見られる。これに近い事例として、日本植民地期に朝鮮民族にも強要されていた軍国主義日本の「神風」や「玉砕」の精神性がある。太平洋戦争末期、戦力劣勢と度重なる敗戦により日本は連合国と降伏交渉を始めたが、天皇制を護るために無条件降伏は拒否した。天皇を護るためにすべての国民が最後の一人まで戦って死のうとした。実際に、神風特攻隊を数万人ずつ訓練して、着陸装置のない爆弾飛行機と人間魚雷をつくって戦った。

数多の若者が自ら（または制度的な強制によって）命を投げ出して特攻隊に志願したのは、国家が単なる愛国心以上の宗教的な信念を集団的儀礼によって作り上げたためである。彼らの犠牲を宗教的、芸術的に美化する作業も繰り広げられた。彼らは死後、靖国神社に祀られる護国英霊となり、桜の花びらがごとく散って出会おうと歌いながら出撃した。神風特攻隊は敗戦までに公式発表では三五〇〇名が自爆。そしてその何倍もの連合国軍人が亡くなった。

神風特攻隊員のなかには朝鮮人の松井秀男伍長もいた。詩人・徐廷柱《ソジョンジュ》は「朝鮮京畿道開城の人／印氏の二番目の息子／二一になる男」の見事な死を讃え、[☆12] 詩人・盧天命《ノチョンミョン》は、『あなたのお召しを受けて』という詩で「わたしも男であったなら／わたしも男であったなら／尊いお召しを受けたであろうに」と詠って惜しんだ。[☆13] 彼らは、日帝の銃刀で強要されて詠んだわけではない。日本人ではない他の民族まで集団自決に駆り立てるほど、集団儀礼と芸術の力は強いのだ。

降伏を目前にして天皇制を護るため、軍人とともに決死抗戦する羽目になり、民間人、学生、子どもまでもが集団自決に追い込まれたのは、本土の日本人ではなく沖縄の住民であった。二〇一九年二月、私は沖縄戦で亡くなった多くの民間人と学生と子どもの遺骨がまだ収拾しきれていない現場を訪ねた。戦争末期のどん詰まりの中で、軍人、軍属、慰安婦として沖縄に連れて行かれ、ともに犠牲となった朝鮮人の遺骨が埋まる現場にも足を運んだ。凄惨な沖縄戦の記憶をよみがえらせる証言を聞きながら、先軍時代の北朝鮮の子どもたちの歌が思い出され、胸のざわつきを落ち着かせるのにたいへん苦労した。

幸せが花咲く　わたしの祖国の地を
邪な敵が　狙っている
隊を組もうぞ　朝鮮少年団
敬愛する将軍さまのため
三〇〇万の総爆弾　我こそなろうぞ[☆14]

社会主義を標榜する体制において、どうすれば人民の心に宗教聖戦に臨む狂信的な信念を根付かせることができるか？　彼らは言葉どおりの極端な集団自殺を敢行するのだろうか？　ポスト冷戦時代により強硬な遊撃隊国家へと進化した北朝鮮は、集団的な政治儀礼と劇場型の権力演出を通じて大規模な悲劇を現実のものにしてしまうのではないかと怖くなる。

北朝鮮は「瀬戸際外交」の国といわれている。常に外部の予想を超えた極端な選択をするからだ。虚勢を張っていると思わせるだけではない、崖っぷちに身を投げる覚悟がなければできないような難しい政策決定を繰り返している。本当にできるのだろうか？　こんな困った国家と向き合わなくてはならない外部の者はみな、疑問を抱かざるを得ない。

劇場国家理論によれば、実際にそうした事例はある。バリの劇場国家ヌガラはオランダ軍の包囲攻撃に降伏せず、王と貴族と司祭と軍人が華やかに着飾って最後の儀礼行列を組み、オランダ軍の砲火の中を秩序よく整然と行進して自殺行為とも呼べる最期を遂げた。[☆15]こうした光景を初めて目にして仰天したオランダ軍は、近づいてくる隊列に向かってむやみやたらに打ちまくり、一方的な虐殺を繰り広げたという。

相手が自分と異なる価値観で異なる意思決定をしうるという事実に目をつぶっていては、悲劇を招く可能性がある。現代的な軍事力を持った劇場国家北朝鮮の場合、自分たちだけの自殺に終わらないことは自明だ。しかし自己中心的な信念体系を制度的に再生産している劇場国家に対する外部の影響力は、自ずと限定的にならざるをえない。

むしろ、現在のような生半可な外からの圧力は、危機意識を土台とする信念体系に適度な現実味を与え、裏付けるだけである。へたな物理的攻撃は部分的に社会体系を破壊して狂乱を呼び起こすことはあっても、外部侵略に対する抵抗を基盤にした象徴的な信念体系の正当性を強化させるだけになるだろう。たとえ短期間の戦争によって物理的に占領できたとしても、イラク戦争後何年も終わらずに続く自爆テロに似通った抵抗も予想できる。

どこまでも文化的「演技」で止められるのなら、最も理想的な方法は、劇場国家の内部にとどめ彼らの自殺をただの演技で終わらせることだ。国家の体面をつぶさずに公式に受け入れられるタイミングさえ逃さなければ、一瞬で台本が変わるがごとく立場を変える可能性は常にある。実際に、天皇の降伏宣言によって、すべての前線にいた日本の軍人は一晩のうちに武器を置いた。最後の一人まで竹槍を持って戦えと言っていた日本の国民も、天皇の一言で呪いから解かれ個人的な復讐心をおさえて占領軍として進駐した米軍を出迎えた。天皇という象徴体系の中心が動くことで劇的な変化が起こったのだ。

『花を売る乙女』

北朝鮮の当局者が有名な革命歌劇『花を売る乙女』を見せてやるといって、東平壌大劇場に案内してくれた。平壌市内でも特に目をひく兜型の現代的な劇場の建物の中に入ると、大理石で装飾された照明の消えたホールから冷たい冷気が襲ってきた。厳しい電気事情のせいだろう、客席も暗くうすら寒くて巨大な冷蔵庫に入るような気分だった。ほとんどの人が暗い国防色のコートにマフラー、手袋としっかり武装していた。

扉が閉まって交響楽団の前奏が始まった。冷たい空気を突き破って、洗練された優雅な旋律が響き渡る。幕があがり、明るい照明の下、広く深い舞台に立体的に折り重なる華やかな舞台背景があらわれた。劇場の外にある灰色の現実と好対照をなす総天然色の歌劇《ミュージカル》の世界が繰り広げられていた。

歌劇『花を売る乙女』の内容は、華やかな舞台装置には似つかわしくないほど物悲しい、ある小作農の家族の物語だ。日本植民地時代の満州で父を亡くして貧しい暮らしをしていた「コップニ」という少女の家族は、日本による搾取とその手先である地主の虐待に耐えつつ暮らしていた。家族のために夜道で花を売るコップニの努力にもかかわらず、家族みんながバラバラになって辛酸をなめ、母は死に、妹は失明し、兄は失踪する。

寒く貧しい歌劇の内容と同じく、劇場も寒かった。悲しい歌劇をカメラで撮影していた私の手もかじかんでいた。氷上のように冷たい舞台の上で薄っぺらい舞台衣装をつけた俳優たちが裸足で飛びまわっている。秀でた声楽家たちが白い息を吐きながら熱唱している。国防色のコートを着た観客と座っていると、戦中の野戦劇場にいる気分だ。舞台も客席も悲壮感にあふれていた。

悪辣な地主とその妻がコップニの妹の目を潰すシーンになると、すぐうしろの客席から「おい、あの地主、殴り殺せないのか」という声が聞こえた。あちこちから、「叩きのめせ」という声も聞こえた。「あの時代に人民が目覚めていれば、日本の巡査なんかぶち殺して武器を奪って戦っただろうな」と周囲に聞こえるようにつぶやく人もいた。まるでパンソリ〔太鼓にあわせて一人が語り演じる朝鮮半島の民衆芸能〕に慣れた観客が良く知った演目に合いの手を入れるようなノリである。

暗く悲惨な場面が転換し、日本の警察に殺されたと思われていた兄が監獄を抜け出して抗日パルチザンとなって村に戻り、搾取していた側の悪者を懲らしめる。コップニはさらに偉大な革命家族となるために花を売りに街角に立ちながら「革命の花の種をまいてゆこう」と歌う[16]。歌劇の最後の場面では、コップニと村人全員が栄光のパルチザン指導者を歓迎する。指導者がゆっくりと舞台上に登場するとき、背景には太陽がのぼってコップニは丁重に野の花を捧げる。

北朝鮮は自国の革命史のルーツが植民地時代の満州の朝鮮人流浪民集団にあるとさまざまな芸術を通じて描写している。『花を売る乙女』や『血の海』のような北朝鮮の代表的な革命歌劇と「アリラン公演」のような大集団体操は、日本帝国主義と親日地主の搾取のもとで辛酸をなめた朝鮮人の小作農民が指導者に従って植民地追放の苦痛に抗い、闘争すべく立ち上がった姿を描いている。キリスト教の旧約聖書に登場するエクソダス（Exodus, 出エジプト）に似た、農奴的な生き方から解放される救いの美学を見せるのだ。

パルチザンの指導者は慈悲深い父なる愛をもって、日本帝国主義の植民者権力による残忍な暴力で家族を亡くした孤児と流浪民に革命家族という新たな所属を与える。指導者の愛への感謝から彼らは民族解放という大義に献身するようになる。パルチザン活動は強い外部勢力に立ち向かう戦闘だが、彼らの間の絆は父性愛と親孝行で成り立つ家族愛として描写される。こうした演劇的な構成を通じて、北朝鮮というパルチザン国家は象徴的な養子縁組で結ばれた政治的家族関係にあることが目に見えるかたちで表現される[17]。

寒々とした劇場に集う観客が革命歌劇に没頭する現場を目の当たりにすると、理論でしか知りえなかった遊撃隊国家と家族国家、そして劇場国家の接点を体感できる。当時、北朝鮮は敵対勢力に取り囲まれ、抗日パルチザンのような「苦難の行軍」をしていると主張していた。すべてが行き詰まった状況にもかかわらず、華麗な革命歌劇を上演していたのである。いまだに腹を空かせた人びとが山のようにいる現実のなかで、彼らは植民地時代の「苦難の歴史」を現在進行型のものとして反芻していたのだ。

金日成は回顧録のなかで、「我々パルチザン隊員のような信念の強い者、意志の強い者だけが、敵の包囲の中にあっても未来を夢見ることができ、歌も歌い、相撲もとって楽観的に生きることができる」と述べた。[☆18] 革命の過程において楽観的であること、そして感性を失わないことは、それほどまでに重要だというのである。[★11]

公演が終わり、観客は潮が引くように静かに劇場をあとにした。しっかり着込み帽子とマフラーで身をかためた人びとが、戦時の灯火管制中のように灯りが消えた真っ暗な通りに、果てることのない長い列を作って徒歩で帰っていく。すっかり人気のなくなった道を走る私たち一行をのせた車のヘッドライトの光に「決死擁護」「総爆弾」「自爆精神」と書かれた巨大な赤い文字の看板が照らし出されていた。

「ここからソウルは遠くありません」

「ここからソウルは遠くありません。戦争になれば火の海となるでしょう」。昔、板門店会談で北側の代表がこう述べて、韓国社会が大騒動となったことがあった。挑発的な威嚇だが、数千基もの長射程砲が狙う射程内にソウル首都圏一〇〇〇万人以上の住民が住んでいるのだから事実には即している。二〇一六年、韓国政府が開城工業団地から撤収し戦争の危機が高まった際に、ソウルを訪問した海外のビジネスマンは「ところで、なぜＤＭＺ（非武装地帯）のすぐ南に巨大な新都市を開発しているんだ?」と首をかしげていたという。南北の政治権力の敵対的共存関係を理解するのは簡単なことではないだろう。

北朝鮮の長距離ミサイルは、国際的な攻撃武器であり外交の道具である。海を越えて日本を飛び越したテポドン発射を契機に生まれた国際社会の危機感は、大陸間弾道ミサイルの発射実験により最高潮に達した。国際社会がまさに戦争が起こるのではないかと驚き慌てふためいていたときにも、韓国社会の緊張感は相対的に低かった。すでに数十年にわたってこのような危機の中で暮らしてきたからだ。

韓国は大砲がいちばん怖い。今さら大陸間弾道弾に驚くことはない。北朝鮮が本気で破滅を覚悟すれば、長射程砲と短距離ミサイルだけで韓国の情報通信網は破壊できるだろうし、各地の原子力発電所も狙われれば原発事故以上の大惨事を招いてしまうことは容易に想像がつくだろう。韓国社会は細かく有機的に繋がっているので、部分的に破壊されただけでも深刻な打撃を受けるが、北朝鮮のような比較的独立した単位で動く社会は、外部からの攻撃だけでは崩壊しづらい。

こうした状況で「国民が三日耐えれば、北朝鮮の核心地を爆撃して戦争を勝利のうちに終わらせることができる」という韓国の報道関係者の物言いは、無知どころか危険である。[☆19] 韓国内で政治パフォーマンスとしての物言いならば痛快に聞こえるかもしれないが事実は異なる。北朝鮮という遊撃隊国家の本質について無知であることを晒す言葉だ。平壌に爆弾をひとつ落としただけで、彼らはこれまで受けてきたすべての教育と宣伝内容が真実であったと確信して最後まで抵抗するだろう。そんな戦争における勝利とはなんだろうか。

3　広く、深く、静かな飢え―大飢饉の傷あと

北朝鮮の飢饉は、一九九五年と一九九六年の度重なる洪水と日照りによる被害をきっかけに外部に知られることとなった。しかし、飢饉のさらに根本的な原因は、一九九〇年から始まった「社会主義兄弟国」間の「物々交換《バーター》」方式の国際経済体制の崩壊によるものだ。すなわち、他の社会主義国家に工業製品を輸出し食糧とエネルギーを輸入してきた北朝鮮が、これ以上友好的な取引に頼れなくなったことが決定打だった。アメリカとの対立によって世界の貿易ネットワークから疎外され、国際的な信用決済能力もなく外貨保有もない状態で、不足した食糧とエネルギーを外国から購入することはできなかった。これに加え、政治・軍事的に外部から圧迫を受けて孤立させられた状況が飢饉の規模をさらに大きくし、長期化させた。

北朝鮮の飢饉は、広く、深く、静かだという特徴がある。[☆20]「広い飢饉」とはいわゆる「社会主義飢饉」であり、社会統制の徹底した国家において大部分の構成員が秩序を持って限界の栄養状態に近づいてしまう状況を言う。部分的で一時的な支援では取り戻せない、集団的な犠牲を生み出す。こうした「広い飢饉」は全国民を対象に相当な期間、大規模な食糧支援を行なって栄養状態を好転させる以外に効果的な道はない。「深い飢饉」とは、天文学的といえるほどに傷が深く、被害が長期化する状態である。大抵は食糧需給の構造的な問題からすでに極限の栄養状態におかれている人びとが、自然災害などにより最悪の食糧危機に直面することで発生する。特に子どもの場合、被害の広がる速度はたいへん早くその傷も深いため支援時期を逃してしまいがちだ。「静かな飢饉」は、外部と遮断されているために、ろくに知られずに進んでしまうことを意味する。被害国家が政治的な理由から飢饉の

実状や被害規模、支援プロセスをきちんと外部に知らせないため、被害がさらに深刻化する。こうして地球上で経済的に最も豊かな地域のひとつである東アジアの片隅に、長期にわたる深刻な飢饉で一〇〇万人以上の大量餓死者が出る惨劇が発生していても、周辺国はきちんと状況を把握したり助けたりすることができなかった。

社会主義飢饉―分断体制の対応

北朝鮮で飢饉が本格的に広がった一九九五年当時は、朝鮮半島もドイツのように突如として統一するだろうとよく言われていた。韓国社会は建国以来初の豊かさを味わっていた。ＩＭＦアジア通貨危機に見舞われる前、全国各地には肉を焼く煙が立ち込めていた。食べきれずに廃棄される食物が年間八兆ウォンを超すという統計が初めて出た。そんな折、洪水被害から外に知られ始めた北朝鮮の食糧難は、飢餓に苦しみ病気になる子どもたちの姿を通して自分事として突きつけられることとなった。苦しむ北の子どもたちが不憫で、とにかく少しでも支援物資を集めて送らなければと素朴に私は考えた。

分断があまりに普遍的なものだったため、ごくあたりまえの人道主義に基づく取り組みすら難しかった。当時の金泳三政権は、対北交渉力を高めるために民間レベルのオープンな募金活動を禁止しており、支援したい思いを単純に実行に移すのは困難だった。政府の立場は、民間団体が「秩序を持っておとなしく」募金したものを託せば、大韓赤十字社が北側と適切に交渉し代わりに支援してくれるというものだった。しかし実際には、政府は様々な理由をあげて民間が募った物資をまともに支援できないようにしていた。

大韓赤十字社が発表した緊急支援の成果は、一九九五年の洪水被害を被った新義州《シンウィジュ》地域にラーメン一〇万袋と毛布数千枚を支援したというものであった。当初は民間募金と比較にならないくらい大規模な政府レベルの支援がなされたように思われた。しかしよく考えると、新義州地域だけでも被災者が二〇万人以上いるというのに、被災者の半数が一回食べればおしまいという数の支援にすぎなかった。それにもかかわらずメディアでは軍事転用されるだろうという警戒の声が高かった。長い分断と敵対のなかで根深く内面化してしまった被害意識を知る契機となった。

飢饉の被害状況を知るため、私たちは北朝鮮現地ですでに支援活動を始めていた国連の五機関が作成した「対北緊急食糧支援要請書」を入手して検討を始めた。国連資料では北朝鮮の危機の規模がたいへん大きく、人口全体に及ぶほどに「広く」、時々刻々とその傷が「深まって」おり、外部とは遮断された状況で「静かに」進行している状況が報告されていた。

飢饉の被害状況に対する実証研究としては、中国との国境地域で脱北難民を長期間調査してきたNGO「良き隣人たち（グッドフレンズ）」の報告書や、アメリカのジョンズ・ホプキンス大学の公衆衛生研究所の死亡率実態調査などがあった。調査対象となった脱北難民の八割が咸鏡北道出身であり、その結果をそのまま拡大して推計するには限界があるが、少なくとも一〇〇万人以上が飢饉の犠牲となっており、民族史的にも大災難に直面している事実は明らかであった。★12

北朝鮮当局の死亡者に関する公的な言及は、一九九五年から一九九八年までに二二万名が死亡したという発表のみである。☆21 情報伝達が円滑ではない北朝鮮の体制の特徴からかんがみて、体制の権力者も大飢饉の総体的な真実を知っているとは思えなかった。★13 閉鎖的な社会の情報流通は外部に対しての み統制されているのではなく、内部でも歪曲されやすい。しかしながら二二万人が「餓死した」と発表するほどだったわけで、それだけでもどれほどおぞましい大災難だったか想像できよう。外部からはそのような犠牲すらまともに実感することはできなかった。

飢饉の比較的初期にあたる一九九六年五月、国連の五機関は北朝鮮の五歳以下の乳幼児五名のうち一名に成長障害の危険があると警告した。国連は毎月一〇億ウォン規模の子ども向け栄養補助食品とビタミン、経口補水液などが緊急に必要だと要請したが、韓国をはじめとする国際社会はこうした支援要請にもろくに対応できなかった。一年後の一九九七年五月にはすでに乳幼児二人に一人が発育不全状態となり、栄養食品どころか本格的な治療薬支援が必要になった。[☆22]

しかし、飢饉の被害が急激に広がっていたさなか、一九九六年秋に日本海で起きた潜水艦事件を契機に金泳三政府は赤十字社を含めたすべての民間団体による対北支援事業を凍結し、すでに集まっていた支援物資の送付まで妨げた。[★14] 韓国の民間団体は、北の子どもたちに送る粉ミルクと食糧を集めたものの、国内政治の介入で支援ができなくなった。一日一日を失意のうちに過ごしながら、私は分断政治の冷酷な現実を骨身にしみて味わった。[★15]

北朝鮮の飢餓が最も深刻だった一九九五〜九八年に、韓国社会が当時の経済力に比してあまりに消極的な対応をした背景には、飢饉によって北朝鮮体制が早晩崩壊するだろうという期待があった。[★16] いくら悲惨な飢饉が進んでいようと、その飢饉を発生させている体制がそのままなら支援はその悲劇を延長させるだけであり、体制が崩壊するのを待って（または積極的に崩壊させて）それから支援しようという論理であった。今になって振り返ると、こうした対応には「飢饉」に対する無知もあった。いくらひどい飢饉であっても飢饉自体が体制を崩壊させることはない。おなかをすかせた人たちは、権力に抵抗する力も余裕もないからだ。世界のあちこちで発生した「飢饉」に対する研究が共通して明ら

かにしている事実である。[☆23]
特に社会主義国家では、相当な規模の飢饉であっても体制自体には大きな影響はない。[★17]人口移動と情報交流が厳格に統制されているからだ。最近になってようやく被害規模が明らかとなった中国の大躍進運動期の大飢饉の場合、死者だけで約三〇〇〇万人に達していたという。しかし当時、政治体制はもちろん権力構造にさえ影響を及ぼすことはなかった。[☆24]こうした悲劇を招いた最高責任者である毛沢東の肖像はいまも天安門広場にかかっているし、すべての貨幣に印刷されて中華人民共和国の象徴となっている。ただ大飢饉の経験が長期的には中国共産党の政策を変化させ、鄧小平による改革開放を可能にしたという分析が出ているだけである。[☆25]社会主義飢饉を理解できれば、北朝鮮の飢饉や脱北をすぐに体制崩壊の兆候と結びつけるのは冷戦意識から生まれる一方的な期待にすぎなかったという事実がわかる。[☆26]
大きな被害を受けてもびくともしない体制が発信する、矛盾したイメージのせいで私たちはさらに混乱をきたす。栄養失調で骨と皮だけになった子どもたちの写真と対照的なきれいな服を着た幼稚園の子ども、闇市場で道端に落ちた食べ物を拾って食べるコッチェビの姿と数万名の子どもたちの活気に満ちたマスゲームの光景といった対比が、北朝鮮の飢饉に対する私たちの認識をかく乱する。どちらが事実なのだろうか。飢饉は起きているのかいないのか。起きているが峠を過ぎたのだろうか、それとも起きているところもあるが大丈夫なところもあるのだろうか。現実問題として支援活動が引き続き必要なのか、それとも開発協力のような別の対応が求められているのだろうか。飢饉の事実に対する判断は難しかった。
このような状況で、北朝鮮の飢饉に関わる意義深い統計調査の結果が出た。北朝鮮当局と共同で飢饉の支援活動を実施してきたユニセフと世界食糧計画（WFP）、欧州連合（EU）が一九九八年八〜九月に生後六か月から七歳の子どもたちの栄養状態と成長発育に関する無作為標本調査を行った。その結果、子ども全体の六〇％が慢性的な栄養不足による発育不全状態であり、一二〜二四か月の子どもの三〇％が離乳食不足で栄養失調、一二か月以下の乳児のうち一八％が母親の栄養不足による栄養失調であることがわかった。この状況なら、罹患率と死亡率が高くなるのは必然である。

一方でこの統計は意図しないところで、ある事実を私たちに示していた。北朝鮮の子どもたちの全国的な平均身長を韓国の子どもと比較したところ、七歳の子どもの場合ですでに一二センチの差が出ていたのだ。同年齢の韓国の子どもと成長発育状態を比べた際に、今後画期的な栄養供給がなければ思春期には二〇センチほどにまで差が開いてしまうことが推測できた。これが人口学から見た平均差だとすると、個人が日常生活で体感する差はさらに大きくなることだろう。マイノリティ差別問題を研究していた人類学者としては、たいへん衝撃的な事実だった[☆27]。

人類学的に言えば、背が低いことは豊かではない環境にも適応できることを意味するので、それ自体は問題ではない。しかし、南北交流が始まったとなれば、これほど明らかな目に見える体型差は長期的にみると複雑な差別問題を引き起こすことにもなりかねない。特に身長や外見への関心が強い昨今の韓国文化のなかでは、差別を受ける可能性がかなり大きい。「社会的烙印」のような心理的抑圧の要因にもなりうる。そうでなくても社会経済的に差の大きい南北間の次世代は、こうした大きな身体差によってどんな困難にぶつかるだろうか。

大飢饉の傷は身体だけでなく、行動、情緒、社会性などにも複合的な発達問題を引き起こす。成長期に直面した栄養失調とそれを原因とする病気によって、一生残るような障がいを持つことになる可能性も高い。飢饉によって障がいを負った本人だけでなく、家族と社会の負担も莫大なものになるだろう。政治的には統一を主張しながらも、統一後にともに生きる人びとの傷をさらに深めている現実はもどかしいばかりだった。

北朝鮮の飢饉に関する統計的な報告内容を、現場で具体的に確認する必要があった。現地に行くことが難しいため、中国にいる脱北難民に直接会うことを試みた。飢饉の支援活動のためにともに研究を重ねてきた文化人類学者、自然人類学者、心理学者、栄養学者、医師、教師、NGO関係者など、多様な分野の専門家が一九九九年の夏から実施されたフィールド研究に参加した。中朝国境地域で出会った脱北難民が全身で伝える生の証言を通じて、文献資料だけでは理解しえなかった複合的な飢饉の被害状況を私たちは確認できた。

脱北難民—ポスト冷戦時代の流浪の民

飢饉にみまわれたのち生き残った人びとに直接会って、長い飢饉が彼らの身体と心に遺した傷を確認し、その窮状を聞くのは本当に辛い仕事だった。飢饉は進行中であった。それも、私たちのすぐとなりで、ゆっくりと、静かに、深まっていた。膨大な数の人びとの命を奪い、それよりもさらに多くの人びとに回復しがたい傷を残して広がっていた。☆28

延吉《イェンチー》で出会った一六歳の少年は、身長一三二センチだった。結核でせき込みながら、小川の橋の下で寝起きしていた。夏はまだマシだと言いながら、身体中を蚊に刺されてむずがっていた。年齢よりも大人びた表情で彼は物静かに語った。「豆満江のむこうで腹を空かせている家族のところに帰らなくては」と。何日か後には、二日間食べずに空かせたおなかにそれまで集めたお金をすべて飲み込んで、河を渡っていったと聞いた。

一八歳なのに変声期もこないと心配する青年と、成長が止まり、一二歳くらいの少年のように見える一七歳の少女にも出会った。長期の栄養不足で外見と実年齢との乖離がみられた。断片的な資料と統計から推測していた成育上の問題が、具体的な現実として目の前に現れたわけだ。青少年期なら、あとからでも安定的で集中的な栄養供給があれば、止まっていた成長も回復できるという研究結果もあるが、彼らのおかれた現実が画期的に変わる可能性はなかった。一人ひとりが切迫した状況におかれているのに、根本的に助けられる力が私たちにはなかった。

こうした成育上の問題は、子どもたち自身も敏感に感じ取っている。ある子どもが私におみやげに「背の高くなる薬」を買ってきてとねだるのを見て、横にいた別の子どもが「会ったばかりの人に、そんな高価なものをお願いするものじゃない」とたしなめていたこともあった。朝鮮戦争の時期に韓国社会にも路上にたくさんいた子どもたち（いわゆる戦争孤児）のように、彼らは幼いのに既に独立した生活者として、強靭さと成熟さを備えていた。

中国の延吉で出会った脱北少年は、北に遺してきた家族のためにお金を集めようとどんな遠路でもあきらめずに歩いて通っていた。こっそり隠れて汽車に乗り、瀋陽、大連、北京まで行ってきた子どももいた。そうした困難のなかにあっても、子どもたちには夢があった。「死なずに生き延びるのが夢」と大人びた話をする子がいるかと思えば、「ダンスのうまい歌手になりたい」という子もいた。「詩集が読みたい」と青白い顔で話す一六歳もいた。朝鮮族の家に隠れている子に、何か買ってもらえるなら何が良い？　と尋ねたときの答えだ。☆29
子どもたちを通じて知る飢饉の実状は惨憺たるものだった。彼らの多くは飢饉と病気で犠牲となった家族がいた。おじいさん、おばあさんがまず犠牲となった。孫たちに食べさせようと自分の食糧を減らしていったために死んでいった、と幾度となく聞いた。食糧配給は、一九九五年の大雨洪水の被害以前にすでに大部分の地域で有名無実となっていた。エネルギー不足で工場が稼働せず、咸興《ハムフン》のような工業地域の労働者と炭鉱の炭坑夫たちの被害が大きかった。

公的な経済体制がほぼ崩壊し、多くの父親は無気力になってしまったという。子どもたちの使う典型的な表現によると「堕落した（自暴自棄な）」父親たちは、酒とタバコにおぼれて病気になり、母親は闇市場で商売をしたり食糧を求めて遠くまで行ったりするようになった。親のうちひとりまたは両方が亡くなっていたり、家を出てしまったという子どもが多かった。飢饉による家族崩壊は想像を以上に広がっていた。こうした限界状態にあって、大きい子は口減らしのために家を出て放浪するようになったという。いわゆる「コッチェビ」である。

もちろん、全員が「コッチェビ」になるわけではない。子どもたちの証言によると、ある国境都市の場合、もっとも飢饉がひどかった一九九八年にも学校は大部分が運営されていたが、子どもの多くは出席できていなかった。先生すら食糧を得るのに忙しく、学校は名目だけ維持されている状況だった。統制された社会で子どもたちが脱北してもまた戻れたのはこのように慢性化した大量欠席の状況があったからだろう。

クラスの四分の一ほどを占める「余裕のある家（党幹部や外国に親戚がいる家）」の子どもたちは、それでもお弁当を持ってきて受験の準備をしていた。あとの四分の一は昼食を抜いても学校には一日中いて、四分の一は「偉大なる首領金日成将軍の幼少期」といった重要な朝の授業だけを受けて抜け、残りの四分の一はまったく学校に出てこない、あるいは既に飢饉の犠牲になっていた。

社会主義体制下での飢饉による被害は、平等ではなかった。配給制度がろくに機能しなくなっている大飢饉や戦争のような非常時には、国家が統制するすべての食糧（国内農産物、外国からの支援食糧、輸入食糧など）の供給がむしろ秩序を持って社会的な立場によって決定していく。つまり、重要軍事要員と官僚、戦略的に重要な都市の住民にまず供給される。国家にとって相対的に重要な人びととその家族を優先的に保護する政策なのだ。[☆30] 準戦時体制である北朝鮮の場合、食糧事情が悪化すればするほど、外部の目が届きやすい平壌のような中心部に支援を集中するため、周辺部との生存条件の差はさらに開いてしまう。同じ理論で、ひとつの地域の中でもそれぞれの人の総合的な重要性によって、限られた食糧はさらに不平等に分配されることになる。[★18]

よって初期に中国に脱北した人びとは、大部分が食糧配給制度の周縁部にいる辺境の炭坑夫、労働者、農民であった。その後、中国や韓国の豊かな生活を知って外に出てくる人が増えた。彼らの中には、階級の上下が大きく影響する配給制度のなかで懲戒処分を受けたなどの理由で排除された、または排除されるおそれがある党員、専門家、知識人もいた。脱北現象はそれほど、北朝鮮の食糧分配と深い関係性があった。

金日成が死去した一九九四年に、中国に近い咸鏡道から食糧配給が中断され始めた。食糧が不足したことで、安全保障の危機感におそわれた北朝鮮の指導層が、国家安保の観点から軍事境界線から最も遠い北部地方から先に犠牲にしたのだ。しかしこの配給中断の衝撃をきっかけに他の地域も自分たちの食糧確保にのみ専念するようになり、平壌をのぞく全国で食糧配給制度自体が麻痺した。飢饉の初期現象である社会パニックの始まりである。[☆31]

社会主義経済体制の根幹となる食糧配給制度がゆらいで、医療、福祉、教育といった社会体制の全面的な麻痺が広がった。外部の視線を意識しなくてはならない平壌だけが、かろうじて最低限稼働しているのみであった。生存のために動き始めた人びとによって、社会統制機能も弱化した。人口移動を止められなくなり、飢饉で苦しむ人びとが食糧を求めて中朝国境を越え始めた。「脱北難民」問題の始まりである。

同時期に、国境地域に暮らしていた中国朝鮮族数十万人が、労働力の不足している韓国で働き始めていた。人口学的に見ればその空白を脱北難民が埋めたとも言える。特に朝鮮族の村の若い女性が中国の大都市に働きに出たり、はじめから韓国に結婚もしくは仕事を探しに行くようになった。朝鮮族の農村地域に足りない労働力として、または配偶者として北朝鮮の女性に対する強い牽引力が働いた。[★19]しかし、不法滞在者として強制送還の対象にもなる彼女たちは、強制結婚と人身売買、労働力の搾取といった人権蹂躙にひたすら晒されることとなった。

「卑怯者よ、行くならば行け」

鴨緑江の河原で一群の人びとが川に向かって一列に並び、行進しているかのように両腕を左右に振って軍歌を歌っていた。「卑怯者よ、行くならば行け。我らは祖国を守るのだ」。振り絞った声が、川を越えて中国側にまで響いてくる。夏の夕方、暮色の迫る中国・長白《チャンパイ》にほど近い川で対岸の北朝鮮・恵山《ヘサン》に近い村を観察していたとき、こんな光景を目にすることになって胸が凍った。中国の朝鮮族の村に潜んでいる脱北難民に会ったとき、何人かが「韓国に行ったらアパートも提供してもらえるらしいが、祖国を裏切りたくない」と力を込めて話していた姿を思い出した。あれほど切迫した状況における彼らの「祖国」とは何であり、また「裏切り」は何を意味するのか。

当時北朝鮮の住民が国境を越えるということは、単にもう少し良い暮らしがしたいがための行為ではなかった。自殺かそれ以上の抵抗を示す行為だったと思われる。[★20] すでに半世紀以上も北朝鮮は国民をきわめて軍事的な遊撃隊国家の構成員として訓練してきた。その国家共同体を離脱することは卑怯な離反行為であり、反逆的な犯罪とまで国民に思い込ませている。発覚すればその処罰は個人レベルにとどまらず、家族と親戚にまで及ぶ。よって常に脱北難民はつかまって送還されることに想像を絶する恐怖心を抱いている。送還された後の自分自身の運命だけでなく、家族と親戚に対する懸念があるからだ。

　こうしたたぐいの恐怖心は、罪悪感と結びついている場合がほとんどだ。危険な山を越えてまず安全な場所で休み、食べものを口にすると、深刻な罪の意識にさいなまれる人が多かった。北朝鮮に残してきた家族が原因だ。国境を越えた自分の行動は卑怯な背信行為であるという思考からいつまでも逃れられない。こっそり帰って北朝鮮での生活を元のように取り戻したい衝動につき動かされて実際に行動に移す人もいた。いつ中国公安当局に不法入国者として捕えられ北朝鮮に送還されるかわからない状況下で、誰もが常日頃から恐怖にさいなまれているのである。

　恐怖心は彼らを極度に委縮させ、想像を絶する人権蹂躙を受けてもわからないほどに無気力にさせてしまう。清津《チョンジン》のある若い母親は子どもをしばし姉に預け、食糧を求めて中国に来た。国境を越えると同時につかまり、遠く離れたある農村で結婚できずにいる中国人に売られた。いわゆる「強制結婚」をさせられたわけだ。大金を払って買った嫁が逃げないようにと村じゅうの監視を受けるなかで、何か月もしないうちに妊娠した。身重の体では豆満江を渡って帰ることもできず、困っているうちに出産となった。その間にも清津にいる子どもが飢えて死んでいないかと心配で気も狂いそうだったが、生まれたばかりの子どもを抱えて戻ることもできず、結局子ども二人のうち一人は殺してしまったようなものだと泣いていた。今も見かけない車が村に入ってくれば中国公安が自分を捕らえに来たのではないかと心配で、子どもを抱いてトウモロコシ畑に駆け込んで夜を過ごすということだった。

延辺《イエンビエン》の道端をさまよっている脱北青少年のなかに、女子はめったにいない。子どもたちに聞くと、あたりまえのように「女子は国境を越えれば次々に消えていく」という。どんなに幼くてもしばらく連れ歩いていれば高く売れる商品になるのだという。実際に一三歳で国境を越えてきてすぐに四〇になろうかという男性に売られて一四歳で出産したと語る一六歳の少女に会ったこともある。彼女と似た経緯で母となった少女たちには何人も会った。一度売られて逃げ、また他の人につかまって売られ、また売られるという経験をした女性も多かった。★21

ある中年男性は、妻と娘とともに脱北して山の中に潜んでいたが、伐採の仕事を終えて戻ったところ、二人ともどこかに売られてしまい見つけ出すことはできなかった。収容所暮らしをすることになったとしても、北朝鮮に戻りたいという。むしろ妻や娘がつかまっていてほしい、北朝鮮に送還されていればまた会うこともできるだろうから、とため息をついていた。

こうした残酷な現実に際限なく向き合わされるフィールドワークだが、それを終えて延吉空港でパスポートを一度見せれば、飛行機に乗って二時間ほどでソウルに帰ってくることができてしまう。毎回、戻ってから数週間はむしろソウルでの生活に現実感がなく、茫然と過ごしていた。あの偉そうなパスポートを振りかざしさえすれば自分だけ逃れることができてしまう、そんな罪の意識に苦しめられた。

朝鮮民族の受難の歴史は終わっていなかったのだと心が痛む。歴史小説に出てきそうな満州とシベリアの流浪者の中に飛び込んで、また戻ってきたような感覚。過去半世紀にわたって別れ別れになっていた朝鮮民族の一方が、いまだに抗日遊撃隊のアイデンティティを強調し、中朝国境地帯で厳しい現実に向き合っている。すでに国境は私たちにとってそれほど意味をなさないものだ、と言うポストモダンの論壇に接すると、漠然と怒りが湧いてくる。韓国社会ではトカゲのしっぽを切るように、かれらを切り捨て自分たちだけ軽々とポストモダンの世紀に踏み入っていこうとする立場が大勢を占めているようだ。しかし、その現実を自分の目で直接見て感じた私に、それはできなかった。

4 「苦難の行軍」——災難と美化

夏の真昼の暑さが和らいで夕刻になっても、豆満江の岸辺の村にはご飯を炊く煙は見られなかった。かなり大きな村なのに人影すら見えず何の動きも感じられない。「飢饉が長期化しすぎてすっかり力の抜けた状態になってしまったみたいですね」中国側からともに見ていた韓国の支援団体のスタッフが低い声で言った。一九九九年の夏。豆満江を渡ってくる脱北難民の緊急支援をしながら、飢饉の状況をモニタリングし始めてはや三年という現場専門家の言葉だ。

北朝鮮の飢饉については、初期から今まで無数の証言が残されている。盗み、人食い、公開処刑といった地獄絵図から、極限状況であっても家族のために犠牲となり共同体のために奉仕したという英雄譚まで、多様な経験談と目撃談が続く。[★22] 同じ災難に見舞われているのに、起こる出来事がどうしてここまで異なるのか。地球上で起こった多様な飢饉を比較して、警戒、抵抗、脱力の三段階に整理した人類学的な飢饉研究を参考に、北朝鮮の飢饉の進行過程を整理してみた。[☆32]

飢饉の初期「警戒段階」では、飢えからくる不安が人びとを団結させる。地域と状況によって異なるが、飢饉が徐々に深まる初期には共同体的な利他性が高まるものの、欠乏状態が深刻になると消えていくという。北朝鮮の場合、配給が中断した絶望的な状況下でも飢饉の初期には被害者の間でお互いに助け合い分かち合う利他的な行動が多く見られた。☆33 食糧確保に迫られて動く人が増えたことで、他地域への移動を規制する社会統制が崩れた。流れ歩く人びとは、電車にぶら下がって移動し、駅や公共の場で眠ったりするが、危険な旅、不潔な宿、低い免疫力といった要因からその多くが移動中に命を落とす。ある脱北青年は駅前でコッチェビ生活をしていたとき、公安はトウモロコシの餅と引きかえに、野宿の末に亡くなった人の死体を毎日片付けさせたと証言した。★23

行動パターンの面からみると、平壌を除く大部分の地域が一九九六～九七年ごろには次の「抵抗段階」に入っている。次第に深刻化するエネルギー不足により、活動が減少して社会関係もむしばまれ、家族単位の生存のための結びつきだけが維持される。以前なら食べなかったものまで人びとは幅広く求めるようになり、それすらも熾烈な競争の対象となった。食糧があるところは競争と諍いの現場になった。盗みが増え、田畑や倉庫は常に見張る必要がでてきた。飢饉が長期化したことで、先を争って工場の機械と部品を外したり、電線まで切って売るといった公共財の破壊現象も現れた。

食糧難民列車
食糧を求めて窓のない列車に屋根にまでのぼって移動している。

一九九七～九八年から三段階目となる「脱力」症状が各地域で幅広く見られるようになった。家族すら崩壊し、各自が自分で自分を守らなくてはならない状況で、おなかをすかせた子どもたちは家を出て物乞いをし、盗みもするコッチェビ連を形成した。ときには飢えた子どもたちが大人よりも格段に無慈悲な行動をすることもあった。★24

飢饉が深刻化すると各自が自分の生存に命を賭けなくてはならないので、組織的な暴動や革命の可能性はむしろ低くなる。極限状況での剥奪経験と社会的な葛藤はむしろ、安定した社会秩序をのぞむようになる。既存権力が食糧資源を統制して強い権威を維持すれば、さらに服従の現象があらわになるという。一旦脱力段階に入ってしまうと、どんなに多くの人が集まっていても静かなのが特徴だ。私が豆満江の川岸で確認した奇妙な静けさは、その地域の飢饉が脱力段階にまで至る兆候であった。

「行く道は険しくとも、笑顔で行こう！」──飢饉と微笑

「行く道は険しくとも、笑顔で行こう！」。川向うの村の裏手にあるはげ山の中腹に、こんなスローガンの看板が立っていた。巨大な赤い文字が静寂に支配された村の奇妙さを増幅させていた。餓死者が続出する大飢饉のさなかに、どこに行こうというのだろうか。少し大きめの小川にすぎない豆満江を挟んだ中国の地に広がる、とうもろこしと大豆の畑の豊かな実りを横目に、なすすべもなく飢えている人びとの上に掲げられた「笑顔で行こう！」のスローガンは、虚しいどころか非情な冗談ですらある。極度の苦痛のなかにある人びとは、あのスローガンをどう感じるのか。いったい誰があんな残忍な看板を立てろと言ったのか。平壌で発行されたある冊子で、その内実を確認することができた。

大飢饉の時期に金正日が慈江道《ジャガンド》の熙川《ヒチョン》市の工場企業所を現地指導した際、ある企業所の建物の壁に

行く道は険しくても、笑顔で行こう
抗日パルチザンが「苦難の行軍」を笑って勝ち抜こうとする様を表現した革命画とオーバーラップさせて、大飢饉の時期の苦難を美化した絵、「慈江道《ジャガンド》の人びと」。

書かれた「行く道は険しくとも、笑顔で行こう！」というスローガンを見て、「とても良いスローガンだ。ほんとうに良いですね。労働者階級の革命的な浪漫と楽観主義が反映されたすばらしいスローガンです」と述べ、愉快そうに笑った。かれの屈託のない笑い声が国中に大きく響いたという。本で描写されたとおり全国各地にすぐこの看板が立てられた。[☆34]

少なくとも一〇〇万以上の人が飢え、病に臥せ、死んで行った大飢饉のことを、「苦難の行軍」という。本来「苦難の行軍」は、金日成が率いた満州パルチザン部隊が日本軍の討伐作戦に追われて一九三八年末から翌年の春まで長い長い行軍をしたことを意味する。敵の包囲網に閉じ込められて、寒さや飢えと戦いながら約一〇〇日間続いた脱出の過程は、金日成部隊が直面したもっとも過酷な試練であった。北朝鮮の歴史はその脱出過程を「苦難の行軍」と呼び、中国革命の「大長征」のような栄光の時期であったと記録した。[★25]

長編小説『苦難の行軍』は、パルチザン部隊員が寒さと飢えのなかで一合にも満たない炒った小麦粉をみんなで分けあって食べた同志愛、ひとつのトウモロコシを隊員に譲ってやった指導者の愛を詳細に紹介している。とうとう包囲網を脱したパルチザンは白頭山で太陽が昇るのを眺めて歓喜の声を上げ、次のように覚悟を決めた。「真に永遠に忘れることのできない瞬間であった。このような喜びのためならば、われわれの革命の隊列は再び先の冬のような長い試練の冬を一〇回、一〇〇回、さらに味わうことになったとしても、戦いの道、革命の道、自由と解放のための道を、笑顔で歩いていくことであろう」[☆35]。

大飢饉のなかで出現した「行く道は険しくとも、笑顔で行こう!」のスローガンは、まさにこうした革命の歴史から生まれたものだ。世界的な社会主義経済体制の崩壊後、敵対勢力に取り囲まれて封鎖の憂き目をみている北朝鮮の厳しい状況を一九三〇年代末の日本軍による討伐隊に包囲されていたパルチザンの運命になぞらえて強調しながら、指導者に対する信頼と同志愛があればその難関を克服できるという楽観的な信念をすり込むためのものだったのだ。

しかし「苦難の行軍」として美化された歴史的事件は、少数のパルチザン隊員が敵の包囲網を破って脱走した比較的短期間の出来事だ。鍛え抜かれた戦闘員の一〇〇日間の脱出作戦を、たくさんの国民がどうすることもできずに飢えて死んでいった五年にわたる災難と同一視するのは深刻な誤謬である。単に修辞的な問題にとどまらず、そうした誤った認識がもたらした被害は甚大だった。伝説的なパルチザンの英雄たちの生存原則を、老人と子どもを含めた民間人に当てはめてしまうというとんでもないことが起こった。すなわち、パルチザンの戦闘論理に従うかのように、飢えと闘争では民間人よりも軍を優先するという先軍政治の過酷な決定が下された。しかし実際のところ、パルチザンにとっては民間人が生存のカギだったのだ。敵の攻撃を受けた場合、彼らは民間人の被害を減らすためにすぐ村を出て山に向かった。そのような厳然とした誤謬は見過ごされてしまった[☆36]。

先軍時代の北朝鮮は、「遊撃隊国家」としては体制を維持して生き残ったが、建国初期から構築してきた「家族国家」としての理念と価値は根本から揺らぎ傷ついてしまった。何よりも父なる首領の政治的な子どもたち、つまり人民を犠牲にし、基本的な社会共同体である家族の生存を保障できなかったためだ。「苦難の行軍」と美化された時期は、「北朝鮮大飢饉」という民族史的大災難として歴史に記録されることだろう。

大飢饉を経験して、北朝鮮という国家と社会構成員の性格は根本的に変わってしまった。国家体制の外形は維持されたが内容面で変わってしまったし、過去のアイデンティティと飢饉後の新たなアイデンティティがないまぜになっている。大きな危機に見舞われながらも、異質な要素がぎこちなく共存する状態を、ジャレド・ダイアモンドは「モザイク」に例えている。[☆37] 大飢饉以後の日常生活については、つづく第七章の「底辺の流れ」のなかでこうした異質な要素が共存している状況を詳細に扱うこととしたい。

背のばし運動
栄養不足による成長発育問題を「背伸ばし運動（バスケットボール、なわとび、鉄棒ぶら下がりなど）」で克服しようと教える。

「背伸ばし運動」と「背が高くなる薬」―精神主義の限界

平壌のある幼稚園の廊下を通り過ぎた際、年長組の先生が大きな声で授業をしているのが聞こえた。黒板には大きな文字で、「背伸ばし運動」と書いてあった。大きな紙の掛け軸には、鉄棒ぶら下がり、はしごのぼり、バスケットボールといったような運動している絵が描かれていた。先生が俳優のような表情、演劇調の節回しで話している。

「オクちゃん、ぼくのほうが背が高いよなあ?」
「ちがうよ、きみのほうが低いさ」
「なんだと、ぼくのほうが低いって?」

「うん、背のばし運動を毎日やってるヨンスのほうがもっと大きいよ」

子どもたちはこれに倣って、一言ずつ大きな声で唱和している。

「みなさんのような小さい子どもは、背伸ばし運動をたくさんして、もっと大きくならなくてはなりません。みんな背が高くなって偉大なる領導者、金正日元帥に喜んでいただかなくてはなりません。みなさん、できますか?」先生が尋ねる。子どもたちはいっせいに短く叫ぶように「ハイッ!」と答える。満足に食べられず背も伸びない子どもたちに、もっと一生懸命運動してさらに大きくなれと教える教育の現場を見て、複雑な気分になった。

精神力と努力で物質的な限界を越えようと要求する、いわゆる「精神主義」は北朝鮮社会だけの特徴ではない。儒教文化の伝統を基調とした東アジア近代社会の普遍的な教育理念でもある。特に明治時代の日本は、近代的な国民教育を通じてなによりも誠実な努力と精神力を強調した。

文化心理学者キムヨンフンは、こうした現象を東アジア的な「努力シンドローム」だと述べている。「人は努力を通じて変われるという信念! たいていのことは努力すればうまくいくという信念!できなかったのは努力しなかったからだという信念!」こうした信念は私たちの生き方をより困難なものにしているという。これが問題となる理由は、ものごとは努力だけで解決がつかないものだからだ。それにもかかわらずいつまでも努力を強調するのは、ひとつの社会運営方式として、成果に対する責任、すなわちすべての失敗と悪い出来事に対する責任を、個人にかぶせることができるからだという[☆38]。

いくら「背伸ばし運動」を強調しても、「運動」だけで大きくなれないという事実は、誰もがわかっていることだ。中国・延吉の小川のほとりで野宿していた脱北少年に「背が高くなる薬」がほしいと頼まれたとき、韓国の観光客の子どもたちに比べてあまりに小さい自分の身体を、童話に出てくる「魔法の薬」で一気に大きくしたいという切実な表現だと感じた。しかし翌年、平壌で出会った医師や科学者も「背が高くなる薬」の開発事業について話していた。

「背伸ばし運動」と「背が高くなる薬」を探す現象からは、北朝鮮権力者層の科学に対する「呪術的」期待を感じる。ここで「呪術的」と表現したのは、食べられない子どもたちの背を大きくする運動や薬をつくるということは、無から有を創造しようとする中世の錬金術師の夢と同じだからである。もちろんそんな事業を課する権力側の熱望に、科学者がそこまで強く同意したとは思えない。権力そのものがこうした呪術的な熱にとらわれて専門家と子どもに精神主義と努力を強調するのは、責任転嫁としか思えない。

「たまごの滝があふれ出てくるようだ」―誇示の強要

北朝鮮の権力エリート集団は、経済や生活よりも政治的宣伝、扇動を重視した。食糧不足を改善するために基本的であたりまえの措置をとるよりは、画期的な方式で「一気に！」解決する姿を見せようと、目をひく政策に足りない資源を集中させる傾向があった。

大飢饉の終盤に大規模な土地整理事業が始まった。「機械農業の新たな歴史を創造するため」、代々築きあげてきた田畑を掘り返し、新たにまっすぐな農地をつくりあげるのである。機械営農できる未来を目指した大規模な土木事業が、人力しかない国で大衆動員により進められた。海外の食糧問題専門家は飢饉のさなかに進められた電撃的な農地整理事業に驚愕した。土地をさらに得られるとはいえ、代々引き継がれてきた田畑を掘り起こして新たな畑を作るとなれば、かなりの期間にわたって生産量は減少せざるをえない。

二〇〇〇年一月、金正日は「大規模ですっきりと整理された」平安北道泰川郡《テチョン》一帯の原野を眺め「これからは昔の地主が土地文書を持ち出してきて自分の土地を探そうとしてもできなくなりました。ハンドゥレ平野は社会主義国家の土地らしくなりました」と満足げだった。☆39「政治に比べれば経済は大したことではない」という平壌でよく聞く言葉は、このように実践されている。

「科学」と「技術」は金正日だけでなく後継者の金正恩も好む象徴的な分野だ。軍需産業は核兵器やミサイル開発のように選択と集中によってはっきり目に見えるかたちで成果を挙げた。農水産分野でも画期的な科学技術によって食糧を生産しようとした。彼らの現地指導は、平凡な食糧生産の現場よりも最先端の農水産施設に集中することとなった。

南北首脳会談で最悪の飢饉をしのいだ金正日は、二〇〇〇年九月に平壌の鶏工場（養鶏場）を現地指導し、ベルトコンベアーに載って運ばれてくる鶏卵を見て「まるでたまごの滝があふれ出てくるようだ」と言った。しかし、機械化された養鶏場をひとつ作って感動させるためにどれだけの資本と技術とエネルギーが必要なのか、またどれだけの人びとの食糧になりうる飼料が必要かについては言及しなかった。間もなく南北経済協力が本格化すると、北朝鮮当局は巨大な温室、工場型の畜産施設、養殖場など、資本技術集約型の農水産機械設備と生産施設の支援を積極的に要求した。こうした要求は、進歩的な機械化営農方式を誇示したいという韓国側の欲求にもぴったりであった。

こうして何年かが過ぎた二〇〇六年の秋、平壌を出て広い平野を走る車のなかから、ひょろりとした育ちの悪い穀物が実る田畑を見て複雑な思いにとらわれた。地力の弱くなった土地であることに加えて、肥料も不足しているのだから当然のことだった。干からびてやせた畑で育つ小さくて出来の悪い白菜や大根を見ていると、キムチだけでしのがねばならない長い長い冬が気がかりだった。

似たような状況下で、キューバのフィデル・カストロは国際社会主義経済体制の崩壊に端を発した食糧危機を克服するため、首都ハバナをはじめとする各地で環境に優しい有機農業を大々的に奨励した。これはキューバのオルタナティブ農業革命として知られている。二〇〇四年七月、キューバを訪問して都市有機農業の現場に行ってみた。それぞれの現場は素朴だったが活気があった。有機農業を社会的に裏付けるシステムを構築して、食糧危機に対して明らかな成果を挙げていた。肥料も農薬もない北朝鮮の農業のために、韓国の有機農業団体が持続可能な環境に優しい農法を支援しようとした。しかし、南と北の政治家と官僚は関心がなかった。どちらも画期的な食糧生産のかたちを見せつける高費用、高エネルギーの「科学技術」農法を望んでいた。

5　虫下しと栄養サプリ――飢饉救済と官僚主義の壁

飢饉が長期化すると、北朝鮮の住民は必死に野山を歩いて食物を探した。伝統的な救荒食品の知恵を思い出して草根木皮から栄養分をとり、しばらく食べられていなかった素材も創意工夫で食べ物にしつらえていった。こうした民間での実験レベルの生存戦略は、相当な危険と副作用を伴った。なかでも、嘔吐・下痢と寄生虫感染は頻繁に生じた。栄養失調で免疫力が落ちた状態では、こうした些細な症状でも悪化すれば死に至る。

「トンボ、イナゴ、カタツムリ、カエル、ガマガエル、ヘビ、ネズミ……」豆満江を越えてきた脱北青年が北朝鮮で捕まえて食べたものをざっと羅列した。食べられる実と花、山菜の種類についての知識もすばらしかった。なじみのあるものもあれば、耳慣れないものも多かった。私も子どもの頃、野や川を歩きながら、イナゴ、カエル、ザリガニ、貝くらいはとって食べたことがあるので、ある程度は理解できた。しかし、こうしたものは食べればさまざまな種類の寄生虫に感染するのは避けられないと専門家は指摘する。一九六〇年代に学校で義務的に飲まされた「サントニン」という虫下しを思い出す。目が回って気分が悪くなり、空に黄色い点が見えた記憶、便にまざって出てきた回虫は誰がもっと多かったか、互いに数を誇張して友人たちと競った記憶もよみがえってきた。

　北朝鮮ではどうやって対策を進めているのか。脱北少年のなかに虫下しを飲んだことのある子どもはいなかった。脱北した医師に聞いたところ、飢饉前には虫下しの供給があったが、効能が弱いため刺激を受けた回虫が腸を破って出てきてしまうといったひどい副作用があり、投薬は難しかったという。そう考えると、韓国でも同じように虫下しの副作用が問題になったときがあった。寄生虫の専門家にこの状況を知らせてアドバイスを求めた。最近韓国で使われている虫下しはかなり進歩していて、一年に一錠飲むだけでもほぼすべての寄生虫を撃退できるほど薬効は強く副作用は少ないという。製造原価もとても安価だ。これを北朝鮮の住民に供給できれば、寄生虫に奪われてしまう栄養分の一二〜一五%を抑えることができ、寄生虫感染による致命的な病気も予防できる非常に効果的な支援となりそうだった。

　自信を持って北側の代表に虫下しの供給計画を説明すると、断固として拒否すると即答された。「わが共和国にはそうした汚らわしい問題はありません。衛生は徹底しており、予防医学も発達しており、そういった問題はないので二度と口になさらぬように」。到底納得できず非公式な場で説明を重ねて真意を尋ねたところ、国家の体面を損なう物品を受け取ると、問責される可能性があるという。呆れた話である。官僚的な保身主義はどこにでもあるものだが、接触ルートが限られており相互に不信を持つ状況では解決の糸口を見つけるのは困難だった。

どうにも諦めがつかず、彼らが受け入れられそうな新たな提案方法を考えてみることにした。「栄養増進剤！」。一年に一錠服用すれば、一二～一五％の栄養増進効果がある新たな薬だと紹介して、サンプル包装を再度試みた。もちろん原料の薬品成分はそのまま表記し、駆虫効果があるという点も並べて明らかにした。

「この薬なら受け取れます！」。翌年会った北の代表は、にっこり笑って喜びをあらわにした。成分表示を見た北の医師は薬品の内容をすぐ理解した。「あぁ、メベンダゾール！　これは強い薬だね。私たちも作れるけど量が足りないから、支援してくれれば受け取れます」体面を守るために口ではそう言いつつも、心から感謝しているという表情でこちらを見て深くうなずきながら、独り言のように低い声で付け足した。「一年に一錠で駆虫できるなら、それはすばらしいですな」

ひっそりと支援しようというこちらの趣旨を理解してくれた製薬会社の後援により、二〇〇〇年から二〇〇三年までの三年間、あわせて三七〇〇万錠の「栄養増進剤（虫下し）」と二〇〇〇万錠の抗生剤を北朝鮮に供給した。二〇〇四年二月、北の保健省はそれらが九つの道と三つの市にすべて分配されたことを確認してくれた。[☆40]

「虫下し」改め「栄養増進剤」の供給事業は当時、対外広報を自制したために広くは知られなかった。北としても国家の体面に関わると思ったのか、とくに認めたがらなかった。しかし、飢饉の被害現場により近いところで問題が深刻だと感じていた私としては、最も誇るべき支援活動であったと考えている。ある脱北青年が咸鏡北道の山間の闇市場《ジャンマダン》で「栄養増進剤」を売っていたとの目撃談を伝えてくれた。どんな経路でどうやって普及していたとしても、虫下しはたしかに北朝鮮の住民の間でひそやかに広がっていたのである。

「咸鏡道の子どもたちに南海《ナメ》のワカメを」

「山間地域の子どもと妊婦のヨード不足問題が提起されています」。平壌で北の医師たちとの会議で若い研究者が述べた。子どもの栄養発育問題を把握し支援したい韓国の専門家の思いを受け取ったのか、突如出てきた言葉だった。すぐに問題の深刻さを感じ取った。

乳児期のヨード欠乏は甲状腺ホルモンの問題を引き起こし、頭脳の発達と身体発育を妨げる。また、妊婦のヨード不足も流産や早産の危険を高め、胎児と母乳をのむ乳児の脳損傷を誘発して聴覚障害や発育遅滞の原因となる。一度問題が生じると、年をとってから栄養を補い治療を試みても、頭脳の成長と身体発育の損傷は回復しない。産婦にワカメを食べさせるのは、こうした問題を予防する伝統文化の知恵だった。

南の専門家は現地で緊急会議を開き、山間地域の子どものヨード欠乏問題を優先的に解決しようとした。しかし次の会議に、この問題を提起した研究員は出てこなかった。「教育に行った」という。その研究員は新たな事実を漏らしたわけではなかった。すでに二〇〇二年の欧州連合、ユニセフ、北朝鮮当局の共同調査の時点で、山間地域の児童のうち一九％が深刻なヨード欠乏状態にあることが報告されていた。しかし飢饉に関する様々な問題に埋もれてしまい注目されなかった。ソウルに戻った私たちは、政府の関連部署と各界にヨード欠乏問題を知らせて支援方法を模索したが、支援項目からはいつも漏れていた。政権が変わり、南北関係が冷え込んでこの問題は忘れ去られた。

そして一〇年が過ぎた二〇一二年のはじめ、脱北青年の教育を担当する教師がため息をつきながら訴えた。「最近来る子どもたちは、とても深刻な学習障害を抱えている場合が多いんです。以前おっしゃってた乳児期のヨード欠乏の後遺症じゃないでしょうか?」。これまで教えてきた子どもたちは、発育に問題があっても認知能力には問題がなく、内容を理解して学んでいたという。しかし二〜三年前から、どんなに説明しても理解できない認知障害をもつ子どもたちが出はじめた。一九九四年生まれの一八歳の青年が、一キロメートルが一〇〇〇メートルなら二キロメートルは何メートルになるか全く予測できず、ただぼんやりとこっちを見ていた。単に学習経験が不足していた以前の賢いコッチェビ出身者とはあまりに違うので、もどかしくもあった。そうした子どもたちは大抵の場合背も低く、簡単に疲れたといい、体もひどく貧弱だという。

「あぁ、とうとうそういう子たちが来るようになったか」とひどく落ち込んだ。この子たちが今後生きていくつらい人生を思うと、目の前が暗くなった。ヨード欠乏だけでなく、鉄分、亜鉛などの必須栄養素の不足は、ワカメ、海苔、昆布のような海藻や天然塩を少し食べるだけでも満たせる。そうした問題を解決できずに一〇年がたった今、その影響を受けた子どもたちが一五〜二〇歳の青年となって私たちの目の前にいる。いてもたってもいられない気持ちで、南海のワカメを咸鏡道の子どもたちに送ろうという新聞コラムを書いて緊急支援を進めようともした。

「ヨードは必須微量栄養素なので、ごく少量不足しただけで致命的な障害を引き起こす。同時に、ほんの少量供給するだけで十分だ。解決法は簡単だ。南西海岸は海藻が豊かなところだ。乾燥させた海藻は安価に入手でき、運搬もしやすく、長期間保管できる。軍事的な意味もない。南海岸のワカメ、西海岸の海苔と塩を咸鏡道、平安道の山奥に送ろう。この地で私たちはお互いに助け合って生きていかなくてはならない。南北の自然と人びとの誠意を全身に受けて育つ健康な子どもたちを、ともに育てよう」[☆41]。私の素朴な願いは実現できなかった。

こんな状況にもかかわらず核実験までして、子どもたちにほんの少しあれば十分な必須栄養素すら与えることのできない北朝鮮の権力層は、痛烈な非難を受けて当然だ。だが、それならば韓国の大人はこの間、子どもたちのために何ができたのだろうか。この問題については南も北も政府当局者はすでに知っていた。二〇〇三年の春から専門家たちは簡単にできる解決方法を提示して、すぐに進めるように促していた。しかし大きな政治をおこなう大人にとって、小さな子どもの必須微量栄養素の問題は緊急でも重要でもなかったようだ。大きな問題が解決すれば自然に解決することだと大口をたたいていた。そうこうしている間に二〇年がたち、子どもは障がいを持ったまま育った。政治のせいとだけはいえない。南と北の官僚主義は、与えることも受け取ることも常に体面が最優先であった。韓国の民間団体も、権力が要求するような目に見えやすい、大きなプロジェクト、大きな建物、大きな行事を優先した。

韓国の政治と官僚主義にも、北とは異なるむずかしさがある。李明博《イミョンバク》政権はメディアを通じて「人道主義的支援」は妨げないと常に主張していた。しかしすべての物資を準備したのち政府の許可を受けようとすると、あれこれ理由をつけて新たな書類を追加提出しろと要求される。ひどいケースでは、四〇回以上も再申請させられたことがある。結局、最終的には提出不可能な資料を要求されたり、南北関係を言い訳にしてとにかく保留にされた。仁川《インチョン》港の倉庫に留め置かれていた北朝鮮の乳幼児向け調整乳の原料や下痢の薬、リンゲルなどは、有効期間を過ぎて廃棄処理しなければならなくなるまでそのまま放置されてしまった。多くの韓国の人たちの心配と真心は、こうして道半ばで阻まれたり捨てられたりした。その間に多くの北朝鮮の子どもたちが倒れ、痩せ衰えていった。この小さな子どもたちが直面している深刻な問題は、切実な気持ちで熱心に努力しない南と北のすべての大人のせいだ。私のせいなのだ。

ヨード添加塩と国連機関

南北関係が手詰まりとなっているなかで、開かれている唯一の道は国連機関だ。世界食糧計画やユニセフなどは平壌に常駐事務局を置いており、北朝鮮全域に食糧支援の配給制度を構築したという。当時の潘基文《パンギムン》国連事務総長は、南北関係が活発だった盧武鉉《ノムヒョン》政府の外交通商部長官出身であり、対北支援事業に対する理解もあったという。ハンファグループ〔韓国の財閥のひとつ〕が、ヨード成分の多く含まれたオーストラリア産の天日塩五〇〇〇トンを提供しようとした。国連機関が供給ルートとなってくれれば、一〇〇万家庭に五キロクラムずつ天日塩を供給できる量だった。メディアに知らせず虫下しを支援してくれた企業がまた、こっそり緊急支援の趣旨を理解してくれたので、とても心強かった。

問題は国連機関の担当者であった。驚いたことに、「受け取れない」という。事務総長室の協力も受けて何度も合意を進めようとしたが、結局確保した塩は送れなかった。実務協議のさなかに担当者がひと月ずつ休暇に出かけたこともあったし、自分の任期中には仕事は受けたくないとでもいうように、のらりくらりと先延ばしにして次の担当者とまた初めから協議をしなければならなかった。塩よりも金で支援しろという話ばかり繰り返された。現物より現金を好むのは北朝鮮の官僚も似たようなものだ。最終的な答えは、「支援量が多すぎて、受け取れない」というものだった。あまりに多すぎるとは！　噂に聞いていた国連式の官僚主義にまさにぶち当たった瞬間だった。国連の職員は精錬された外交官のようだった。現場よりも会議を重視していた。会議を重ねても事業は進まなかった。そして誰も責任をとらなかった。

世界食糧計画とうまくいかなくなった事業を少しでも前進させたい思いで、ユニセフに接触した。平壌駐在のユニセフ担当者はこの問題を知っていた。二〇〇二年の調査の際に一九％だったという五歳以下のヨード欠乏の子どもが、二〇〇九年の調査では二六％にまで増えたという事実も教えてくれた。天日塩と海藻類不足の問題が解決できず、新たにヨード添加塩工場を設置したが、原料と電気供給が円滑でないためにまともに稼働していないという。とりあえず問題のある工場がきちんと動くように、設備と原料を供給できる方法を準備して関係部署と協議したところ、今度は韓国の官僚が許可しない。途方に暮れた。問題の深刻さを知りながら、解決方法を準備しても常に官僚主義の壁に阻まれて実現できないことが繰り返された。政治体制の問題だけではなく、今日の国民国家と国連機関が構築してしまった官僚体制の非人間的な特性と限界を痛感することとなった。

二年後の二〇一四年、ソウルでユニセフ平壌事務所からきたという若い職員に会った。平壌で新たに実権を握った若手の幹部たちに山間地域の子どもたちのヨード欠乏問題について提起し、ヨード添加塩の事業の必要性を教えてやったと自慢していた。これまでこの問題に関してどんな経緯があったか何も知らないようだった。それでも当時作成してあちこち送っておいた書類が、思いがけないところで考えもしなかった方法で使われている事実を確認できた。それだけでもよかったと思うべきか。

平壌の若いエリート官僚はこうした事実を知ったら、核ミサイルを開発して高層ビルを建設しながら山間地域の子どもたちの成長と発育のためにこんなちっぽけなことをしてくれるだろうか？　韓国においても、開発独裁時代の政策の優先順位は似たようなものだった。一九七〇〜八〇年代まで社会福祉、特に社会的最弱者層の生活福祉は常に後回しにされてきた。ソウルのタルドンネ〔貧困地域〕と河川敷の無許可住宅地の生活条件は最悪だった。一九九〇年代初期になってもソウルと地方学生の身長には格段の差があった。

二〇一六年に豆満江を渡ってきた脱北青年が大学のキャンパスに私を訪ねてきた。行き交う女子学生たちを顎で示しながら、私に聞いた。「あの子たちは何を食べてあんなに大きくなったんですか？」。彼は「苦難の行軍」さなかの一九九七年に咸鏡北道の山間地域で生まれていた。

「民族とはなにか？」

脱北してソウルに来て一〇年ほどになるハナドゥル学校出身の教え子が、フェイスブックに「下着に勝る親孝行はない」という文をアップしていた。北極からの寒波がおりてきて何日も厳しい寒さが続いていたころだった。アパート育ちの韓国の青少年にはなかなか考え付かない言葉だろう。北に残してきた家族を想っているのか、したくてもできない親孝行について幾度も考えたのか、その気持ちが伝わってきて、目頭が熱くなった。☆42

これほどの厳しい寒さは豆満江の近くで体感したことがある。九〇年代末のある冬、中国の図們市を訪問したときだった。みすぼらしいなりで咳をしながら中を覗き込んでいる子どもがいたので入れてやった。咸興《ハムフン》からやってきた子であった。中学生ぐらいに見えるが年齢は一八歳で、すぐ軍隊に行くことになるだろうと言っていた。病気の父をそのままおいて入隊することもできないので、アメリ

大韓民国のコメ
配給された支援食糧を自転車で運ぶ住民〔袋に「大韓民国」の文字がある〕。

カに住む叔母に助けを求めようと一週間前に川を越えて来たという。一・四後退〔ソウル会戦。一九五一年に中国軍の参戦により連合軍が前線を一気に南下させた時期〕の際に南に行った叔母は、今はニュージャージー州でクリーニング店をしているという。朝鮮族のブローカーの助けを得て何回か電話をかけ、急いでお金を送ってくれと言ったが断られたという。お金を受け取れる展望もなく、家も追い出されて道端で三日ほど過ごしたところで風邪をひいたのだ。

「家族なんてこんなもんかな?」熱で火照った顔で言いにくそうに一言ずつ言葉を絞り出しながら、大人のようなため息をつく。北の宣伝とは違ってアメリカや韓国が豊かだとわかっていながら、腐敗した国家よりもすぐに助けてくれない豊かな親戚のほうがさらに恨めしいようだった。こんな「家族」は到底理解できないと細かいことまで話してくれた。昨年の夏にアメリカに住む叔母たち三人が延吉まで来て兄と会い、これからも白頭山観光でまた来ると約束した。身体も悪い父親が、会いに来るくらいなら、その旅費を生活の足しにさせてくれと言ったところ、それからは電話もとってくれなくなったという。「豆満江を越えてきたことで、豊かな中国、さらに豊かな韓国についても知ったが、自分は病気の両親と大変な思いをして暮らす「家族」がいるからすぐに帰らないといけない、と言っていた。

温かい雑炊《クッパ》をおごってやり、ふと見ると靴下の前とうしろに大きな穴があいていた。ちょうど何枚も履いていた靴下を一組脱いで彼にやった。一晩中冷たい北風が吹きつける豆満江に出ると、痩せた体には薄っぺらいジャンパーがだぶだぶに見えた。着ていたセーターも脱いでそれもやった。父から亡くなる前にもらったプレゼントだったので、ちょっと迷ったのだが。

漆黒のあの晩、病身をおして凍りついた豆満江を越えていったあの子はどうしただろうか。生き延びていれば両親のもとに戻って人民軍にも入隊しただろう。あの子の咳を思い出すと、あの晩私が着ていた厚いパーカーを脱いでそれもやればよかった……という後悔が押し寄せる。

寒い日には、さらにひどい寒さのなかにいるであろう北朝鮮の人びとのことが思われる。薪もなく、木の根を掘って運ぶくたびれ果てた行列を思う。栄養不足ではちょっとした風邪も致命的な病気になりうる。彼らにとって寒さは単なる苦痛の問題ではなく、生死の問題だ。政治戦略と人道的な支援は別次元のものだ。戦闘中であっても、敵軍の負傷兵を救うところから赤十字運動は始まった。それが人道主義だ。ギブアンドテイクを計算する商売や政治ではない。無条件のものだ。

私たちの「隣人」の範囲が、練炭を燃やして暮らす韓国のタルドンネの住民から、下着一着あれば命が助かるかもしれない北朝鮮の同胞にまで広がることを願ってやまない。彼らに出会ってから、日照りが続けば地下水もない北朝鮮の田畑が心配になり、大雨が降ればはげ山の段々畑が崩れ落ちていないかと心配になる。まさに地続きのところに暮らしている人びとの生活を心配する気持ちが、ひとつの「民族」であるということを感じさせ、またひとつの民族たらしめるのだろう。「民族とは何なのか?」豆満江の岸辺で深刻な表情で尋ねてきた痩せこけた子の顔がまた脳裏に浮かぶ。

注

★1　和田春樹は、北朝鮮の戦争体制を「遊撃隊国家」と定義して、次のように説明している。金日成が率いた満州地域の小さな抗日遊撃隊《パルチザン》は解放後北朝鮮を占領したソ連軍の強力な支援を受け、建国初期から他の共産主義集団に比べ特権的な立場から権力を掌握した。中国義勇軍（中共軍）が参戦して休戦で終わった「祖国解放戦争」以後も、かれらは中国とソ連という社会主義宗主国と連携した集団との権力闘争にも勝利し、今日まで対抗勢力のない唯一の政治勢力となった。「北朝鮮は、金日成と満州パルチザンが建てた」という話は、こうして公式の歴史となった（和田春樹、前掲書＝第四章★20）。

★2　朝鮮革命博物館にある九五の展示室と二〇万点にのぼる収蔵品は、「わが民族」と「外勢」との悪縁の近代史を展示し、日帝と米帝による侵略の歴史と、現在の国際政治の状況を対比させている。

★3　日本海で拿捕されたプエブロ号を、大同江のゼネラル・シャーマン号が撃沈した場所まで移動させて、外勢の侵略と抵抗の歴史を教える教育現場として活用している〔「祖国解放勝利記念館」が改装された二〇一三年以降は、その敷地内に移動して展示されている〕。

★4　北朝鮮は脱植民地主義レトリック濫用の極端な事例だという指摘がある。革命的反植民地運動が革命的国家政治へと発展するとき、そしてその国家が自分の正当性を補完するために戦闘的な脱植民地レトリックが使われたとき、そのレトリックは覇権に変質しうるし、多様な声と解釈を踏みにじる。脱植民地主義が権力の道具に変質しているのである。권헌익・정병호『극장국가 북한：카리스마 권력은 어떻게 세습되는가』、창비、二〇一三、二九면。

★5　김영민『아침에는 죽음을 생각하는 것이 좋다』、아크로스、二〇一八、二〇九～一〇면。『高宗実録』は皇帝即位式の行事を記録し、「漢・唐・宋・明と継がれてきた系統を我が国が直接継承し、衣冠文物と典章制度をすべて皇明の遺制に倣った」と主張した。『고종실록』권35、광무원년10월10일。

★6　彼らもこうした事実を確認しつつさらに「帝国主義者の〈力の論理〉を超強硬に断固としてふるまい、国と民族の自主権と尊厳を輝かせることができるよう」軍隊を前面に立てていかねばならないとした。사회과학원철학연구소『우리 당의 총대철학』、평양：사회과학출판사、二〇〇三、一〇九～一一〇면。

★7　심재기「李廷龜의 請留兵奏」、『한굴＋漢字문화』二〇〇九、三六～三九면。朝鮮王にかわり、文筆家李廷亀が

壬辰倭乱《イムジンウェラン》の二年後の一六〇〇年に書いたこの外交文書では、明の軍隊を三〇〇〇名だけ残せば中国の威厳によって倭敵を阻止して追い散らし（朝鮮）軍政を鎮定させることができると哀願している。「完全に撤収すれば頼りないし、多く留めれば食糧をまかなうことができない」として「小さな国の今日の情勢が本当にこのようであることは悲しい」と結んでいる。

★8　アームストロングは、先軍政治が強調する主体思想は物質よりも人を前面に押し出した「正しい思想と理念的性向」を強調する観念論的な主張だとした。その点で北朝鮮が標榜する「社会主義革命」は、朝鮮の朱子学的な儒教の伝統と結びついたもので、儀礼的な名分と倫理原則を中心としているとした。권・정前掲書一二〇면。

★9　丸山眞男は日本の国家構造の根本的な特質は、家族の延長体である点だと述べた。具体的に家長としての天皇と総本家としての皇室、そして国民という分家の家族で構成されたひとつの拡大家族として認識するというものだ（마루야마 마사오『현대정치의 사상과 행동』、김석근 옮김、한길사、一九九七、七八〜七九면）（丸山眞男『現代政治の思想と行動』未來社、一九六四）。こうした事例は国家主義の日本にだけ限られたものではない。ナチ時代のドイツを経験したハンナ・アーレントは、国家のような公的集団関係と、家族のような私的集団関係の間の境界を曇らせ解体するのは現代政治の大きな特徴であり、全体主義の起源であると分析している（한나 아렌트『인간의 조건』、이진우 옮김、한길사、二〇〇二）（ハンナ・アーレント『人間の条件』志水速雄訳、筑摩書房、一九九四）。

★10　一つの国家を「社会生命体（社会有機体、social organism）」に例えることは歴史的にも長い伝統がある。プラトンは哲学者の王を頭に例えたことがあり、古代のヒンドゥー思想でも司祭集団であるブラフマン（Brahman）を頭と例えたことがある。

★11　革命歌劇『花を売る乙女』の原本は、一九三〇年に金日成の満州パルチザン部隊が五家子という開放区でロシアのボリシェヴィキ革命を記念して公演した演劇を起源としている。智異山パルチザンも、どんなに状況が危機的であっても娯楽の場を戦闘と同様に重要視していたという。

★12　「グッドフレンズ（좋은벗들）」は一九九八年に一六九四人の脱北者を対象におこなった調査を皮切りに追加調査を続け、飢饉被害による死亡者数を二〇〇〜三〇〇万人程度と推定した。ジョンズ・ホプキンス大学の研究は一九九五年から一九九七年の間の年間死亡率は大飢饉以前の水準の八倍に達していると明らかにし、食糧難民の家

族死亡率とその親戚の死亡率を合わせると一二・九%にのぼるとした。当時現地で支援活動をしていた国連機関の専門家ですら飢饉の総体的な実状がわからず混乱していた。実際に二〇世紀の全体主義国家で飢饉を外部の人間が把握することは例外なく難しいことだった。안드루 나초스『북한의 기아：기아와 정치、그리고 외교정책』、황재옥 옮김、다할미디어、二〇〇三、제一장〔アンドリュー・ナチオス『北朝鮮飢餓の真実――なぜこの世に地獄が現れたのか?』、古森義久訳、扶桑社、二〇〇二〕。

★13　現役の高官として脱北した黄長燁は、一九九七年までに飢饉により約二五〇万人の犠牲者が発生したと主張した。황장엽『북한의 진실과 허위』、통일정책연구소、一九九八。正確な飢饉の被害規模についてはいまも立場によって意見が異なる。

★14　一九九六年八月『新東亜』は「与党私組織の青瓦台秘密報告書」というタイトルで、飢饉によって弱体化した北朝鮮体制の崩壊を促進し、統一大統領になろうとした金泳三政府の政権延長シナリオを知らしめた。当時、食糧支援を規制して危機状況を増幅させた強硬政策の背景である戦略的計算を批判したコラムもある。이도성「밀실몽상가에 미래는 없다」、『동아일보』一九九六년九월一七일자。

★15　日本海側の潜水艦事件によって韓国では危機感が高まり、北に逃亡した十余名の潜水艦乗務員を大々的に討伐するため、一か月で三〇〇〇億ウォン以上の軍事費が使われた。これは国連五機関が一九九六年の一年に必要と算出した北朝鮮全人口への食糧支援と緊急復興費用の総額に匹敵する金額である。南北間の緊張が戦略的に増幅されると、どれだけ非合理で非人道的なことが起きるかを端的に知らしめる事件であった。

★16　中国の飢饉問題研究者であるジャスパー・ベッカーは、北朝鮮で飢饉が起きた当時、金泳三政府の権五琦統一部長官の発言を詳細に引用して、韓国政府の意図的な北朝鮮飢饉被害を規模縮小して報じたことと国際支援活動を妨害した事実を批判している。Jasper Becker, *Hungry Ghosts: Mao's Secret Famine*, New York: Henry Hold and Company, 1998, 317-319p.

★17　ソ連でスターリンの安保強迫政策が招いた一九三〇年代のウクライナ大飢饉は、半世紀のちのソビエト崩壊後に分離独立する動機となった。カンボジア、ベトナム、キューバにおいても、食糧不足や飢饉は権力体制への直接的な脅威にはならなかった。中国の大躍進運動による大飢饉の被害については、毛沢東を含めた権力核心部のメンバーもきちんと把握できなかったという。J. Becker前掲書。

★18 国際支援機関は分配の透明性に問題があったため、北朝鮮の飢饉支援活動に困難をきたしたが、危機的な状況であればあるほど北朝鮮政権が食糧配給の優先順位について外部の介入を許容する可能性は低くなった。こうした体制上の差によって、韓国を含む諸外国が北朝鮮の飢饉の深刻度とその被害規模を把握する際に混乱が生じた。

★19 北朝鮮の飢饉が最悪の状態を脱したのちも、誘因作用が連鎖的に発生したことで、中国の朝鮮族地域への脱北難民の流入は続いた。脱北した人の数は一九九九年までに相当な勢いで増加し、二〇〇一年から減少に転じた。まさにその頃、韓国に行こうとする脱北難民が北京の外国公館に逃げ込むいわゆる「企画亡命」事件が立て続けに起こり、中国公安当局が国境地域での拘束を強化しはじめた。中朝国境が次第に軍事化していったことで、中国に滞在していた脱北難民の数は急減した。

★20 北朝鮮において自殺は、体制への抵抗と解釈されてもいる。ひどい飢饉のなかで多くの家族が集団自殺をしたという。

★21 脱北女性をターゲットとする日常的な人身売買は、二次的な被害も含めて重層的な傷を残す深刻な人権蹂躙だ。問題は、中国の辺境地域に暮らす多くの人がこうした人道に反する犯罪を、切迫した状況におかれた女性たちの生き残る道と考えて強制した点である。時には窮地に陥った女性たち自身もが、これが唯一の生存手段だとすら受け止めてもいた。

★22 飢饉を直接体験した脱北者による証言も、自分の地域社会の外の飢饉状況については断片的な観察や風聞によるものが大半であった。

★23 他の脱北難民も列車移動の間に目撃した死亡事故など、無数に起こる移動中の死について証言した（一九九九年八月のインタビュー）。

★24 市場や駅前などで「コッチェビ」の子どもたちの集団が群れをなして暴力的な強奪をする事例がドキュメンタリー映像を通じて知られるようになった。「지금 북한 무슨 일이 일어나고 있는가」、KBS1TV、一九九七年六月二二日放送。

★25 北朝鮮では「苦難の行軍」を、ひどい苦難のなかにも同志的な連帯と鋼鉄のような献身が花開いた時期としても描

写する。不可能な状況におかれても指導者を信じ従えば、最後には勝利を得て誇らしい革命国家の礎を築くことになるというのだ。권헌익・정병호、前掲書、二五三〜五四면を参照。

第六章　差別と処罰

社会主義を標榜しているからといって、平等な社会というわけではない。「不平等」の構造と中身が違うだけだ。「社会正義」を掲げた政権が決して正義を具現したわけではなかったし、「自由民主主義」を唱える政府が「自由」でも「民主的」でもなかったことを韓国社会はすでに経験している。北朝鮮社会も同じである。国家の理念は差別なき平等な社会を唱えているが、人民たちは多様な形で不平等を経験している。その中でも目立つ差別は、一つ目が中心と周縁の差別、二つ目が「成分」と呼ばれる北朝鮮の身分制による差別、三つ目が純粋と汚染という概念に基づく差別、そして四つ目が男女間の差別である。このすべての差別が顕在化する平壌と地方の境界線、いわゆる「平壌ライン」から話を進めてみよう。

1　「地方進出の指令が下りた」――中心と周縁

平壌を離れて地方都市を訪ねるには、常に厳しいスケジュール調整を行わなければいけなかった。とにかく大変なスケジュール調整のプロセスを経てようやく地方訪問が実現するのだ。専用高速道路で結ばれている「妙香山《ミョヒャンサン》国際親善記念館」は例外として、一般道を通って地方都市に行くには、複数

平壌決死守護
「革命の首脳部が暮らす平壌を決死守護する城塞となり、盾となろう」。

の部局と細かな事前調整が必要だった。それほどまでに平壌と地方の間には大きな格差があり、その事実を部外者に知られることを北朝鮮当局は嫌っていた。比較的長い年月、北朝鮮への支援活動に関わったおかげで私はその難しいと言われる「平壌以外」への旅を東西南北あらゆる方面で何度か体験することができた。

平壌市郊外の街道には必ず検問所がある。単に通行人を確認するだけではなく、かなり複雑な通過手順を踏んでようやく通ることができる。重そうなザックを背負った中年女性から男女の兵士、正装姿の青年まで多くの人びとがたむろしながら、不安げな表情で立ったり座ったりするのを繰り返していた。まるで国境検問所さながらの厳格さであった。

その境界を越えてみて、なぜ当局があれほどまでに外部の人に対して平壌以外の公開を嫌ったかがすぐさま理解できた。平壌と地方は確かに違っていた。大きな質的な差を感じることができた。道路や建物の状態だけではなく、人びとの服装、表情、歩き方から姿勢までが異なった。物質的な生活水準だけではなく、社会・文化的な生活水準の格差も大きく感じ取れた。

当然のことながら、多くの人びとが平壌での生活を望む。韓国のソウルですら地方からの人口流入によって住宅の価格が高騰し、都市の成長期には無許可の住宅で厳しい生活をする多くの人びとがいた。いまでも開発途上国の首都は似たような問題を抱えている。都市スラムは世界中の大都会の普遍的な課題になった。しかし、平壌は例外である。境界管理の仕組みが異なるからである。平壌市民は地方民が所持する「公民証」とは異なる「平壌市民証」を所持する。「平壌市民証」は一九九七年の飢饉が深刻な時期に設けられた。それは食料配給が中断した地方から食糧配給が続いていた平壌への人口流入を防ぐためであった。その時から平壌への移住はもちろん訪問までが徹底的に管理され始めた。平壌への訪問許可証は国境を超えるビザのような機能を果たすようになった。国家の中にもう一つの国境がつくられたようなものだ。飢饉の最終段階に私が目撃した「平壌ライン」には寂しく荒れ果てた空気が漂っていた。

平壌と地方

大飢饉の時期には平壌への流入が制限されただけではなく、平壌から人びとが送り出されることもあった。太平洋戦争末期の日本では、都市住民を地方に送り出す際に疎開という用語が使われたが、飢饉という危機において戦時の概念を適用したのである。当初は「地方進出」または「農村支援進出」などの名称で歓送迎会までが行われたらしい。

ではいったい誰が送り出されたのだろうか。「成分」が悪かったり権力にとって危険な人たちは既に一九七〇〜八〇年代に数回にわたって平壌から「追放」されていたため、残された危険分子を市民から再び選別して追放することは難しかった。それでも深刻な危機状況になると集団内部に潜んでいた境界が顕在化し、その線に沿って排除の論理が適用された。当初は相対的に「成分」が悪い人びとが追放の対象であった。その次に人民班や職場などで問題を起こした人、些細な問題で生活検閲の際に摘発された人、党幹部にとって目障りになる人などが順次追放の対象となった。

純粋と危険（Purity and Danger）についての研究を進めたメアリ・ダグラスは社会のメインストリーム集団は事実上の「逸脱」を創り出せるといった。[☆1] ある人を境界の外に追い払うためには境界そのものを引き直せば済むからである。すなわち、人びとが法律を犯すのを待つまでもなく、彼らを逸脱者や反乱者または不純な民として再分類するために法を改定すれば良いということだ。大飢饉という危機状態において中心と周縁を分ける差別の境界線が移動していた。

「地方進出の指令が下りた」。これは一九九八年の初め、平壌で作家として活動をしていた女性が夫の些細な過ちによって地方に追放されるときに聞いた言葉である。「五日以内に平壌を離れろ」と強張った表情で指令を下されて怯えたのは、転出してそのまま地方で「死ね」といわんばかりの命令に聞こえたからだという。当時、彼女のように配偶者の過ちによって追放される人びとのなかには離婚を申し出る人びとが多かった。本人は仕方ないとしてもその家族は生きのびなければいけないという判断によるものだ。そのため「地方進出者の離婚を禁ぜよ」という緊急指令が下りた。家族全員を追い出すための措置であった。追放された作家は平壌を離れるや否や「品格の劣る人びと」の中で恐怖心を抱いたという。「道徳もなければ会話には殺気すら混ざっていた」からだった。地方はそれほど平壌とは異なる人びとが暮らす空間に感じられたのだろう。

彼女が追放された街は咸鏡《ハムギョン》北道《プクド》清津《チョンジン》であった。実際にたどり着いてみるとそこは「地獄」というほどではなかった。もちろんはるか昔に配給が中断された地方都市の惨状は言うまでもない。しかし意外にも平壌にはない活気も見出せた。配給システムが崩壊し、地域別に勝手に「自力更生」せよという方針が下りると、個性を発揮して生存を模索した都市が現れた。そのような都市の一つが清津だった。清津は中国朝鮮族自治州の中心都市である延吉、図們、琿春からも近く、羅津《ラジン》・先鋒《ソンボン》経済特区とも隣接している地域である。市場が公式化される以前の一九九八年、すでに大きかった「闇市場《ジャンマダン》」は活気に溢れ、様々な加工食品のカウンターが並び、地元の海産物だけでなく中国経由で流入した物資も流通していた。平壌から地理的に離れた清津は、中央権力の直接的な統制と監視が緩んだ状況を利用して新しい非公式経済の拠点として成長していた。地方の事情に疎かった彼女は、地方都市の活気に感動した。むしろ崩壊しつつある配給システムにしがみつき「徐々に廃れていく平壌」との違いを感じた。当時、成長をとげた清津のスナム市場は今も北朝鮮のアパレルファッション界をリードしている。

平壌の名門大学出身の彼女は、まず地方に移った同窓生を訪ね、「学縁」に頼って生きる方法を模索した。彼らのほとんどが本人または家族の政治的問題によっていわゆる「革命化」の対象となり追放された人たちであった。それでも彼らはいつの日か忠誠心を認められ再び平壌に迎えられることを望んでいた。平壌に暮らす親戚、同窓生とのつながりを維持し、教育を通じて子どもの代になっても平壌に再び戻る日を夢見ていた。周縁部に暮らすエリート集団の中央志向は根深かった。

「平壌の奴ら」

開城《ケソン》工業団地が稼働を始め、開城観光が盛んであった二〇〇八年頃、韓国の観光客が立ち寄る観光地の周辺には土産屋とレストランが開業し、お土産を売るカウンターが連なっていた。もっとも有名な観光地の一つ、善竹橋《ソンジュッキョ》の脇にある二階建ての建物には平壌の高麗ホテル食堂が支店を出して冷麺とプルゴギを提供していた。「実際、平壌市民は玉流館の冷麺よりも美味しいというんですよ」と自慢げな案内員《ガイド》のアナウンスを聞きつつそのレストランで食事をとった。肉を焼く煙が遺跡にまで広がっていく状況に多少の違和感も覚えた。

食事を済ませてから土産屋を回ってみると、開城の特産物である焼酎や人参酒をはじめ、刺繍、絵画といった華やかなものと乾燥ナムル、松の粉末などが売られていた。ソウルからきた車を停める駐車場近辺にも販売ブースを設置し、チマチョゴリ姿の若い女性たちが商品を売っていた。ゆっくり見学しながら販売員たちと会話をしてみると、彼女たちは平壌アクセントだった。当初は開城の人たちも「文化語」〔北朝鮮の標準語〕を話すと思っていたがそれは違った。韓国人の相手は平壌から来た人たちが担当していたのである。

開城ことばはソウルことばとほとんどかわらなかった〔二つの地域はどちらも京畿地方の方言を話す〕。歴史遺跡のガイドは開城の人たちであった。解説の際には「文化語」の抑揚が混ざっていたが、歩きながら声をかけてみるとまるで完璧な「ソウルことば」を話していた。開城がソウルの目と鼻の先にあることを実感できた。

お土産を買おうと駐車場近辺に並ぶカウンターに行こうとすると、一緒に歩いていた開城の案内員《ガイド》がそっと声をかけてきた。「先生、できればこちらのカウンターで買ったらいかがですか」。少し離れたところの隅に小さな売店が見えた。平壌から来た案内員《ガイド》はずいぶん先を歩いている。静かに聞き返してみた。

「こちらには何か特別なものでもあるのですか」

「あちらは平壌のやつらの売り場で、こちらは開城の人たちが売っている商品です」

即座に方向を変えて開城の人びとのカウンターに向かった。似て非なる商品が売られていた。

そこで私は本物の開城産人参酒を購入した。瓶と栓をつくれなかった開城の人たちはガラス管に酒と人参を入れて、ガラスを溶かして密封していた。ボトルのネックを折って開封する注射アンプルのようなつくりであった。歴史的にも有名な開城商人の魂〔開城の商人は朝鮮王朝時代の前期に生まれ、朝鮮王朝の後期には国際貿易を通じて成長したと言われている〕は、この例で見て取れるように創意にあふれる形で「自力更生」を模索していた。その開城人参酒はいまだ開封できていない。

遺跡の絶好のスポットに華やかなお土産を広げて韓国の観光客からドルを稼いでいる「平壌の奴ら」を見ながら、済州島で稼いだ銭を翌日にはソウルに送金してしまう「本土の奴ら」に対する済州島民の不満を体感することができた〔済州島の人びとは本土の人びとを「本土（陸）の奴ら」と呼び、日ごろから陸地の人間に対しての警戒心、不満があると言われている〕。

中央志向

二〇〇一年の初め、私が韓国の「北朝鮮離脱住民」の定住をサポートする教育機関である「ハナ院」で授業を始めた初日、本館のゲート前で激しい抗議デモをしている脱北住民と遭遇した。警察出動が余儀なくされるほどの険悪なムードであった。ハナ院の教育課程を修了し地方都市での定住先の配置通知〔住みたいところに希望通り住むのではなく、定住先を韓国政府が割り当てる制度が導入されている〕を受けた人びとが起こした事件であった。デモをした住民は何が何でもソウルに行きたいというのであった。自由の国だと思って韓国に来たのになぜ再び地方で差別されながら暮らさなければいけないのかと泣きわめく人びともいた。

居住地の配置担当者が、ソウルの賃貸マンションの数が少なく地方都市へ移住するしかないと説明を繰り返しても聞く耳を持たない。なぜ自分が地方に行かなければならないのか納得できないという。一度地方に「追われれば」、そう簡単にはソウルに「上京」できないと彼らは固く信じていた。統一部の職員が韓国のソウルは北朝鮮の平壌とは異なると繰り返し説明しても、地方と中央の格差という現実を脱北者は直観的に察しているようであった。地方定住を配置された人のなかには住居を空けたままソウルで暮らそうと放浪するケースさえあった。

中央志向は、中央官職への進出による「出世」がもっとも価値があると捉える儒教的官僚制が始まった王朝時代以来、数百年間続いた文化的伝統である。その点で、朝鮮王朝の首都、漢陽《ハニャン》の跡地である韓国ソウルの中央志向はより強いともいえよう。今日、韓国人口のおよそ半分が首都圏に集住しているし、ほとんどの政治と経済がソウル特に江南地域に集中している現実を見れば容易に理解できる。[★1]

ソウルに来た脱北青少年も中央志向の適応戦略を選んでいた。冷戦時代に「帰順勇士」と呼ばれていた亡命者のために設けられた特例入学制度は、学力を問わずに大学進学を認めていたため多くの脱北青少年はソウルの名門大学に入学することができた。しかし彼らの大多数は、韓国でもっとも競争に秀でた学生たちが通う大学に適応できず、長期間の休学を繰り返して除籍された。韓国社会において、ソウルの名門大学の「学閥」はその人を評価する重要な基準である。かなりシンボリックな価値があり、有益な社会関係も形成できる。けれどもそのレベルの競争に耐えることができない人には心理的な不安と挫折の原因にもなりやすい。

韓国の教育制度に絶望感を抱いた脱北青少年は、国際社会における北朝鮮の人権問題に対する関心の高まりによって、再び「難民」の身分でアメリカ、カナダ、イギリス、ドイツ方面に「脱南」した。

「あなたたちも行きたい場所でしょ?」韓国のエリート集団が文明の中心としてあこがれる欧米圏に渡ったある青年の言葉である。☆2

2 「地主だったのですか」――階級と成分

平壌で案内員《ガイド》たちと家族の話をしていた際、私の母方の実家は水原《スウォン》であり、母は植民地時代にソウルで女学校に通っていたと話した。その話が終わるや否や「責任指導員」が私をじっと見つめながら尋ねてきた。「地主だったのですか」その冷たい目つきと豹変した語調が怖かった。さらに母方の実家は何代も続くキリスト者の家系でもある。「あぁ、ここであの視線に耐えつつ暮らすのは無理かもしれない」

母の女学校の同窓生の顔ぶれを思い浮かべた。植民地支配からの解放後、北朝鮮での暮らしが辛くて韓国側に移り住んできた彼女らの苦労話を私は幼いころに聞いたことがあるからだ。

解放直後から社会主義国家の建設に取り組んだ北朝鮮は、マルクス主義的な階級観に基づいて労働者や貧農など被搾取階級を優遇し、地主、富農、商人、起業家などの搾取階級を抑圧した。また日本帝国の侵略に抵抗して闘った独立闘士を優遇し、植民地支配に協力した親日官僚と軍人、警察を探し出しては罰した。すなわち、植民地時代の既存の地位を翻し、ポストコロニアルな新生国家としての正義を実現しようとしたのである。

既存の封建的階級秩序を翻し、親日勢力が享受していた特権的な地位をはく奪するために、相当の物理的な強制力が動員された。また、彼らが再び支配的なポジションに戻れないように抑圧する措置もとった。財産を没収した後も、彼らがすでに修得している知識、技術、人間関係など社会的・文化的資本を活用することを警戒したのである。

北朝鮮は、民族解放と革命の遂行を国家の正統性の根幹にした。したがって、住民たちの政治的な地位は民族解放と革命遂行のための資格と役割に基づいて規定された。各人に与えられた政治的な地位を一般に「成分」または「出身成分」と表現し、それは配給など住民行政の基礎となる。★2

出身成分は基本的には解放当時の成分、今では祖父母、または曾祖父母の社会的階級によって分けられる。出身成分は労働者―小作農―貧農―事務員―中農―手工業者―商人―起業家―富農―地主の順番に序列化された。解放後は社会主義の国家体制に寄与した功績（または首領への忠誠度）が子孫の階級成分に影響を与えている。☆3

差別の逆転―連座制と世襲

成分の区分のほかに、個人の政治的地位を区別する「階級」または「部類」という概念もある。これは革命を率いる党が管理している非公開の分類法である。革命の遂行は闘争の一過程であり、そのために革命の動力である「核心階層」と革命の対象である「敵対階層」、さらにその間に位置する「動揺階層」を明確に区分する作業が必要とされた。★3 この三大階層の区分は党組織の指導部が行うが、一般的に五一項目に分類される。これは党の路線や政策変化によるので流動的だが、新しい部類が追加されたり削除されたりもする。公式に提示されていないため正確にその内容を把握することは困難であるが、重要なのはこの細分化されたシステムによってすべての資源配分と社会的な差別が行われているという点である。具体的な内容を知らされない一般住民は「成分が良い」「出身成分が悪い」という包括的な概念でこの分類が社会生活に影響を及ぼしているという事実を認知する。[☆4]

成分による差別が当事者にとどまらず家族構成員にまで拡大・適用される「連座制」は、正確な理解が必要となる。連座制は解放後、北朝鮮のみで施行されたわけではない。北朝鮮では地主、親日派、越南者、キリスト者の家族まで広範囲に適用された。一方、韓国では主に左翼政治犯、越北者の家族に適用された。そのため、その子孫は「身元照会」ではじかれ、公務員への任用や身元保証が必要なほとんどの職場で連座制は就職の妨げとなった。民主化以前では海外旅行もできなかった。南と北の双方で国家体制に脅威となる集団をけん制し、抑圧する道具として家族連座制を適用したのである。南北の差はあくまでも程度の差であり、その論理と適用方法は酷似していた。このような前近代的で反民主的な制度が民主主義を標榜する近代国家の樹立以降から数十年もの間、何世代にもわたって施行されたのは、それが古い文化的な伝統に基づいていたからである。

「連座制」は元来、高麗王朝時代にさかのぼる。官職に任用される人を推薦した場合、もし何かがあれば推薦者もその責任を負うことから始まっている。朝鮮王朝時代に入り、数えきれないほどの党派争いが繰り返されるなかで、裏切り者や政敵として烙印を押された本人のみならず家族までを奴婢《ぬひ》にする排除と差別の社会原理として拡大したのである。政治闘争に負けた人やその家族に社会的に「烙印を押す」ことは、社会統制を行ううえでかなりの効果が見られた。特に、社会的な烙印が当代にとどまらず、後世にまで引き継がれるようにすることで、その集団の再起の可能性まで排除したのである。[★4]

連座制は排除の論理として適用されたが、特権と地位を世襲する側の論理としても機能した。最高指導者の権力世襲は朝鮮王朝時代の儒教的な身分制度と似た社会階層構造を定着させ、また正当化した。建国初期の北朝鮮では出身成分による差別を「革命的」措置として正当化した。身分が逆転しても確固たる排除と特権の論理として制度化して、これまで七〇年以上、三、四世代に渡って特権を世襲したのである。連座制の論理は地域にも反映された。首領を中心とした権力集中過程では、幾度もの内部政治闘争と成分の再分類を通じて多くの人びとを地方や辺境に追放し、忠誠心と能力が認められた人は平壌に呼ばれた。その過程を繰り返しながら平壌と地方、都市人口と農村人口が再編成されたのである。

最高権力者の家門だけが「白頭血統」という名で世襲をしたのではなく、建国時の功労集団である抗日遊撃隊《パルチザン》の家系を「白頭山筋」として、戦争英雄の家族と子孫などは「革命の骨や幹」として、特権と地位を世襲しながら大きな人脈のネットワークをつくった。彼らは「万景台《マンギョンデ》革命学院」や「金日成総合大学」のような特別な学縁などのつながりを通じて平壌を中心とした血縁、地縁、学縁の運命共同体を構成した。

世襲といえば、むしろ韓国社会の方がより広範囲で行われている気もする。金持ちの孫がそのまま大金持ちになる社会、財閥会長の御曹司がそのまま会長の座を引き継ぐのが当たり前の社会で、血縁に限らず地縁や学縁といった社会的な地位が世襲構図を繰り返しているからである。加えて、かつての帝国軍の将校が新生国の将軍になり、のちに大統領にまでなった国、かつて植民地時代の警察が、のちに警察幹部になり独立闘士に拷問を加えるような国家において、解放直後の北朝鮮におけるポストコロニアルな社会システムが確立する過程の問題を一方的に批判するのは困難でもある。

身分上昇の戦略──教育と結婚

成分と階級によってつくられた序列体系には、時に例外的な階層移動が生じることもある。試験で特別な能力を発揮し、忠誠において著しく模範的である人は、生まれつきの成分を超えた階層上昇が可能となる場合がある。しかし、一定基準をクリアすることによって獲得した恩恵というよりは、あまりにも「例外的」に生じるために、当事者は自らが「首領《スリョンニム》の特別な恩賜」を受けたと思うようになる。ソウルで出会ったある脱北医師は「親が越南した地主階級であるという『悪い成分』であるにもかかわらず、全力で勉強に励み率先して『首領《スリョンニム》』を信じて頼った結果、特別に医学部に進学することが許され、医師になる『栄誉』が与えられた」と、いまだにそのことについては感謝の念を抱いていた。[★5]

北朝鮮社会において個人は体制と首領から自由になることができない。北朝鮮では個人主義と自由主義は後世にまで影響を及ぼしうる無責任な道徳的な罪である。過ちを犯した配偶者を非難し、離婚と再婚によって子どもを守ることも、北朝鮮では常識的に理解される社会的な生存戦略である。飢饉の時期には生活苦によって一家が無理心中を試みながらも、それは首領や体制ではなく、自らの無能さに責任があるという遺書を残すことが頻繁にあった。残された家族の成分に影響を与えないためである。

脱北した多くの人びとが韓国に来てからも名前や顔の露出を嫌うのも、彼らの相当数（既婚女性のうち三五％）が北朝鮮で離婚してきたと主張するのも同じ理由による。首領と体制を裏切るということは個人的な犯罪の次元を超えて、配偶者と子どもと家族、親族すべての成分を悪化させる行為である。したがって、脱北者は誰もが北に暮らす家族と親戚に対する罪悪感と不安感から自由になれないという。

大飢饉で社会秩序が混乱していた頃、「出身成分」による社会的差別制度をかく乱させる現象が生まれた。まずは闇市場などの非公式な経済領域で自由に行動できた人たちは、党官僚エリートなどではなかった。彼らはこっそりと蓄積した資源を用いて「賄賂」等の非公式な手段を用いて出身成分の制約を乗り越える作業に邁進した。

彼らが裏で用いた身分上昇の戦略は多種多様であった。子どもの教育と結婚を通じて長期的な身分上昇を模索する合法的な戦略から、出身成分の記録そのものを破棄したり修正するなどの違法行為まで用いられた。まるで朝鮮王朝時代の奴婢たちが戦禍の時期に奴婢の文書を燃やし、身分浄化《ロンダリング》をしたケースと似たような出来事が起きたのである。成分記録のかく乱行為が増えてきたため、二〇一〇年には平壌市民証をはじめとした身分証明書の電子化が始まった。結婚を通しての身分上昇は成分の良い党官僚などの家系との婚姻を通じて、悪い身分を薄めるのである。実際、この戦略を通じて身分の低い（あるいは成分の悪い）人びとが平壌に進入する成功例が増えた。教育分野においては、成分が低い学生たちが教師や党幹部に賄賂を与え、平壌の大学に受験する権利を得て入学したりもした。彼らが現在と未来の平壌市民の構成要素を変えている。

中国の文化大革命（一九六六年〜一九七六年）の際、党官僚と知識人集団を人民自らがけん制し、再び平等な階級秩序を生み出すという永久革命論が唱えられていた。中華人民共和国の建国後、次第に新しい特権階級になりかけていた官僚たちと知識人は打倒の対象になり、嫉妬と復讐に燃えた大衆からの暴力に晒された。彼らは「下放」〔文化大革命期に人民を地方へ送り出す政策〕された奥地の農村で長時間にわたる肉体労働をしながら息を潜めて暮らすしかなかった。崩壊した経済を回復させるために鄧小平が進めた改革開放政策が本格化するにつれて彼らのほとんどは復権し、再び中国社会の支配階級となった。

二〇世紀に現れた社会主義国家は社会的な差別を無くし、平等を実現するという理念に基づいて革命を遂行したが、新しい権力集団が再び特権階級になることを防ぐことはできなかった。北朝鮮は建国初期に出身成分を土台に再編した階級秩序を今日までほぼ維持している。むしろ階級間の境界をより鮮明にさせ、階級を再生産する体制として発展した。「朝鮮式」社会主義は解放当時の脱植民主義の論理と帝国主義に抗った革命を現在も遂行中であるという名分を掲げて、社会的な不平等と差別を正当化している。

3 「成分が純粋なので」──純粋と汚染

「貧農という純粋な出身成分だったので人民班長でした」

ある脱北女性がこのように語ると、隣にいた年老いたの脱北男性は「私は地主成分だったため思想が不純だという批判をよく受けていました」と答えた。

「おじいさんが越南したという汚点のため、大学に行けませんでした」

「伯父の一家が派閥闘争で負け、私たちも悪い思想に染まっているだろうということで党員審査に落ちました」

「革命家の家族は出身成分が最も純粋なので、大学進学や党員になる時に有利でした」

一人の発話から、そこにいただれもが出身成分が自分の人生にどのような影響を与えたか語り出したのである。

脱北者は、出身成分が悪かったり家族や親戚の誰かが政治的な問題を起こしたということで差別されたという。反面、それとは反対の理由で優遇され、堂々と暮らしていた人たちも相当数いる。出身成分について語る際に使われる表現が「綺麗」「汚い」「腐っている」「純粋である」「汚点」「伝染」などの表現である。社会的職業と行為を政治的な観点から「純粋」と「汚染」で分け、そのように分類された特徴は家系によって伝承され、家族関係を通じて「伝染」すると人びとが認識していることが読み取れる。

このような文化システムでは「汚染している」とされた本人のみならず、周囲の人びとも血縁的な近さによって「汚染した可能性が高い」と警戒する。そのように汚染していたり、伝染の可能性が高いと規定される人びとは政治的な抑圧を受けるだけでなく、他者からの支援を受けるのにも苦労が多い。汚染したと思われた人は結婚はもちろん、進学、就職、昇格など生涯の様々な分野で制約を受ける。彼らは他人よりも低いポジションで他人が嫌う仕事をして暮らさなければならなかった。★6
このように出身成分によって個人を包摂したり排除したりする制度は北朝鮮のみならず多くの社会主義国家で施行された。人間の成長環境が自我の形成に重要な影響を及ぼし、それによって個々人の思想的な傾向が決まるというソビエト心理学理論を適用したのである。北朝鮮の場合、社会主義の理念による分類と排除の論理に伝統的な「純粋」と「汚染」の概念が結びつき、より強度な差別原理へと変化した。

純粋と汚染の概念と結びついた階級システムは、異なる階級集団間の結婚を困難にさせた。特に汚染している階級の人との結婚は、もはや個人の問題にとどまらない。汚染した人との愛は人びとの人生に癒すことのできない傷を残した。脱北者たちは政治的に汚染した人との不適切な結びつきによって生じた、自身と家族が受けた数多くの社会的な差別体験について語った。

出身成分や過ちにより社会的な烙印が押されてしまった人びとを、再び「浄化できる」唯一の存在は首領だけである。金日成と金正日の美談（徳性実話）は、各地で能力を認められず危険人物扱いされていた、汚染した成分の人にその場で恩赦を下し救援する姿を描いている。しかし差別制度そのものを無くす措置は決してとらなかった。したがって「恩赦」は例外的かつ特別なものになる。

「多文化は民族抹殺論」──人種差別

「人類学の教授なんですか？」金剛山《クムガンサン》に登りながら若い案内員《ガイド》が目を輝かせた。「わが民族の『もっとも古い』起源に関する研究もなされたんですか？」案内員は最近民族の起源に関する学習を通じて人類学に関心を抱くようになったという。話を聞いてみると、人類学を近代初期の「人種論」の類似分野と捉えているようであった。数年後、平壌のあるホテルの書店で同じテーマを扱った図書を発見した。『遥か遠い昔のわが祖先を訪ねて』〔★7参照〕という本であった。

社会科学出版社から刊行されたその本は「我が祖先は人類の歴史が始まる頃から、同じ時期の近隣地域の人びとよりも進化していただけでなく、精神的にもはるかに高いレベルに達していた」と主張している。特に「世界の他のどの地域よりも、多くの新人類レベルの人類の化石が主に平壌を中心とした大同江《デドンガン》の川辺で多く発見された」と記述し「進化の過程におかれていた我が先祖たちは殊に叡智にあふれ情感豊かであり、現代人としての完成した姿を東方地域で早くから備えていた」としている。[☆5]

もはや北朝鮮の歴史は太陽民族の建国神話と檀君朝鮮の起源神話を歴史的な事実とする作業を超え

て、「科学的」に人類の起源と北朝鮮の歴史を結びつける作業に入っていた。本の著者は「人類の発祥地は学術的というより政治的な問題」という率直な見解を示しながらも、世界の人類化石の発掘成果についての最新情報も一部紹介している。しかし、すべての人類の進化過程について「遥か遠い昔から朝鮮の地で暮らしていた我が先祖たちがリードしていた」という主張を加えている。

檀君と古朝鮮に関する研究でその本の著者は、「朝鮮の人びとは、その人がどこで生まれたかに関係なく、すべて平壌一帯から発掘された人類化石に起源をもつ同じ民族の末裔であり、平壌で初めて古代国家を樹立し民族の土台を成し遂げた檀君朝鮮人の直系の末裔」であるとしていた。☆6 その根拠として朝鮮の人びとの形態学的な基礎は、他の民族と異なる特徴をもつ頭蓋骨にあると主張している。★7

日本の植民地時代の「天孫族」の主張も似たような論理であった。当時の日本の歴史学界では大和民族の建国神話と「万世一系」の天皇制を歴史的な事実にする作業を行った。一方、人種論にこだわった体質人類学者たちは日本民族の優越性を主張するためにアイヌ、台湾、朝鮮、琉球、中国など周辺の他民族との違いを優生学的に明らかにしようとした。さらに当時のヨーロッパで人種学と優生学を先導したナチスドイツでは、アーリア民族の体質的な特性を典型化させながら彼らの民族的な純粋性を守るために、ユダヤ人や「シンティ・ロマ人（ジプシー）」のような汚染された民族との結婚を法律的に禁じた。★8

敵国ドイツと日本の人種主義を非難していた米国と英国でもマイノリティーに対する偏見と差別は根深かった。戦時中に刊行されたルース・ベネディクトの『人種主義―批判的考察』という本は敵国の人種主義のみならず米国の人種差別問題までを分析し批判した。当時の米軍はこの本を禁書に指定した。最近までもアメリカ社会における人種は「汚染」の原理によって規定されてきた。近い祖先に

「アフリカ系アメリカ人（黒人）」が混ざっていればその子孫はすべて「黒人」となってしまうといったように。[☆7]

脱北者が証言する、「純粋」と「汚染」の概念に基づく差別の事例がある。それは大飢饉の時期に中国にいた脱北者である妊婦たちが北朝鮮に強制送還され、強制的に堕胎させられた事件だ。彼女たちは「汚れた外国人の血」を孕んだという酷い侮辱を受けながら堕胎を強いられた。子どもの父が中国朝鮮族で同じ民族だと訴えても通じなかった。同じ「民族」であっても他国の「国民」は危険であり汚染した存在として捉えられた。

中朝国境地帯でこうした想像を絶する人権蹂躙の話を繰り返し聞いたときには戦慄した。だが、同時に私が思い浮かべたのは、子どもの時にソウルの梨泰院の街で見かけた数多くの「混血児」と不法な堕胎手術を専門としていた産婦人科の看板だ。当時の韓国社会において「汚染」した存在として差別を受けていた「混血児」は優先的に海外養子の対象となり、彼らを社会的差別から保護するための社会福祉施設が別途でつくられたりもした。[★9]

今日韓国が多文化社会になったとはいえ、異質な他者との結婚や「混血」に対する差別意識はいまだ強く残っている。異なる人種や民族はもちろん、外国籍の朝鮮民族との結婚ですら特殊だと受けとられることがある。実際、脱北者を含めた多くの移住女性とその子どもたちは周囲からの差別や偏見にさらされるといった困難を経験している。

二〇〇六年四月二七日付の『労働新聞』では「最近、南朝鮮で我が民族の本質的な特徴を破壊し、『多民族、多人種社会』化を進める不可思議な現象が現れている」と警告する記事が掲載された。「単一性は他の民族にないわが民族の誇りであり、民族の永久の発展と繁栄を目的とする闘争に欠かせない団結の、精神的な源になる」と述べ、「南朝鮮」での「混血問題」は全面的に米国の軍事的な強制占領による産物だとした。したがって、当時韓国で活発に議論されていた「多文化」と「多民族」社会論は「民族の単一性を否定し、南朝鮮を異民族化、雑種化、米国化する許せない民族抹殺論」であると捉えた。

人類学者のメアリ・ダグラスは「汚染は（社会）構造の境界が明確に規定されている場所で生じうる典型的なリスク」だとした。[★10] すなわち、北朝鮮のような内外の境界を明確に規定し、それを守ろうとする社会では、排除されるべきものが内側にあることは汚染を意味し、そのものは危険視される。したがって、「汚染」の概念は脅威にさらされた社会秩序の動揺を防ぐためのものである。

二〇〇〇年六月の南北首脳会談以降、南北交流が増加するにつれて韓国人の北朝鮮訪問が増えた。同じ民族であるが、社会経済的に圧倒的な優位な立場になった韓国人と接することになった北朝鮮体制としては境界を再び明確にする必要があったのだろう。この時、相手を異質で汚染した存在として概念化する作業が強化された。[★11] 北朝鮮を民族の「純粋さ」を守る国家として表象し、韓国が「汚染した」多民族、多人種国家になりつつあることを繰り返し強調した。

二〇世紀の初頭、社会主義インターナショナルの理想は、民族を超えた階級の連帯と平等を具現化することであった。いまとなっては民族と平等に関していえば、社会主義の北朝鮮と資本主義の韓国では互いに真逆の主張をする状況に置かれている。

「平壌は我が国の顔」―障がい差別

ある社会において望ましくない人を排除し差別する「社会的な烙印《スティグマ》」について研究したアーヴィ

ン・ゴフマンはスティグマを三つに分類した。一つは身体的な欠陥や障がいによる烙印。二つ目は反逆的な信条、不自然な感情、精神疾患、意志の弱さのような性格的な欠陥による烙印、そして三つ目は人種、民族、宗教のように家系によって伝播し、家族構成員を汚染させる部族的（集団的）烙印である。[☆8]

実際、「烙印を押された人」と「正常な人」を二つの異なるグループに分ける根拠は、その観点のみである。だれしも人生のなかで状況によってどちらかに規定されたり、立場が変わる場合がある。それにも関わらず「烙印を押された人」は汚名をこうむったり羞恥を向けられる対象になりやすく、人生の機会を狭められるような差別を受ける。北朝鮮ではあらゆる類型の「烙印を押された人」を公式に差別し、隔離する制度を設けては過去数十年にわたって施行してきた。

「平壌は我が国の顔です。顔をみてその人を評価するように我が国に来る諸外国の人びとは平壌市をみて朝鮮の発展を評価します。ですから平壌市を美しく保つ必要があります。平壌市を整えることは我が国の顔を美しくすることと同じです。」[☆9]

四〇余年前の金日成の言葉である。彼の言葉どおり、「平壌市には精神的にも肉体的にも健康な人のみが暮らすようにしなければいけない」という原則が徹底的に施行された。[☆10] まず平壌市内に暮らしていたろう者、身体障がい者、精神疾患者は家族と共に地方に強制移住をさせられた。平壌のみならず外部の人が訪問する可能性のある南浦《ナムポ》、開城《ケソン》、清津《チョンジン》に暮らしていた障がい者も、当局は山村の奥地や離島などへ追放した。戦争や事故で障がいを負った人や社会的地位の高い階層の障がい者も例外ではなかった。国家的な体面の問題として平壌の街から「目立たないようにする」ことが至上命題であった。

核心階層の場合、家族全員の追放ではなく障がい者本人だけを平壌近郊の障がい者集団居住地域に送り出した。家族はその地域を訪問できるが、本人は平壌に戻ることはできない。北朝鮮の日常生活を研究した伊藤亜人教授は、小児まひ（ポリオ）の障がいがあるが例外的に平壌市内での居住が許された日本女性の事例を紹介した。☆11
在日朝鮮人の帰国者と結婚して平壌に暮らしていた彼女は有名な画家であったが、地方に追放された。総聯と親戚たちが送金を続け、また働きかけて平壌中心地から外れた市内の郊外で家族との同居が許された。しかし家の外には一歩も出られず、市内で開催された自身の作品展覧会にも参加できなかったという。

南北交流が活発だった二〇〇〇年代半ば、平壌を訪問した韓国側の訪問団に、幼い時、小児まひを患った女性が参加した。数十年前から障がい者を地方に追放していた平壌の街に珍しく障がい者が現れたのである。明るく笑いながら会話をする彼女に平壌市民は異質な存在に対する警戒心よりも好奇心と好意を表した。権力秩序は人間の感情を抑えることはできないようだ。

表敬訪問先で彼女が自身を韓国の大学教授であると自己紹介したら、その場にいた女性たちがお互いにささやきはじめた。

「すごいわね、教授ですって！」

「結婚もしてるんだって」

「傷痍軍人と結婚した女性の話なら聞いたことはあったけど……」

公式行事が終わるとある女性が近づいてきて「本当にありがとうございます」とあいさつをした。

何がありがたいというのだろうか。その機関の年長者であった研究者も彼女の手をにぎり感動にあふれた表情で喜んでいたその姿が今も鮮明に思い浮かぶ。

4 「革命の両輪」――男性と女性

平壌訪問中に、たまたま「国際女性デー」を迎えた。[★12] その日、男性の案内員《ガイド》の冗談のような一言が耳に入った。「今日は国際婦女節《女性デー》だから私が朝食をつくらなければならないんですが……」私たちを迎えなくてはいけないがゆえに朝食をつくることができないのが残念であるかのような口調だったが、助かったという安堵の表情であふれていた。フェミニストと暮らす私が冗談っぽく聞いた。

「今日だけ?」

彼は何のことだかわからず考え込んだ後に私に質問してきた。

「ということは、鄭先生は他の日も朝食を準備するということですか?」

こんなやり取りから男性の家事参加についてお互い話すことになった。しばらく話を聞いていた彼が結論っぽく言った。

「ほぉ、南朝鮮男子のメンツは地に落ちてますなぁ」。

「女性は花だよ」

北朝鮮は建国初期から女性を「革命の一輪」と称え、伝統的な家族を「赤い家庭」に変えたと公式に表明していた。しかし実際には家族関係をはじめとした日常生活は家父長的な家族主義から変化していなかった。案内員《ガイド》の妻も仕事をもつ女性であったが、いつも家族の中で一番早く起床し、出勤前には朝食を準備し、帰宅後には家事を担うと案内員は言っていた。美しい伝統風習であるかのように自慢げに語る彼の表情に申し訳なさは感じられなかった。家族のなかでの男性優位の原則はいまだ強固たるものである。妻のご機嫌をうかがう、そんなかわいそうな韓国男性に自慢するかのように平壌で流行していた歌を教えてくれた。

女性は花だよ　暮らしの花だよ
一家を切り盛りする　花だよ
愛しい妻よ、姉よ　あなたたちがいないと
暮らしの一部が　欠けてしまうようなもの
女性は花だよ　暮らしの花だよ

歌のメロディーは軽快だが、歌詞は社会主義の理念が描く革命的女性像とは程遠い。北朝鮮建国初期の女性解放の理想とも異なる。いつからそうなったのか、北朝鮮がいかにその違いを説明しているのか調べてみた。

北朝鮮は解放直後から一九六〇年代まで、社会主義女性解放の理念に基づき「女性の革命化」を推進した。まずは女性教育に力を注いで識字率を高める運動を展開し、教育制度と社会活動において女性差別を無くそうとした。特に、女性の公的領域への進出は目まぐるしく拡大した。女性は政治的にはすべての組織で指導的な役割を担い、建国初期から主要なポストに任命された。社会分野においても医師や裁判官など専門職の女性が多かった。多くの女性が戦後復旧事業と「社会主義工業化」のプロセスに参加し、多様な分野の産業の技術訓練を受け、専門技術者になった。公的セクターが革命的な変化を遂げたぶん、家父長的な生活スタイルを進歩的（革新的）なものに変えようとする理念も支配的であった。実際、男尊女卑の思想を批判し、家族関係を「革命的」すなわち平等なものに変化させようとする試みも多くあった。☆12

ちかごろ北朝鮮社会で顕在化している家父長的な生活スタイルは、一九七二年の首領を中心とする「唯一思想体系」の確立と関係が深い。「朝鮮式社会主義」は欧米式の社会主義とは異なるという主張とともに、伝統的な家庭生活のスタイルが復活した。同年、韓国でも同じような試みがあった。大統領の終身制を保証した「維新体制」〔一九七二年一〇月、朴正熙政権による独裁を維持するために敷かれた体制〕は欧米式の自由民主主義とはことなる「韓国式民主主義」を唱えながら「忠孝思想」を強調した。南北の分断体制において各々の政治理念は異なっていたが、意外にも似通った軌跡を描きながら権威主義的な社会関係と生活文化を助長した。

一九八〇年代以降、北朝鮮経済が停滞し金正日の後継体制が公式化されるにつれて、いわゆる「社会主義大家庭」という概念が現れた。生物学的な血縁関係である親子関係のごとく、政治的な生命を与えてくれた首領を父とし、党を母として「慕う」人民になれというものであった。当局はこの理念を家庭においても日々の「生活儀礼」を通じて再確認させた。首領と党への忠誠と孝心を強調しつつ、伝統的な家父長的家族の秩序が再び強化された。この時期に刊行された雑誌『朝鮮女性』には以下のような主張がある。

「女性たちが革命化、労働階級化されることになれば、夫をより尊敬し、生活もよりつつましくなり、ひいては家庭が和むことになるだろう。[☆13]」

女性政策の変化は家族関係のみならず、冠婚葬祭儀礼にも影響を及ぼした。中でも結婚は性役割の固定観点とヒエラルキーが最もよくあらわれる通過儀礼でもある。基本的に女性は「嫁入りする」。したがって、新居は新郎が、家財は新婦が準備する。結婚はほとんどの場合、夫婦が男性の家で暮らすことを意味する。私が出会った北朝鮮のエリート女性のほとんどが夫の両親と同居していた。中には姑との対立で離婚したケースもあった。避妊も全面的に女性の責任であった。男性用避妊具の使用率は〇・四%にとどまり、女性が女性用避妊具で避妊をした。[☆14] 韓国では家族計画の初期に女性の間で普及していたが、副作用が深刻なために中断した避妊法である。代わりに韓国では男性のパイプカット手術が広く行われるようになったが、それとは対照的だ。中国で出会った脱北女性は、女性避妊法の副作用を訴えていた。

「南男北女」

生活文化面の革命的な変化は、むしろ一九八〇年代の韓国で起きていた。韓国社会の「民主化」は決定的に重要な文化的変化のきっかけとなった。産業化や都市化など様々な社会的要因もあったが、政治的な民主化は政治権力だけではなく、家父長的な労使関係を含む各方面における社会的関係、人間関係、性別関係までをも劇的に変えるきっかけとなった。

南北朝鮮の性役割の特性と価値観の違いを分析したある社会心理学の研究は、北朝鮮の人びとは男女平等意識において韓国人よりも保守的であり、男性中心的な価値観を示すことを明らかにしている。[☆15]

脱北者の男女と韓国人男女を比較分析したこの研究は北朝鮮の人びとのほうが性役割において、固定観念にとらわれていることが示された。特に韓国女性が急速に変わる文化のなかで男女平等理念を積極的に受けとめた結果、南北の認識の格差がひらいた点に注目している。この研究は今後、韓国女性と北朝鮮男性の交際が順調には進まないであろうことを示唆している。

実際、脱北した既婚者が韓国社会に定着する過程で、多くの脱北男性が家庭生活で男性の「既得権」を放棄し、女性を尊重するスタイルに適応できずにいた。それに比べて配偶者の脱北女性は適応が早く、不仲になるケースが多かった。性役割意識の変化のスピードの差は、多くの脱北者一家でDVなどを理由に離婚することの心理的な原因でもあった。

ハナ院でも性差別意識に基づく暴力問題が頻発した。その結果二〇〇六年からは男性専用の別施設がつくられた。このような男女の分離滞在システムは、家族で脱北し、韓国に到着した家族の分離問題にもつながった。さらに注目すべき問題は、韓国政府の性役割の認識も社会が変化するスピードより遅れているという点である。定住教育プログラムのコンテンツは性役割の固定観念に基づくものが多く、職業訓練においても女性は裁縫と料理、男性は運転と整備といった風に分けられた。脱北女性のなかには北朝鮮でトラクターの運転士をしていた人もいたし、重化学工場のエンジニアだった人もいた。ハナ院の性差別的な教育内容は、長年指摘されてきたにもかかわらずなかなか改善されない。韓国の男性官僚集団も他の社会集団に比べると保守的であり、硬直した性役割の価値観を持っていることが原因である。

開城《ケソン》工業団地が閉鎖される前の二〇一一年秋、開城工業団地を通って開城市を訪問したときのことだ。ソウルの光化門《クァンファムン》広場から車で出発し「出入境」（国境ではないという意味）手続きを含めても二時間もかからず到着した。当時、開城工業団地で働いていた五万人にも及ぶ北朝鮮労働者は、韓国で使われていた中古の市内バスとコミュニティバスに乗って開城市全域から通勤していた。家族も含めれば二〇万人以上の開城市民が開城工業団地の経済圏に頼って生活を営んでいたことになる。★13

開城市内での会議を終えたころ、偶然ではあるが韓国男性の保守性と無礼さのせいで恥ずかしい思いをしたことがある。ソウルへの帰路、開城工業団地のゲートで仕事を終えて帰宅する数万人の労働者の人波に出くわした。開城市内の各方面に向かって出発するバスと、そのバスに乗ろうとする長蛇の列が見えた。ほとんどが若い女性労働者であった。私は北の案内員《ガイド》、南のビジネスマン、関連省庁の公務員と同乗していた。後方に座っていた韓国のビジネスマンの一言。

「かわいい子が多いな。やはり南男北女だな！」

北側の案内員《ガイド》が彼を見つめて何か言いたげな表情をしていたが黙り込んだ。一九八〇年代に馬山《マサン》輸出自由地域で帰路に向かう若い女性労働者を見つめながらビールを飲んでいた、日本人ビジネスマンの視線に不快感を覚えたのを思いだした。しかし、開城市の女性は「北女」なのか（かつて開城は京畿道であったが今では開城直轄市になっている）。グッとこらえていた「北男」に申し訳なかった。

5 「録音している音が聞こえませんか」――監視と処罰

「録音している音が聞こえませんか？　レコーダーの音？」隣に座っていた案内員《ガイド》が急に周囲を気にしながら聞いた。恐怖におびえた表情であった。平壌から妙香山《ミョヒャンサン》に向かうバスの中だった。恐怖はすぐ伝染する。私も怖くなった。私たちが今まで何を話していただろうか……と再確認しつつ、少し訝しく思って聞いてみた。

「ここでは録音する音も聞こえるのですか」

一瞬、彼は戸惑った表情を見せたのち顔を赤くして、全く脈絡のないことを語り始めた。その瞬間、状況が理解できた。直前まで韓国経済と自由貿易に関する私の話を聞きながら、少しずつ分かったかのような相槌を打っていたのだが、彼は動揺してあらぬことを言ってしまったようである。

「盗聴の音が聞こえない?」

血のひいた慌てた表情で聞いてきた友人の顔が思い出される。一九七〇年代、「維新時代（朴正熙政権時代）」のころである。道を歩きつつ「俺たち今、尾行されているぞ！」と私の手を握った。大学時代、幻聴で悩んでいた繊細な詩人の友人である。大した学生運動家でも民主化闘士だったわけでもない。ただ取り調べを受け、短期間拘置所で暮らした後遺症で不安におびえていた平凡な学生にすぎなかった。

監視、盗聴、尾行は実際に行われているからというよりもいつ、どこで、誰にされるか分からないという点だけで不特定多数の人に恐怖を与える。軍部独裁時代に韓国で大学生活をおくった私は、北朝鮮の若者の揺れる瞳と硬直した表情から「監視社会」が常態化している恐怖を感じ取ることができた。

闇市場で酸いも甘いも嚙み分けてサバイバルの達人となった脱北中年女性の言葉。

「ほかの問題はすべてお金で解決できますが、政治問題は方法がありません」

彼女は政治的問題で苦労の末に亡くなった夫について話してくれた。以前、「派閥分子」の烙印を押され追放された父のせいで成分が悪くなった夫は常に気を付けていた。その地域で（首領の）肖像画の紛失事故が発生した際、成分のせいで疑われた夫は家族も知らないうちに取り調べを受けて戻った後、深刻な恐怖でおびえていた。身の潔白を証明する方法がないため、徐々に深刻な鬱症状を見せ、真冬の寒い夜に裸で外に出て冷水を浴びながら「首領《スリョンニム》！　清らかになります」と泣き叫んでいたこともあったという。その後症状はますます深刻になり、錯乱状態に苦しみながら亡くなったという。流れる涙を拭きもせず、長年伏せていた痛みを語った彼女はため息をつきながら言った。

「もう昔のことですね。いまはそんなにナイーブな人もいないでしょう」

「革命化」と「首領《スリョンニム》の恩赦」

北朝鮮の人権問題は深刻である。日常的な監視等の恐怖だけでなく、処罰の方法も今日の世界中のどの国家と比べても劣らないほど暴力的である。特に国家体制に対する挑戦は、些細な違反であっても残酷な処罰を受けるようになっている。しかしほとんどの独裁体制がそうであるように、すべての国民が常に監視され、直接的な暴力に晒されているわけではない。スターリン時代のソ連やナチスドイツにおいても日常的な監視や処罰に対する恐怖心は広まっていたが、実際に国家暴力を振るっていた収容施設は徹底的に隔離され、その隣に暮らす一般住民はそこで何が起きていたのかを知ることすらなかった。

外部世界が想像するように、北朝鮮のすべての処罰機関が政治犯収容所ではない。すべての場所で残酷な加害行為が行われるわけでもない。政治的な犯罪よりも多くの非政治的な犯罪に対する多様な処罰機関がある。まず、他国の警察と同じような機能を果たす「人民保安部」では殺人、窃盗、暴行、詐欺など一般的な刑事問題と収賄や各種法秩序の違反行為に対する取り締まりと処罰を担当している。「集結所」「労働鍛錬隊」「教化所」と呼ばれる収容施設では質の悪い食事と過度な労働、劣悪な環境と収監者への暴力による犠牲者が発生するが、一般の犯罪者を収容する施設では他の近代国家の司法更生システムと似たような枠組みを備えている。

国際的に深刻な人権問題として指摘されるのは「国家安全保衛部」という秘密警察機構が扱う政治犯への処罰方法である。いったん政治的犯罪の容疑者として目をつけられると逮捕、尋問、裁判、拘禁のプロセスが乱暴に進められ、連座制によって当事者だけでなく家族も処罰の対象になったりもする。そのために最も悲惨な人権蹂躙のシステムとして悪名高い。代表的な政治犯収容所である「ヨドク収容所」に対する証言は、多方面からその事実を告発している。

国際社会の一般的な基準に照らしてみると軽犯罪レベルのものが厳重な処罰の対象になるケースもある。先ほどの肖像画紛失事件の例にみられるように、首領の銅像や写真、記念物に対する冒瀆、革命標語や政治宣伝物の毀損、反政府文書や情報の流布、国家資源を盗んだり損害を与える行為などの政治的犯罪は些細なものでも重い処罰を免れることは難しい。このように体制への不満の表明を危険視し、無慈悲な暴力的懲罰を加えることで人びとがそうした発想を抱く芽を摘むのである。

ここで注目すべきは権力エリート内部の内紛や権力への挑戦に対する処罰である。いわゆる「粛清」だ。政治的な粛清は人びとのイメージとは違って、死あるいは無期懲役ではない場合も多いという。エリート集団の違法行為は極刑よりも現状復帰の可能性をのこす「再教育」形式の処罰が多い。連座制によって家族全員を政治犯収容所の「革命化区域」に無期限に強制移住させたあとでも、思想理念の再教育を受けながら自身の罪を償い、反省し、更生する覚悟を明らかにする自己改造の革命化の作業を繰り返させる。

処罰を受けながら彼らは首領に嘆願書を書き続け、首領への愛と信頼を表現し忠誠を誓約する。そうしてより強化された忠誠心と「自己改造」が認められさえすれば、いつの間にか本来の位置を取り戻し、没収された財産も取り戻す現状回復の「恩赦」を受けたりもする。それは法に基づくものというより、目に見えない権力の「恣意的」な判断によるものであるため、「権利」ではなく「恩赦」である。すなわち、首領の愛と恩恵のみが唯一の希望なのだ。こうして恩赦対象として選ばれていくごくわずかな事例をみて、多くの政治犯は残酷な人権蹂躙に耐えつつも自己改造や忠誠の誓約をし続ける。

朝鮮時代に遠く離れた遠隔地に送られた両班《ヤンバン》が自身と家族に過酷な刑罰を下した王を憎まずに漢陽（都）を眺めつつ「王様を思い浮かべては涙を流し」たり、変わらない忠誠心を「流れる雲に込めて送る」といった無数の「思慕曲」をつくっていたのと似ている。

実際、北朝鮮の権力エリート集団も朝鮮時代の両班のように、建国に貢献した抗日遊撃隊《パルチザン》の家族が綿々と繋がっている。したがってほとんどの政治的な犯罪に関する処罰は、個人の問題として、名誉回復の可能性を残すことで忠誠心を競わせ続ける。極刑を柔軟に使い分けながらも、エリート集団（または一種の拡大家族集団）の内部において、反発や挫折が集団化しないようにと調整しているのである。

「まだ終わっていない」

北朝鮮の人権問題を告発する切々とした証言を見聞きするたびに私は戦慄を禁じ得ない。残酷さに驚くからではなく、韓国社会でも驚くほど似たようなことを数多く経験してきたからである。軍事政権時代を生きてきた私の世代は、当時の監視と処罰をよく知っている。私自身はその断面を一時的に経験したに過ぎないが、多くの人びとが残酷な拷問と人権蹂躙を経験し、今もなくならない傷を生々しく記憶し、その苦痛の中で生きている。新しい証言と証拠が次々と発見されている。しかし、当時も今もほとんどの「善良な国民」は国家権力に対する恐怖を漠然と抱いていても、その無慈悲かつ悪辣な暴力性を体感することはできない。

誰かの告発で深夜に逮捕され、ひどい取り調べを受け、残酷な拷問を経験し、自白を強要され、形式的な裁判を受け、刑務所でも残酷な行為に苦しむ。刑期をおえても「青松《チョンソン》観護所」のようなところで無期限の拘束がなされた。不当な死刑もあった。一九七〇~八〇年代、世界的にみても人権弾圧国家であった大韓民国で数多くの「政治的犯罪容疑者」が経験したことである。そして今日の私たちは、いつの時代の話かといわんばかりに当時のことを、他人事としてうけとめ暮らしている。

二〇一九年夏、「ろうそく革命」として知られた韓国の民主化と、人権を学ぶために東アジアの若者がソウルを訪れた。大韓民国歴史博物館、西大門刑務所、戦争と女性人権博物館、民主人権記念館などを訪問してフィールドワークを行った後、日本人の女子大学生が感想を語り始めた。西大門刑務所で独立運動家を拷問する日本警察の残酷さに心を痛めたが、その拷問方法を韓国の警察が学び、二、三〇年前までソウル市内のど真ん中で同じことを行っていたことに一層驚き、申し訳なく思ったと。

台湾から来た若者は、現職警察官であると自己紹介し感想を述べた。台湾も冷戦時代には同じような国家による暴力装置があったがいまだ十分に解明されていない。そんななかこのように民主人権記念館までつくった韓国の民主化を素晴らしく思うと語りながら質問をした。

「ここで拷問を加えた警察はどのような処罰を受けましたか？　このような残酷な施設をつくって運営した人びとは裁判で裁かれましたか？　命令をした人はどうですか？」

韓国の若者が首を横に振った。するとこう彼はこう言った。

「ならばいつでも再発しますね。まだ終わっていませんね！」

国家暴力は特別な時代に特別な国家のみが行うものではあるまい。彼らの話を聞きながら小説『一九八四』の著者ジョージ・オーウェルを思い浮かべた。『一九八四』に登場する拷問シーンは、ビルマ（ミャンマー）の独立運動家を拷問し処刑する様子を大英帝国の植民地警察として目撃したオーウェルが後に生々しく描写したものと同じである。[☆16]　国際的に人権を唱える米国政府がグアンタナモ収容所で今も無期限の拘留と拷問を続けている現実もある。

人間に対する残虐行為を、国家権力の命令に従っただけという言い訳で覆い隠すのを防ぐには、また体制の理念と宗教的信条によるものだという自己正当化を防ぐには、人道主義に対する犯罪は時効を無くしてトランスナショナルなレベルで罰せられるべきであるという主張がある。[☆17]　今日の国際社会の現実では実現不可能とも思えるこうした理想主義的な人権活動家の主張が、私にはもっとも説得力を持つ方法に思える。いまも北朝鮮のみならず世界各地で政治的な理由で拷問が行われている。またどの国でも拷問は再発し得る。これを防ぐために私たちが取るべき行動は何であろうか。

注

★1 カンジュンマン（강준만）は、著書『ソウル大学の国』と『バベルの塔共和国』を通じてソウルの中心的な権力と教育を通した権力再生産の過程を分析した。今日急速に市場化されている北朝鮮社会の平壌中心的な価値観と差別の形成を「平壌共和国」と「金日成大学の国」の概念で比較分析することができるだろう。

★2 実際に、住民登録証である「家系票」には、父の職業を書く「出身成分」と、本人の職業である「社会成分」とに分けて記載する。

★3 核心階層は大体全人口の三〇％、動揺階層は五〇％、敵対階層は二〇％程度と推定される。

★4 政治的な連座制は、民主化前の韓国社会においても深刻だった。特に建国後、済州島と麗水・順天地域、そして朝鮮戦争時には人民軍が占領していた地域に社会発展の過程から脱落したり排除されたりした人が多く生まれ、それらの地域出身者への社会的な差別の契機ともなった。

★5 先に韓国に来た家族の助けで飢饉の時期に脱北してきた彼女は、北朝鮮で「父なる首領」を信じ、その訓示通りに暮らして成功していたように、韓国では「父なる神様」を信じてついていけば恵まれてうまくいくのではないかと話していた。北朝鮮において絶対的な戒律と思って暮らしていた「党の唯一思想体系確立の十大原則」とキリスト教の「十戒」は似たようなものではないかと私に聞き返した（二〇〇〇年六月のインタビュー）。

★6 「純粋」と「汚染」の概念による社会階級制度は、インドのカースト制度が代表的だ。最高階級であるバラモンは純粋であり、純潔な生を生きる司祭集団とされている。カースト制度では、彼らは自分たちがしてはいけない不潔で汚染されたことをしてくれる不可触賤民集団が必要だとしている。「不可触（untouchable）」とは接触だけで伝染する汚染された存在という意味だが、ある村でその役割をしていた賤民集団が逃げ出せば、その次に低い階級を無理やり賤民とすることもある。それだけ対称的な「司祭（priest）」と「反司祭（anti-priest）」集団は社会機能の面で相互にもう一方を必要としている。Louis Dumont, *Homo Hierarchius*, Oxford University Press, 1980を参照。インドカースト制度と似た純粋と汚染の階層制度は、ヒンドゥー文化の伝播とともにチベット、ミャンマー、バリなどに広がり、東北アジアでは仏教文化とともに伝わり土着の聖俗概念と結合し、朝鮮の「白丁《ペクチョン》（高麗の禾尺《ファチョク》）」や日本の「穢多」のような賤民集団の差別としてあらわれている。

★7 「朝鮮人であれば誰しも、どの時代どこに住んでいた人であれ、頭の骨はかなり高いが、顔の骨の高さは中くらいでそれほど高くはなく、額は突き出ておらずまっすぐ立っており、目の幅は相対的に高く、歯の幅は広く、鼻の根の部分が相対的に狭く、高い。」장우진『아득히 먼 옛날의 우리 선조들을 찾아서』、평양：사회과학출판사、二〇〇九、一四五면。こうした過度な形態論的主張は、二〇世紀初頭のファシズムとともに流行した人種学に基づくものだ。

★8 ナチの純粋と汚染に対する優生学的執着は、精神障がい者と遺伝性疾患のある人にまで適用され「断種法」を制定し戦争末期には彼らの虐殺までおこなった。帝国主義日本と植民地朝鮮では、ハンセン病患者を強制的に隔離して、去勢、不妊手術をした。こうして近代初期につくられた優生学的な偏見と民族差別意識のために、今日も他民族の「血が汚い」という偏見によって結婚はもちろん社会的接触も避ける人がいる。

★9 ノーベル文学賞の受賞者であり、人権運動家でもあるパール・バックは、韓国社会で孤児たちから差別を受けていた混血の子どもたちを目撃し、彼らのために「希望院」を立てて二〇〇〇名あまりの面倒を見て教育している。피터 콘『펄벅 평전』、이한음 옮김、은행나무、二〇〇四、五五四〜七二면〔ピーター・コン『パール・バック伝』舞時社、二〇〇一〕参照。

★10 社会的な「汚染」概念は文化的な「内と外」の区別を拡大適用したものだ。同じ物質であっても外の畑にあれば肥やし、家の中にあれば汚物とみなされる。메리 더글라스『순수와 위험：오염과 금기 개념의 분석』、유제분・이훈상 옮김、현대미학사、一九九七〔メアリ・ダグラス『汚穢と禁忌』、塚本利明訳、思潮社、一九八五〕参照。

★11 韓国でも脱北者が増加するにつれ、南北分断の境界を再び明確にしようとする人びとによって、異質で不可思議な「北朝鮮人」イメージを生産するメディア番組が増えた。

★12 三月八日「国際女性デー」は、一九〇八年に劣悪な作業場で火災によって亡くなった女性労働者をたたえてアメリカの労働者が決起した日で、女性の政治、経済、社会的業績を全世界的に記念するために国連が公式に指定した日である。韓国では大して注目されていない日だが、北朝鮮では「国際婦女節」という名称で重要な記念日とされている。

★13　二〇一一年当時、開城市とその外郭地域は何年か前に見たのとは違ってずいぶん豊かに見えた。工団で働く労働者の顔も明るく、栄養状態もよさそうだった。工団に入っている韓国企業が栄養価の高い昼食と間食を提供し、シャワー施設もつけて工員たちの福祉と衛生にも気を使っていたという。労働者を治療する病院とその子どもたちの面倒をみる保育施設も運営されていた。まだまだ制約はあるが、南北がともに未来に備える場であるという自負心に満ちた産業現場であった。

第七章　底辺の流れ

1　「必要な道を模索することもある」――非公式経済

大飢饉で公式の配給体制が機能しなくなると、その陰に存在していた非公式の経済が表立って動き始めた。人びとは生きるために、以前なら想像もできなかったような違法行為に踏み切るようになった。平壌で出会う官僚たちも、口先では「政治が経済よりも大切」という「公式」の立場をとり続けているが、彼ら自身も「非公式」経済なしにはいられなかった。

食糧不足とエネルギー枯渇といった資源が欠乏している状況では、国内で調達できないほとんどの消費財と原材料、〔工業製品の〕部品類は輸入するしかなかった。しかし、外貨不足と経済制裁により、国家レベルの公的な輸入は困難な状況にあった。さしあたって生活に欠かせない物資は、多様な密貿易に依存するしかなかった。国際社会の制裁が常態化しているなか、人びととの間で「密輸」は深刻な犯罪とは認識されなかった。むしろ、外部封鎖を突破する補給闘争として、大義名分が立つものだったと言える。その点で権力を握っている軍と党も「非公式」に密輸を認め、場合によっては積極的に利用した。

北朝鮮の非公式経済はまず、貧相な市場として現れた。しかしその裏では、必ず目に見えない広く深く新たな供給―分配―消費という流れが確立し始めていた。非公式であるため公式には内容が確認できず、公式の統計にも表れないので実態を把握することは難しい。国際社会の長い封鎖と制裁が続くなかでも、平壌と地方都市に高層建築が次々と建てられ、相当な規模の消費財とぜいたく品が流通している状況から、非公式経済の規模を推し量ることしかできない。

一九九九年の夏、私は緊急食糧支援品を購入するため中国の丹東に行った。当時、丹東は北朝鮮の飢餓による特需に浮かれていた。この状況は、外から推し量るしかなかった北朝鮮の大飢饉の実態を肌で感じさせるものだった。規範的なことばかりの「公式政治」や、動いてもいない配給制度のような「公式経済」の領域ではなかなか見えてこなかった「非公式政治」や「非公式経済」の滔々とした流れの源泉を直に目撃できたからである。そのとき私が見聞きし感じたことは、北朝鮮の権力側が発信する公式の体制論理とは異なる方法で展開されている、非公式経済の流れと人びとの日常生活のダイナミズムを理解する鍵となった。

丹東の食糧倉庫

鴨緑江にかかる中国と朝鮮を結ぶ「友誼橋《ゆうぎ》」には、一台の車両も行き交わない。一九九七年七月二七日の朝九時。普段なら中国からの救援物資を載せたトラックが列をなしている時間なのだが、この日は北朝鮮が「祖国解放戦争勝利の日」で休日。「米帝の降伏を勝ち取り休戦協定を結んだ日」ということで、記念行事に忙しいという。★1

丹東の川岸の鉄橋の下から遊覧船に乗ったら、北朝鮮の新義州《シンウィジュ》に手が届こうかというくらいの地点まで船を近づけてくれた。国境線が川の中間地点にあるわけではなく、鴨緑江は両国が共同管理する一種の中間地帯なのだという。手を伸ばせば触れられそうな距離に、色褪せた灰色の街が長く伸びていた。平安北道の道庁所在地・新義州。何年か前の水害であちこち崩れた痕跡のあるコンクリートの埠頭と建物、じっと動かない工場、さびた船、川岸の遊園地のさびた遊具まで、何もかもが手つかずのまま並んでいる。暑い夏の休日の午後、多くの人びとが川岸に出て腰かけており、派手な遊覧船にのった我々をぼんやりと眺めていた。

このとき彼らが見つめていた川向うの中国の国境都市・丹東は日に日に栄えていた。ピカピカのガラスで覆われた最新型の高層ビルが川べりに立ち並び、その隙間にはさらに多くのビルの骨組みがどんどん伸びていた。夜になれば派手なネオンサインが不夜城を成し、漆黒の闇に沈んだまま、時折かすかな灯りだけが見える新義州とは極端な対比をなしていた。

今や丹東は北朝鮮と外部をつなぐ最も重要な関門である。一九九五年の洪水被害以降、陸路で北朝鮮に運ばれた食糧や物資支援のほとんどは丹東を通過した。ただ通過するだけではなく、相当量の取引がここでなされ、この地の倉庫からトラックや列車に乗せられて北朝鮮側に入っていった。北朝鮮の飢饉が、まさに中国・丹東を肥やしていたわけである。韓国の民間支援団体である私たちも丹東に小麦を買い付けに行った。南北間での支援物資送付が難しくなったため、もっとも状況の厳しい地域にはトラック何台分かだけでも中国から直接送ろうと考えたからだ。

ソウルから支援を始めて三年。丹東に来るまで、正直もう何度やめようと思ったかわからない。最初は、純粋な人道支援活動を妨害する韓国の分断政治の網に絡めとられた。金大中政権になって、制限はあるものの民間団体が救援物資を直接送ることが許可され、北朝鮮の人びととの接触も認められるようになった。そうして出会った北朝鮮の官僚と交渉を重ねる過程で、今度は北朝鮮式の分断政治に直面する。カルチャーショックを受けつつも試行錯誤したことで多くの学びを得たが、この先どれほどたくさんのショックと新たな学習事項が待ち構えているのだろうと想像すると、ゴールはとてつもなく遠いものに思えた。南北関係や国際政治の状況によって支援はたびたび遮断されてしまう。持続可能な物資送付の手段を探るために訪ねたのがこの丹東であった。

丹東では、これまで北朝鮮の官僚との間で経験してきた「公式領域」とは全く異なる「非公式領域」に遭遇することとなった。まず、私たちに米と小麦を売ってくれるという場所に行ってみたところ、そこは細い日差しが射しこむなかにほこりが舞っているのが見える、古びた倉庫だった。国際慈善団体であるカリタスのマークがくっきりと印刷された米袋がうず高く積まれていた。業者がカリタスの支援物資を送るときに使われた余りの袋を使っているのだと言いながら中身を見せてくれ、買うかと聞く。いったいどこまで信じていいのやら、一九六〇〜七〇年代にソウルの南大門のトッケビ市場〔闇市〕で経験したあれこれを思い出した。

広い穀物倉庫の片側の壁には、大型テレビや電気炊飯器、そして小型の食洗機に至るまで場違いに思えるようなさまざまな家電製品が積まれていた。それらも北朝鮮に運ばれる物資で、人気があってよく売れるという。大飢饉に見舞われて電気すらまともにこないはずの北朝鮮で誰がこんなものを買うのか。そもそもあんなものを買うお金はどこから出てくるのだろうか。目を丸くしている私に「腹が減って豆腐一丁を手に入れるためにも家を売ろうという人がいるところに、金持ちが生まれないわけがない」と倉庫の社長が言う。大飢饉で金持ちになる人が中国だけでなく北朝鮮にもたくさんいるのだという。

それほど腐敗した社会になぜ支援物資を送らねばならないのだろうか。なんともやりきれず、すぐにでも出ていきたい気分だった。しかし一方で「やはりそうだったか。人の住むところなのだから、当然そのようなこともありうるだろう」という思いもあった。韓国がそうでないと言えるだろうか。朝鮮戦争で釜山に避難していたときに、軒下に寝る場所を求めて家宝を売ったという人がいなかったか。外国の支援物資が着く港や倉庫でどれだけの物資が抜き取られていたか、支援の食糧配給のプロセスでどれだけ多くの不正がおこなわれていたか、振り返ってみてほしい。[★2] それにもかかわらず国際社会は韓国に食糧支援を続け、おかげで貧しい人びとの一部は災難を乗り越えることができた。

そのころ国境地域で出会った脱北者は、外国の食糧支援が北朝鮮に到着したら（または、入ってくるという噂が出た時点で）市場の穀物価格が下がったと証言している。不確かな明日のために備蓄されていた食糧が市場に流れるためである。それならば、公式も非公式もない。どんな方法であれ、食糧を送ること自体が苦しんでいる人びとの助けになるのだから。しかし、これほど大きく複雑な支援の現場では、私たちのような民間団体が送るトラック何台かの食糧など微々たる量ではないか。飢餓支援などと大げさなタイトルでキャンペーンをおこなったことが情けなく思えた。

「ルートがなければ、いっしょにつくります」

二〇一〇年、天安艦事件を契機に李明博《イミョンバク》政権が五・二四処置（対北制裁）によって南北交易を禁止すると、中国の丹東で北朝鮮―中国―韓国を繋いでの三国貿易が活発になったと噂に聞いた。丹東地域を研究していた人類学者の姜柱源《カンジュウォン》は、国際社会の対北制裁にもかかわらず活発に動いている非公式経済の潮流を教えてくれた。[☆1] 中朝間の公式な交易が遮断されたというニュースが大々的に出たときも、丹東と新義州間には韓国企業である現代マークがはっきりついたコンテナを載せた船が白昼の鴨緑江を往来していたという。

　二〇一四年の秋、丹東を再訪した。一五年ぶりに訪問した丹東市は現代的な国際都市へと変貌をとげていた。街中のレストランや商店の看板には、韓国、中国、北朝鮮、三国の旗が並んでおり、三国貿易の中心地、三国の人びとが活発に交流する都市であることを示していた。川向うの新義州市も中心部では高層ビルが建設中で、以前は稼働していなかった古びた工場と遊園地も乗りものを塗りなおして再稼働させていた。そんな状況を見過ごしていた当時の朴槿恵政権は、不安定な金正恩体制の崩壊はもうじきと考えて「統一テバク（統一で大儲け）」の夢を育てているところであった。

丹東税関と輸出入商店街
朝鮮・新義州をつなぐ「友好の橋（友誼橋）」近くの道の両側に立ち並ぶ朝鮮貿易専門会社と卸売商店。

　北朝鮮とつながる「友誼橋」の入口に丹東税関はある。早朝から通関を待つ大型トラックが広い駐車場にぎっしり並んでいた。北朝鮮の貿易商と中国の朝鮮族と韓国の事業家が書類を持って税関の事務所内を慌ただしく出入りし、手持ち無沙汰のトラック運転手たちは大量のタバコをふかしながら順番を待っていた。

　丹東税関入口の広い道路の両脇には、大規模な商店が立ち並んでいた。市場で売っているような生活用品の商店を想像していた私が見たのは、大きなハングルの看板を出した各種自動車、重機、モーター、化学工業薬品、建築資材と発電機、電子製品を売る商店だった。まるでソウルの清渓川《チョンゲチョン》工具商店街と乙支路《ウルチロ》建材商、化学工業薬品卸売市場をひと所に集めたような光景だった。一方で、ヤンゴク卸売市場のように、小麦、豆油、大豆かす、食用アルコールなどを大量に取り扱っている商店があった。すべて北朝鮮に送られるものを扱っているという。一見小規模だが、どの卸売商店も大量注文が可能な一種のサンプル展示場なのである。実際、ある商店の昨年の売り上げは五〇〇〇万ドルにものぼったという噂を聞いた。

もっとも私の目をひいたのは、太陽光、太陽熱パネルだった。どの商店でも、主に取り扱っている品目に加え、「太陽光発電機」を展示していた。電気供給の不安定な北朝鮮で太陽光発電機は、家庭や企業、どこでも必需品なのだという。小さな太陽光パネルと変圧器でテレビ、照明、ノートパソコン、手電話〔携帯電話〕の充電が可能であり、大きな太陽光パネルを設置すれば、扇風機、電気毛布、冷凍庫、洗濯機、電気炊飯器まで使えると説明した看板がぶら下がっており、すべて中国製だった。韓国で代替エネルギー開発が低迷するなか、中国は太陽光発電と太陽熱温水施設を辺境にまで大量に普及させたため、太陽光パネルの価格も安くなっていた。必需品だからこそたくさん売れる、と店員に言われて腑に落ちた。とてつもなく長い冬を過ごすのに温かいお湯だけでもすぐに使えるようになれば、疾病予防にも大きく役立つだろうと思った。

意味深長な宣伝看板も目に付いた。北朝鮮の検閲を通過できるように梱包し、必要に応じて新義州駅や平壌駅で直接受け取れるように配達するという説明であった。これまで一五年、丹東を拠点に公式・非公式の交易を開拓してきたのだという自信にあふれた看板であった。丹東市内の電話帳には「朝鮮貿易に困っていませんか?」「必要なルートを探します。切れたルートを繋ぎ、ルートがなければつくります」という広告も載っていた。☆2

「朝鮮韓国民俗通り／朝韓風情街」というハングルと漢字の看板を掲げた赤い柱のあずまやが見える。「朝鮮」と「韓国」、通りの名前そのままに「朝鮮の人」と「韓国の人」が「朝鮮のもの」と「韓国のもの」を売る店が隣り合い、それぞれ人気商品を売っていた。朝鮮商店に山人参、鹿茸、チャーガ茸、ベリー酒が並べば、その隣の韓国商店では化粧品、ラーメン、バナナ牛乳が売られるといった具合だ。

いくぶん規模の大きい台所用品の店に入ってみた。売り場に積まれている食器は平凡。しかしソウルからきたという社長に話を聞いてみると、北朝鮮に入る品目の種類と物量は想像を超えていた。玉流館《オンリュガン》〔平壌の有名な冷麺店〕をはじめ、ほとんどの冷麺店の製麺機と粉をこねる機械は、ここから供給したという。最近、平壌やその他の都市で新たに開店したレストランの焼肉テーブルもここで購入されており、キムチ冷蔵庫のような韓国にしかない電気製品もよく売れるそうだ。他にも韓国で廃業した食堂の設備が中古品として、丹東を通じて数えきれないほど北朝鮮に入っているという。

路地の入口で女性用の下着店を経営している韓国人の事業規模も並大抵ではなさそうだった。〔韓国の〕平和市場で「在庫処分品」となっていた女性用下着一万点を一着一〇〇〇ウォンで購入し、二〇トンコンテナにぎっちりつめて新義州に送ったことがあるという。いくらくらいの代金を、どう受け取ったかは当然明かしてくれなかった。そのかわり、人民服のいでたちでやってくる品の良い常連の中年幹部の話をしてくれた。来るたびにとうてい個人消費と思えない量の妖艶な女性用下着を買っていくので、そんなに恋人が大勢いるのかと冗談を言ったところ、幹部連の夫人たちのあいだでこっそりプレゼントしていたものが流行してしまって、下着を欲しがる人が増えたから卸売価格にしてもらえないか、と言うのだそうだ。

丹東の朝鮮族街のビジネスホテルでは、北朝鮮に出張していた貿易商と中国で働いて北朝鮮に帰る外貨稼ぎ人の巨大な荷物を見ることがある。朝鮮の市場でよく売れる品が入っているのだろう。帰国直前に彼らが買うものを見れば、おおよその内容がわかる。二〇一四年は、韓国産の電気炊飯器、化粧品、靴、ハンドバッグ、電気毛布などが多くを占めたという。二〇一五年以降は、iPad、ノートパソコン、カメラといった最新の電気製品と、ネックレス、指輪、イヤリング、ブローチのような小さくて高価なアクセサリーも多くなっているという。

二〇一四年の丹東には、公式に常駐する北朝鮮政府と企業の人びとだけでも数千人にのぼり、近隣の賃金加工工場（縫製、電気電子、水産物加工）で働く労働者だけでも二万名にのぼったというから、大雑把に見積もっても彼らが帰国するたびに入る商品はかなりの量にのぼる。加えてロシアや中東地域で働いて帰国する海外労働者も同じように買い込んでくるはずだから、北朝鮮の闇市場や市場で販売されている高級消費財の相当量が、このように海外で稼いだお金で供給されていることは想像がつく。

平壌行の国際列車が鴨緑江を越えてはじめて停まる新義州駅では、一九七〇〜八〇年代に中東の建設現場から帰国した労働者がソウルの金浦空港で、象印の炊飯器、テレビ、カメラ、テープレコーダーを一斉にブローカーに渡していたのと似たことが起きている。国境並みの警戒検閲が再度行われる平壌に入る前に、平壌周辺でこうして入ってきた品物を受け取って市場に届ける「デコ（仲買人、ブローカー）」もたくさん存在している。そのため平城市《ピョンソン》（平壌のすぐ北に位置する都市）のオクジョン市場は、北朝鮮最大の衣料卸売市場、そして工業製品と工業原料の供給地になったという。

こうした消費財の輸入は比較的「公式」の搬入手続きを通っている。しかし内容を見ると海外からの規制対象品目や北朝鮮への搬入が禁止されている品目も多い。限度も量もつねに超過してしまうため、しかたなく「非公式」な戦略を使ってくぐり抜けるルートを探ることになる。そこで必要となるのが、いわゆるプレゼント（賄賂）用の嗜好品だ。丹東では高級タバコとお酒、韓国食品と化粧品、貴重な熱帯の果物などを売る土産品専門店と、ぜいたく品である時計、ハンドバッグ、ベルト、ネックレスなどのアクセサリーを売る商店がずらりと並んでいる。

ぜいたく品や消耗品は自分で消費するためというよりは、特別な関係を築き維持するための必需品だ。こうした非公式の「贈り物の政治」を通じて、闇市場《ジャンマダン》も市場も存在し機能できると言われる。すなわち公式に取引される商品だけでなく、その流れを規制するはずの権力者側も巻き込んで管理するには多様な物品が必要というわけだ。

毎日午後五時ごろになると平壌発北京行の国際列車が丹東駅に到着する。国際線の改札口に、人民服を着た幹部風の中年男性からスーツ姿の若い男女まで多様な人びとが下りてくる。迎えに来た人びととはたいてい平壌ことばで挨拶を交わす。丹東常駐の貿易商のように洗練されたトレンチコートを着て待つ北朝鮮の女性が、到着したばかりの若い男性と腕を組み、親しげに語らいながら停めてあった乗用車の方に歩いて行った。雨の降る丹東駅の広場では、金色に輝く毛沢東の銅像がきらびやかな照明を浴びている。商店街の電光掲示板では、韓国の俳優キム スヒョンが華やかな笑みを浮かべて広場を見下ろしていた。

「あの子たちにも、ちょっとはカネの味を覚えさせせんとな！」

北朝鮮の人びとと長年商売をしてきた韓国の事業家の話。「実際、我々ほどこの商売方法をよく理解している人もいないでしょう。韓国も一九八〇年代までに似たようなことをおおかた経験していますからね。どんな事業も、政治家、官僚、警察、国家情報院〔公安〕まで抱き込んで成り立っていたじゃないですか。トラックひとつ動かすにも検問所ごとに通過料を払わねばならなかったし、役場の事務所で書類一枚出すにも、特急料金とかいって追加で払っていたしね。交通違反で警察につかまれば一万ウォン札一枚で解決したわけだし。だけどあんなのはいつなくなったんだろうね。民主化のせいかな？　そうだよ！　最近の韓国の若い子らには、こんな商売はできないだろうね」

南北交流が活発だった時期に平壌で起きたことを思い出した。対北協力事業に関心を持つ韓国のビジネスマンたちと平壌のある小学校を訪問した。少し広めの教室で歓迎公演があった。簡単な公演が終わり、訪問客は子どもたちと写真を撮った。教室を出ようとしたときにトラブルが発生した。韓国のとあるホテルの社長が、かわいい四年生の女の子の手にこっそり一〇〇ドル札を渡してしまったのだ。泣きそうな顔になったその子は、手をおろすこともできず凍り付いてしまった。異常を察した案内員が、お金をとりあげて社長に返した。あわや大問題にもなるところだったが、老練な案内員が適当にもみ消してくれた。ホテルの社長は、一行に向かって聞こえるように大きな声でこう言った。

「あの子たちにも、ちょっとはカネの味を覚えさせせんとな！」

韓国で開発独裁時代に活躍したいわゆる「産業化世代」の大半は、朝鮮戦争と避難の時代に成長した人たちだ。苦難に慣れ、手抜きに長けた生存の達人が多い。彼らは全世界をまたにかけ、「できないことも成し遂げてしまう」猪突猛進の戦略で「輸出立国・韓国」を立ち上げたのだ。こうしてできあがった「できないことのない大韓民国」は、超高速成長を成し遂げ、三豊百貨店と聖水大橋〔一九九〇年代半ばに相次いで崩壊し、急成長による突貫工事の象徴として批判された〕をはじめとする無数の崩壊事故を起こし、ＩＭＦ時代〔一九九〇年代後半のアジア通貨危機の影響を受けた時期〕を迎えた。今も当時の文化的な習わしがそこかしこに残っているため、セウォル号の惨劇のようなことが起こる。ただ過ぎた昔話だと考えるのは難しい。そしていま、本格的に同じ道を進もうとしている北の隣人がいる。

2　「朝鮮のほうが資本主義的です」──公式と非公式

国内資源が枯渇した状況において重要なのは、必要な物資をどうやって外部から確保するかだ。おりしも物質的な豊かさを享受し始めていた中国は、北朝鮮にとって生存のカギとなった。食糧と生活必需品を確保するために違法に国境を超えた人びとは、家族の生活のためにまた戻り、持ち帰った品物を闇市場で売るなどした。彼らの中には中国で売れるようなもの（または人）を集めて国境を出入りしながら商売し、だんだんとそのルートを広げる人もいた。

中国で食糧と生活必需品を買い求めるお金を準備した初期の人びとは、主に中国や他の外国（日本と韓国）にいる家族を通じて外貨を集めたり、外部の伝手を頼ってお金になりそうなものを持ち出すなどして、まとまった資金を作った。こうして初期の交易資金を準備し利潤増殖の技術をおぼえた人を、「金主《トンジュ》」という。初期の金主のなかには、骨董品で大金を稼いだ人も何人かいたという。そんな金主と手を結んで盗掘の経験談を話してくれた脱北少年がいた。

「金主《トンジュ》」と「大房《テバン》」密輸と賄賂

古い墓の盗掘は真夜中にこっそりやる必要があるが、小さな墓に入るには体が小さく肝のすわった子どもがいいという。「真っ暗なお墓を掘って入ると、急に鬼火みたいなのがスッスッと見えることがあるんです。後になって聞いたんですが、死体から出る『燐《りん》』だそうですね。怖いのをぐっとこらえて手さぐりすると、瓶やら鉢みたいなものに当たるんです」。幼い頃に経験したこととはいえ今でも嫌な思い出なのか、身震いしているのに、目を丸くして聞いている私の顔をじっと見ながらもったいぶって話している。彼らのような子どもにパン何個かを与えるだけで骨董品をせしめ、中国に売っていた人が今や相当な金主になっていると噂に聞いたそうだ。

北朝鮮から国境を越えてきた品を売り、その金で食糧や生活必需品を送ってくれる中国側の交易相手を「大房《テバン》」と呼ぶ。大抵は北朝鮮の事情に明るい朝鮮族だったり、朝僑（中国に永住している朝鮮国籍者）、または華僑（北朝鮮に住む中国国籍者）がその役割をつとめるが、骨董品のように高価な品は結局韓国側の「大房」の手に渡る。こうした密貿易に慣れた「金主」のなかには、韓国の事業家と直接結びついてより利潤をあげようとする人もいるが、韓国の情報機関や宣教団体と連携したり、そのような疑いをかけられれば、政治的に大きな破局が避けられない危険な仕事だ。例えば、二〇一六年にソウルに来た新義州出身の青年は、父親が何年にもわたって保衛部〔秘密警察〕まで抱き込んで韓国の事業家と直接取引をしていたが、結局政治的な問題に巻き込まれてしまったことで長期刑を受け服役中だと語っていた。

鉱山や企業所の人びとも、とにかく食べていくためにこっそり銅線を切ったり機械部品を外して中国に横流ししていた。どうせ機械は稼働していなかったし、飢えて死ぬかという瀬戸際の状況なのだから仕方ないことと考えられていたのだろう。時折、その違法性や非公式なことをただす人もいたが、誰もが何の意味もないことだ、まずは生き延びるのが先決と考えていた。社会秩序が厳格だった時代には想像もできなかった、万引き、盗み、ごまかしといった違法行為は、どこでもだれでも経験するものになった。おなかをすかせた子どもから軍人まで、食糧に限らず目につくもので使えそうなものはすべて、盗むという意識すらなく、とにかく持って行って使った。「生きるためにしていること」はどんなことであれ容認された。闇市場で万引きをしてつかまったコッチェビを「盗み食いをしてでも生き延びろ」といって叱りながらも激励して見逃がしてくれる安全員〔警察官〕もいたという。このように違法な生存戦略があまりに普遍化し黙認されていき、組織的にも公然となされた。

表向きは法的規範を守るべき党や軍の幹部や官僚、保衛員、安全員ですら、権威と肩書きを利用して違法行為をはたらいたり、他人にさせたりしていた。たとえば〔権力者や行事への〕「献花」のような忠誠を示すための献上を強要されると、政治的な生き残りのためにあらゆる「非公式」な手を使って準備した。ときには盗んだり、お互い大目に見たりして、形だけ整えたという。こうした混乱や無秩序のなかで、一種の展示整列処分〔見せしめ処分〕として「公開銃殺刑」のような処罰がおこなわれた。こうした極端な秩序維持の手段は強圧的な脅しによる恐怖を蔓延させたが、すでに生存戦略の最前線となっていた中朝国境地域では、だんだんと非公式な交易が日常化していった。

恵山《ヘサン》に暮らし、一九歳だった二〇一五年に脱北してソウルにやってきた若い女性は、鴨緑江沿いにあった自分の家を拠点として行われていた密貿易について話してくれた。父親は国境警備隊とも組んで、夜ごとに大きなタイヤのチューブに鶏やヤギを積んで川を渡り中国側に渡すかわりに、闇市場で高く売れる穀物（コメ、豆、ゴマなど）をもらってきた。自分も一七歳のころから父について鴨緑江を渡り、そうして持ち込んだ穀物を恵山市場で売った。彼女が軍隊に行かなくてはならなくなると、父は医師に金を渡して病気だということにして抜けさせてもらい、密貿易の手伝いが続けられるようにした。[★3] こうした方法で、多くの密貿易が千三百キロメートルにおよぶ豆満江と鴨緑江の間で日常的に行われてきた。

「韓国に来てみたら、北朝鮮のほうがよっぽど資本主義的だと感じました。お金さえあれば何でも解決しますから」。大飢饉の一九九六年に生まれ、欠乏の時代に育った彼女は自分なりの体制比較をしていた。韓国では国が色々してくれるので、人びとがとても甘やかされているのではないかという。かと思えば、北朝鮮と比べてあまりに原則的で融通が利かないのでいらいらすることもあるという。韓国のように、縛られたデジタル信用社会に適応するのは不愉快、ということらしい。それでも自分は二〇代前半ですでに密貿易や商売で鍛えられてきたりっぱな生活者なのだという自信も垣間見えた。

非公式経済は社会全般に広がった。密造、密売、密輸、恐喝、窃盗、賄賂、横領。すべての違法行為は生存のためなら正当化された。これらに関与した人は、公式の法規範では処罰と弾劾の対象になりうる。たとえ違法でなくても、非公式におこなわれる事業や取引は、公式には規制され取り締まりを受けるものだ。闇市場で小さな売場を死守している人から大金主まで、彼らを管理する地方官僚やその背後を守る中央の党幹部まで、みんな不安定な位置で不確実な事業に従事している。

このように不確実な社会のなかで少しでも安定を求めるなら、関係者全員と円満な人間関係を築き、絶えず固め、管理しなくてはならない。事業の性格によって上は党や軍、上級機関と保衛部、安全部といった権力機関の人びと、下は非合法的なことを代行してくれるブローカーや労働者、横ではいつでも言いがかりをつけられそうな闇市場の管理人、安全員、検問の軍人、嫉妬や疑念に駆られた同僚や隣人に至るまで、気を遣うべき対象は多い。その全員を常にケアすることはできないため、根源的な不安のなかで生きていくしかない。以前なら迷信とみなされて社会悪とすら考えられていた伝統巫《ふ》俗《ぞく》までもが非公式に生き延びているという。[☆3]

北朝鮮のような閉鎖的な体制では高級消費財が貴重なので、海外から非公式に入るものをやり取りすること自体が特別な人間関係を構築し固めるのに役立つ。これは北朝鮮社会にのみ起こる現象ではない。計画経済が公式モデルとなっている社会主義体制において、むしろ非公式経済と賄賂が際立って現れることは広く知られている。中央が計画と官僚的な規制をすすめるいわゆる「指令社会」の公式政策や規制のなかで生き抜くには、非公式な人間関係と物々交換が必要となる。ソ連、ポーランド、ハンガリーなどの社会主義体制についての研究は、いわゆる「非公式経済」「第二経済」「地下経済」「日陰経済」など多様な用語で実物（実体）経済の二重性について明かしている。[☆4] 国家によって「ブジアート（ソ連）」、「关系《クァンシ》（中国）」、「コイギ（北朝鮮）」など、用語は様々だが、社会主義体制下で定着した「生存の政治」行為〔生き残り策〕だと言えるだろう。

大飢饉の危機をある程度克服した二〇〇二年、北朝鮮当局はいわゆる「七・一経済管理改善措置」を通じて市場を公式のものとした。これを契機に総合市場が開設され、企業の市場経済活動が容認され、個人による食堂やサービス業が許容された。一方、物品を規制し、自然に発生した闇市場を統合して体制に組み込もうとした。しかし、いったん解き放たれてしまった非公式経済活動をまともに統制することはできず、既に非公式経済に依存している公式経済を元通りにすることもできなかった。すぐに市場の周辺には「バッタ市場（違法露天商）」がおおっぴらに立ち並ぶようになり、そのなかには外貨を交換したり、密輸で入ってきた違法CDやUSBを売る闇取引商もいた。

市場が公式となったことで、工場と企業の生産経営活動そのものが市場と有機的な繋がりを持つようになった。原材料の取引、生産施設の保守管理、新たな技術と機械の導入、生産物の処分など、大部分の経済活動が市場を通じて行われるようになったことで、公式と非公式領域の境界はさらに曖昧になった。

初期の金主のうち、中国と韓国の大房と繋がりがあり、また党幹部や高位官僚とも人間関係をつくることのできた人びとは直接「ワク（交易許可権）」をもらって貿易事業を始めることもできた。そのうち、能力のある人は国家機関（党、軍、政府）所属の企業や貿易会社の名前をかりて公式に交易し、非公式に上納することで利潤を着服した。

市場を通じて金主が急速に力をつけると、統制のために二〇〇九年から電撃的な貨幣改革を施行した。このような極端な措置で初期の小規模金主の多くは滅びたが、むしろ新たに権力にすりより大規模投資をする金主が出現する契機ともなった。そのなかには、高層アパートや商業ビル建築のような大規模開発事業をすすめる人びともいた。こうして大きな事業を長期にわたってすすめるべく、彼らは幅広い人脈を通じて投資金を集め、権力機関の名前を利用して労働力を動員した。すなわちお金を回す技術、官僚的な縁故、中国（韓国）の「大房」との連携能力をもったいわゆる本物の「金主」が登場し始めたのだ。[☆5]

本物の金主の出現や消費財の流行をみて、資本主義の萌芽だとか体制崩壊のきざしだとみる主張は多い。しかし自ら生産手段を持てず、賃金雇用もまともにできない金主を資本家とは考えにくい。かれらはむしろ既存の権力体制を利用して利益を自分のものとし、自らの安全と身分上昇を目論んでいる。すなわち、市場を通じて官僚層と相互依存関係をつくった金主が、婚姻と身分浄化《ロンダリング》を通じて既存の階級体制に新たに編入されるという構造だ。こうした変化では社会階級の構成員が変わっても社会構造自体は維持される。★4

脱北者たちの手記を通して、北朝鮮の日常生活について研究した人類学者の伊藤亜人は「政治的地位が異なる人との間に成立する交換は、社会の末端から最高幹部にいたるまで連鎖的に起きているものので、北朝鮮社会を維持する基本的なメカニズムとなった」と分析する。党幹部にはできない非社会主義的な商行為と賄賂のやり取りを躊躇せずにできる人が必要だったということだ。まさに互いの生存と利益のために補完的な相互依存関係が形成されていた。よって、非公式領域の拡大は権力体制の脅威になるどころか、むしろまともに機能していなかった公式の体制を維持するためになくてはならないものとなった。結論として「北朝鮮における堅固な社会主義体制とは、非社会主義的な非公式領域を否定してこれを排除することによって成立したものではなく、実際にはむしろこれと一体化することで成立している」のである。☆6

闇市場《ジャンマダン》と市場―女性たちの空間

大飢饉の時代に全国的に出現した「闇市場」は、以前から存在していた「農民市場」が危機によって飛躍的に広まったものである。農民市場は社会主義計画経済体制下においても、国家が配給で供給できなかった物品を交換する場として公式に許可されていた。初期には農民市場も個人間の商取引として「資本主義的な存在」と考えられ、市のたつ場所（郡単位で一、二か所）、回数（十日市）、取引品目（農水畜産物）が厳格に統制されていた。一九八〇年代以降、許可されていない場所でもいわゆる「露天市」（建物の裏手の路上、交差点、道端）や「煙突市」（個人宅のオンドルの上）のように非公式取引の行われる場所が増えた。

食糧配給をはじめとする公式の社会制度がきちんと機能していた時期には、配給された穀物が違法な市場において貨幣の役割を果たしていた。当時は非公式市場に関わる人は賤しいと考えられており、資本主義の残滓を克服できていないと批判の対象にもなった。よって社会成分（階級）の最底辺に位置する人や、年老いた女性の仕事と考えられていた。

一九九四年から平壌を除くほとんどの地域で配給が中断され、食糧はもとよりあらゆる物資が足りなくなると、企業や工場など大部分の公式経済活動が停止した。国家権力側は、平壌以外のすべての地方の個人と企業は「自力更生」しろという。とにかく生き延びようと、だれもが食糧と生活必需品の入手に心血を注いだ。しかし組織生活に慣れてしまった人は、公式の地位、理念、規範にしばられて自発的な生存能力が不足していた。規範に忠実なために生活力を喪失して飢え死ぬ人は、男性、党員、専門職（教員、技術者など）が多かったという。むしろ「生活」に慣れた女性が非公式経済の領域、すなわち闇市場に出かけていき、非社会主義的生存戦略によって家族を養うようになった。

闇市場と市場は女性の空間だ。供給者の八〇％以上が女性で、市場を訪れる消費者も日々の生活を切り盛りしなければならない女性が多かったからだ。市場が非社会主義なものとして冷遇されてきた時代から、公式の組織生活では重要な役割を果たせなかった女性たちが駆け回るようになり、女性による非合法行為は男性に比べれば厳しい政治批判を受けずにすんだ。女性は家事を一手に担うといっ

生活経済の主役は女性
平壌西城区のバッタ市場（上）と開城工団（下）で働く女性たち

た性的役割の規範があり、衣食住や消費生活と密に関わっていた点から、闇市場の商品の生産、交換、加工に有利だった。多くの女性が穀物をはじめとする食糧を取引し、代替食品を加工し、麺、餅、パン、密造酒を作って売り、服を仕立て直した。

公式の場で差別されてきた女性たちは、自らの力で家族全員を養うようになったことで自信とやりがいを感じるようにもなった。闇市場という非公式の場で自分の生活能力を確認したことで、依然として組織にしばられ生活もままならない夫たちを何の役にも立たない存在として「昼あんどん」または「ワンワン〔留守番をする犬の意〕」などの隠語で呼ぶようにもなった。

清津《チョンジン》出身のある脱北女性は、闇市場でジャガイモ麺とブルーベリー酒を売って一家を養っていたと言う。もともと分派分子〔反体制とみなされた人物〕の家庭だったので未来は閉ざされていたが、稼いだお金で自分たちの成分記録を全部すり替えることに成功した話を自慢げに聞かせてくれた。成分を変えたことで、息子は大学にも行けて党員にもなれたが、さらに闇市場で鍛えた「コイギ」の技術を使って有利な専攻分野に進ませることもできた。その能力は恵山で家を手に入れたときにも使えた。「アパートの外観は政府の指示通りに作られていますが、私が内装をうまいこと思い通りにしたので、平壌の人が来たときにはビックリしてました」

あの手この手で北朝鮮の国家体制に適応しながら暮らしていた人は、ソウルに来て多くのことを見聞きし感じとっている。自由に暮らすのは良い面もあるけれど、未来が閉ざされていると感じるそうだ。地下鉄で慌ただしく行き交う人びとを眺めながら、「ここの人たちもひどく気の毒な生活をしているものだな」と感じるという。決められた枠内でもがきながら生きるしかない韓国も、息が詰まるのだそうだ。

3　「白米と肉のスープ、錦の衣と瓦屋根」──実現できなかった夢

「皆が白米と肉のスープを食べ、瓦屋根の家に住み、絹の服を着て暮らすような豊かな生活ができるようになるでしょう」。金日成が一九六二年の「千里馬《チョンリマ》運動」の際に宣言したスローガンだ。目標は一九六四年であった。過剰な政治的レトリックはあるものの、当時は荒唐無稽な主張とも思われなかった。なぜなら北朝鮮はすでに奇跡的な戦後復興と驚くべき経済成長によって「朝鮮の奇跡」を成し遂げ、国際社会主義経済体制の優等生と認められはじめた頃だったからだ。しかし冷戦がアジアにおいてもベトナム戦争などの熱戦を激化させたため、北朝鮮は軍備増強に資源を集中させることとなった。それから半世紀、人民生活を豊かにするという夢はかなえられず、むしろ大飢饉を経験して人びとは生き延びるのに必死な状況が現実となった。

二〇一〇年、金正日は「私は人民がトウモロコシ飯を食べていることに最も胸を痛めています。いま私のすべきことは、世界で最もすばらしいわが人民に白米を食べさせ、小麦で作ったパンやうどんを心ゆくまで食べられるようにすることです」と述べた。[☆7] 金正恩時代に入っても、体制維持のために核とミサイルは常に最先端の水準を目指しているが、いまだに人民の衣食住を豊かにする約束は果たされていない。

「草を肉に変えよう」──食生活

北朝鮮の食生活について語るときよく挙げられるのが、玉流館の冷麺、犬肉、豆腐飯《タンコギ》、ジャガイモ麺などである。その味と素晴らしさを紹介するのに私は適任ではない。私と北朝鮮の出会いは、大飢饉時期の食糧問題から始まっているからだ。支援活動のために何度も平壌や開城などを訪問し、いろいろな食事をする機会に恵まれはしたが、ゆっくり吟味するには目の前の問題が深刻すぎたし、私は真面目すぎて吟味する余裕もなかった。ここでは食文化の両極化と食糧自給問題についていくつかのエピソードを紹介したいと思う。

平壌のあるホテルで初めて食べた朝食。まだ飢饉の真っただ中だった。ずらりと並ぶビュッフェの前で当惑した。「こんなに準備する必要はないのに……」独り言を思わず口にしてしまったようだ。有能な同僚が脇腹をつついた。表情には出すなという意味だ。よく考えればそれなりの宿泊費を払っているのだから、当然期待してもよい国際的に見れば標準レベルのホテルの朝食だった。北朝鮮文化との出会いは、その異なる文化の特性との戦いという以上に自身の先入観との戦いでもあった。あらためて人類学者の目で、並べられた料理をじっくり見ると、似たように見える料理も供される方法が少しずつ異なっていた。野菜をはじめとする原材料は貧弱なものだが、かなりの技量と細工によって仕上げられ繊細に盛り付けられていた。材料の乏しさを真心で補ったシンプルでスマートな出来栄えだった。特に髪の毛ほどかと思われる細さの黄と白の錦糸卵や赤い糸唐辛子が印象的であった。私の口には淡白な平壌式キムチがいちばんおいしく感じられた。

「このホテルのアイスクリームは、うまいぞ!」正装である紺色の人民服を着た老練な高級幹部がだしぬけに口にした一言。こちらは真剣に子どもの栄養問題について話している食事の席でのことだった。その表情があまりにも素直で天真爛漫なものだったので、笑ってしまった。頑なだった私の気持ちもちょっとほどけた気がした。たしかに、人はパンのみにて生きるものではなかった。外部世界の私たちは、社会主義体制の画一的なイメージにとらわれすぎて、多様な階級の多面的な側面を知らないだけなのだ。

玉流館の冷麺は平壌だけでなく北朝鮮の食文化を代表するものであり、象徴でもある。平壌訪問の折にはほぼ毎回ここに案内されて冷麺を食べた。おいしかった。味も特別だが建物も印象的だった。大同江の岸辺に建てられた伝統的な合閣屋根二階建ての建物はそれ自体が「民族の宝であり、平壌の誇り」だそうだ。入口ではわからないが、中に入るとほんとうに大きな建物だということがわかる。一九六〇年代に「解放の日〔八月一五日、植民地からの祖国解放の日〕」を記念して開館した本館だけでも延べ面積は四〇〇〇坪だが、「玉流館」という食堂の名前も開館時に金日成本人がつけたそうだ。金正日が描いたとされている改装工事の設計図によって、二〇〇六年と二〇一〇年の二回にわたって増築され、今は八〇〇〇坪になった。☆8

玉流館では毎日一万食の冷麺が供されるというが、平壌市民には年に約一回、ここの冷麺を食べられる冷麺券が支給されるという。なるほど社会主義的な配分方法だなぁと思った。後で聞いた話だが、冷麺券の半分ほどは政府機関に優先的に配られて、残りの半分ほどが平壌市内の各企業や人民班から特別に選抜された人に配られるそうだ。我々のような外からの客が平壌訪問のたびにここの冷麺を食べられるのは、まさにその優先的に配られた冷麺券のおかげだったのだ。何度か行くうちに、玉流館の従業員が外部からの客に「正しい冷麺の食べ方」をいちいち教えてくれるようになった。「お酢をまず麺にかけて、からしはスープに入れてください」。代々平壌生まれだという案内員がにやりと笑いながら低い声で言った。「昔はあんなのなかったさ。ただ酢をかけて食えばいいんだ」

二〇一〇年、金正日は新たに増築した玉流館付属の「料理専門食堂」を現地指導して、「建設に携わった軍人たちが食堂を最上級の食堂に仕上げたことに大きな満足を示し、朝鮮民族料理はもちろん、スッポン、サケ、チョウザメ、ウズラ、オオガエルなど四〇品目の珍味（西洋）料理を作って提供しなくてはならないと指導した[☆9]」

北朝鮮を訪問した人は、たいてい似たような経験をしていると思う。食糧問題が深刻なはずなのに、ご大層な「同席食事」（会食）の場がよく開かれる。外部の訪問客にお金を使わせる外貨稼ぎの一環だと解釈する人もいるが、チャンスがあれば自分も公式な仕事の名分で良い食事にありつこうとすることは、ロシアや中国のような国家社会主義官僚社会でも普遍的な現象だ。計画経済体制下においては、普段お目にかかれない「おいしい食事」への要求はそれほどまでに抑えられないものなのだろう。欠乏状況にあっても、もしくはそうであればあるほど格式ばった祭祀膳《チェサ》〔先祖供養のための特別な食卓〕のあつらえを要求するような家父長権力や、長期間飢えに苦しみながら備蓄してきた食べ物を祭りの一日で暴食するがごとく消費する文化といった事例も想起される。とはいえ、厳しい飢饉の時期になぜそんなぜいたくな食事をしなければならなかったのか、いまも気持ちは晴れない。

「白米に肉のスープ」。金日成の夢は閉鎖的な自給経済ではかなえられない。最近、米が余るようになった韓国でも食糧自給率は四七％（二〇一八年時点。穀物自給率は二三％）にしかならない。国産牛や国産豚、国産の鶏肉も、すべて輸入飼料で育てているから、完全な国産とは言えない。同時期の北朝鮮の食糧自給率推定値は、九二％で韓国の二倍であった。いくら自給率が高くても必要量を満たせなければ飢える人びとが出てくるのは当然だ。解決策は明らかだ。すべての人民が白米に肉のスープを食べるには、相当な量の食糧を輸入しなくてはならない。

二〇〇五年に平壌で「アリラン公演」を見た際、派手なマスゲームのなかに、牛、豚、ヤギ、鶏、タマゴのアニメキャラクターのようなお面をつけた数百名が登場して踊っていた。芸術公演のなかにいきなり村芝居が飛び込んできた感覚だった。二万名からなる背景隊《カードセクション》は「草を肉に換えよう！」という大きなスローガンの文字を掲げていた。未だに叶えられていない切実な夢をあらわしているのだと理解しつつも、その非現実的な未来像が気の毒になった。それから一〇年が過ぎた二〇一五年、鴨緑江を行き来して密輸に携わっていたという少女は、朝鮮で育てたヤギを中国側に渡し、交換した米と豆を闇市場《ジャンマダン》で売ったという。今もまだ、肉より穀物が必要な人民が多いのが現実だ。

二〇一九年五月、食糧農業機関（ＦＡＯ）と世界食糧計画（ＷＦＰ）は、北朝鮮の食糧問題に対する共同調査を発表し、一三六万トンの食糧支援が必要だと国際社会に訴えた。人口の約四〇％にあたる一一〇〇万名が食糧不足で栄養問題に直面しているという予測だ。国連は北朝鮮を世界の食糧不足国三九か国（アフリカ三一か国とイエメン、シリア、イラク、アフガニスタン、パキスタン、ミャンマーなど）のひとつに再指定した。

平壌の新たな外食文化の風景は、最近ではメディアを通じて紹介されるようになった。大同江《デドンガン》ビールとチキン、ピザ、ハンバーガーといったファーストフード、各種焼肉と鮮魚の刺身などは金正恩時代における食文化の変化の象徴のように紹介された。こうした食文化の変化は国家権力が関わるレベルの重要な政治事業といえる。平壌市民の大部分がこっそり見ているという韓国ドラマに出てくる食べ物を平壌でも楽しめるようにした点で、政治的効果は大きいはずだ。この体制でも成功した人たちは、危険な国境越えをせずとも韓国と似たような食文化を享受できるというメッセージだからだ。

いまだに食糧が不足している国家で急速に進むこうした食の変化は、今後食生活のパターンを両極化させていくことだろう。平壌から始まった変化は、政治的な名分のもと地方都市にも広がっている。しかしどれだけの人が頻繁にこのような食事を楽しめるかは疑問が残る。こうした食文化が一般化するには、食糧自給ではなく大規模な食糧輸入があってこそ可能となる。

一九六〇年代中盤、ソウルの明洞《ミョンドン》にローストチキンの店が初めてできた。私はその何年か後に、中学合格記念として食べた。養鶏場が珍しくなくなった後のことだ。庭で育てた地鶏ばかりを食べていた口には、輸入飼料で育てた養鶏場の丸鶏の味は新鮮だった。最近ではあたりまえになったフライドチキンは、韓国では一九七七年に始まった。食用油が珍しくなくなってからのことである。当時はまだソウルの貧民街のバラック集落に、お腹をすかせた子どもたちがたくさんいた。ソウルでピザが本格的に販売されるようになったのは、一九八〇年代後半からだ。チーズの輸入が容易になった後のことだ。地方の小都市で似たようなピザを食べられるようになるには、一〇年以上の年月がかかった。このように、食文化が変化するあいだに韓国の食糧自給率はどんどん落ちて行った。

「ズボンをはいた女性は出入禁止」――服装検閲

二〇〇〇年三月はじめ、初めて訪れた平壌の道端は無彩色だった。灰色のコンクリートの建物と車がほとんど通らないがらんとした道路のせいだったかもしれない。しかし何よりもその道をはや足で歩いている人びとが、黒、灰色、紺色、国防色《カーキ》の服を着ており、昔の白黒映画を見ているような錯覚に陥った。

早春の寒々とした天気のせいかもしれないが、ソウルからそう遠くない距離にある平壌はまだ冬のようで、みな外套とマフラーの重装備だった。そんな道端で赤い服を着た子どもを見つけた。お母さんと手をつなぎ、ぴょんぴょんはねながら歩いていた。平壌に着いて二日目、やっと色のある風景に出会ったと我々一行は指をさして喜んだ。その後も何度か明るい黄色や空色の服を目撃することはあったが、みな子どもたちだった。

無彩色の平壌の路上で、唯一目に飛び込んでくる存在があった。交差点の中央に立ち、交通整理をする女性の安全員（警察官）である。大きな白い帽子と明るい色調の制服で、比較的丈の短いスカートに白い靴下をはいてきびきびと動く美貌の若い女性に、行き交う人びとの視線が向かないわけがない。時折やってくる自動車を交通整理の誘導棒で機械的に指示する姿は、アニメキャラクターのようで、直視するには少しきまりが悪かった。

とつぜん平壌の道端に通り雨が打ち付ける。レインコートを着て、また交通整理を始める彼女たちをバスから眺めていた男性陣は短く嘆息した。透明でぴったりしたサイズのレインコートの中で、制服の色が際立っていた。「あぁ、平壌のアイドルなんだな」。無彩色の遊撃隊国家にも、華麗な制服のアイドルは必要だったのだ。それから一〇年あまり。金正恩時代の開幕を象徴するモランボン楽団の女性演奏者たちも似たような制服を着ている。

平壌はいまだ制服社会だ。制服文化とは、天候に服装を合わせるのではなく、体を服装に合わせて暮らすことである。韓国人である私たちも制服を着ていたころは、どんなに暑くても六月より前に夏服を着ることはできず、どんなに寒くても一一月より前に冬服にはなれなかった。真夏の暑さのなか、人民軍の兵士が体にぴたりとまとわりつく長袖長ズボンの制服を着て、汗を流しながら行進する姿を見て、制服の本質を実感したものだ。

二〇一八年の南北首脳会談当時、平壌市内をパレードする車両を「花」をもって歓迎する数十万の市民はみな正装していた。制服姿の大学生たちはもちろん、男性はみなネクタイにスーツ姿、女性はチョゴリ姿であった。服の色合いやデザインは多様となったが、基本的には公式行事用の正装といえば「画一的な」服装規範にあわせている。

平壌をあとにした韓国の大統領一行は、雨の降る明け方の道で傘も差さずに並んで見送る市民の姿から、未だに厳しい制服社会の規律を実感した。正装して夜通し車列を待ち続けている平壌市民を思うと、その光景は厳粛さすら感じさせるものがあった。今も制服文化の力は息づいている。

北朝鮮のように政治的規範が厳格な集団主義文化において、色合いやデザインの目立つ服を着ると「ブルジョア的」だとか「退廃的」といった批判を受けやすい。皆が気を遣って周りの人と似た服を着ているので、少し違うだけでもすぐ目についてしまう。ひどいときには「反革命的」だと非難され、よくても「自由主義的」だとか「利己的」という糾弾は免れないだろう。個性や自分なりのカッコよさを表現しようという勇気ある人は、ギリギリのラインでアレンジを模索する。学校の制服文化に慣れた韓国人ならだれでも簡単に想像できる戦略だ。

指導者と権力エリート層のちょっとしたファッションの変化は、変化を求める人びとにとっては良い言い訳にもなる。金正日時代に平壌で流行した男性のファッションはたいへん風変わりだった。二〇〇〇年代中盤、平壌で突然サングラスが流行した。現地指導中もサングラス姿だった金正日の影響である。一方で金正日の独特な作業服スタイルに似せてつくった服を略式の正装として着る男性を多く目にした時期もあった。何年もしないうちにだれもそんな服は着なくなった。いつも同じに見える男性の服装ですら、それなりに流行がある。

かなり寒い日でも、平壌の街を歩く女性がみなスカートをはいていたことは少々異常に思えた。案内員に聞いたところ、「革命の心臓、首都・平壌」では女性がスカートをはいているものだと、さもそれが当然であるかのように教えてくれた。革命とスカートに何の関係があるのだろうか。どうやら理由は「革命」よりも「首都」であるからということのようだった。外部の人びともいる場所なので、共和国のきちんとした姿を見せなくてはならないという補足説明のほうがまだ納得がいった。女性の正装はスカートであるという観念からズボンのような作業服はだめということのようだ。後に知ったのだが、一九八六年に金正日が女性のズボン着用を禁止する教示をおこなったという。すべての市民がその服装規定を常に守るようにするには、単純な勧告以上の措置が必要だ。平壌市内に入る道では、毎朝大学生を含めた若い当番の人たちが服装検閲をしていた。

朴正煕政権時代に学生時代を過ごした私としては、それはなんだかとても見覚えのある光景だった。毎朝校門で生活指導担当の教師と腕章をつけた学生が学生の服装とヘアスタイルを取り締まり、その場で体罰も行なわれていた。大統領・朴正煕が、ミニスカートと長髪を「他人に嫌悪感を与える行為」と規定して軽犯罪で処罰した時代だ。警察が竹のものさしを持って行き交う女性の膝からスカートの裾までの長さをはかり、男性の耳をかくす髪をハサミでざっくり切っていた。大学生だった私も道端で髪を切られ、短いスカートをはいた女性といっしょに留置場へ引っ立てられた経験がある。サディスティックにからかわれ、鼻で笑った警官たちのあの表情は今なお記憶に新しい。こうした権力を委任された人というのは、どんな社会であっても似たような表情をしているのだろう。

二〇〇九年の夏に、平壌に入る道をズボン姿で通ろうとした中年女性と、腕章をつけて検閲していた若者の間で起きたいざこざを撮った記録映像を見た。[☆10] 検閲よりも、ズボンをはいて抵抗する女性が出てきたことが印象的だった。[★5] 二〇一二年九月、金正恩の妻・李雪主《リソルジュ》が初めてパンツスタイルで公式の場に現れた。その頃には、女性のズボン着用が規制できない現実となったのである。若い指導者とその夫人は新たな現実を追認する空気を作り、親近感を演出しようとしていた。

過度に集団主義的である社会において、服装文化の変化は日常的な自己検閲と戦略的な自己表現との間の微妙な隙間で発生し、広がっていく。二〇一一年の夏、五年ぶりに北朝鮮を訪問した際には、開城工業団地を過ぎて開城市内に向かう舗装されていない道路を、肩にレースのついたブラウスを着た女性が歩いていた。周りの人と異なる服装なので、ぱっと目についた。開城工業団地の影響なのか、ヒールの高い靴をはいた女性たちも何度か見かけた。ところどころに水たまりのある土の道を歩くには不便そうだった。以前に比べて、服の色だけでなく形も多様になっていた。

金正日時代末期にすでに進んでいた下からの変化を、金正恩時代に公式に容認し急速に普及させたのが、今日の北朝鮮の服装文化だ。開城工業団地の閉鎖以降、北朝鮮でファッションをリードする場所は意外にも清津や恵山なのだという。外部世界と隠れた場で行われる非公式な経済活動が活発だからだ。中央権力の監視が厳しい平壌よりも、戦略的な自己表現が容認されているという。権力はまだ、人民の自己表現を抑制している。

黎明通りとハーモニカ住宅―住居空間

平壌で案内してくれた人が、そびえ立つ幾何学的なオブジェのような統一通りの高層アパートを指して言う。「あれは私たちが大学生のときに建てたものです。あのようなものでも『速度戦』ですぐに作れてしまうのです」。一九八九年に、平壌世界青年学生祝典の準備のために全国各地から集まった大学生で建設したと言う。一種の青年キャンプのような雰囲気だったらしく、案内員の表情は思い出に浸っているようだった。

今も平壌の高層アパート建設には、軍人だけでなく大学生も動員される。建設現場に拘束されて授業日数が足りず、学年によっては一年余計に学校に通うほどだという話も聞いた。当然、学生と保護者の不満は大きいと思うだろう。しかし、一〇年あまり前に私が出会った案内員の表情を思い出すと、単純に強制労力動員だけとはいえない文化的な意味があるようだ。

なぜ個人宅の建設に軍人と学生が動員されるのか。彼らの労働にはどんな保障がなされているのか。答えは簡単だ。「国家的建設事業」だから動員されるのだ。当然報酬はない。学費を払わずとも教育してくれる国だから、仕事をさせてもお金は要求できない、という論理らしい。

北朝鮮の大衆労働動員は、代々続く事業方式だ。解放直後におこなわれた「普通江《ポトンガン》改修事業」をはじめとして、「戦後復旧事業」、「千里馬運動」といった大規模大衆動員によって、短期間で「朝鮮の奇跡」を成し遂げたという人民の自負心は強い。こうしてできた建物、道路、居住地域にはその意義を想起させるような名称がつけられているため、教育的な要素も盛り込まれる。個人であれ集団であれこうした事業に参加した人びとは、若さを捧げて重要な事業を成し遂げたこと、歴史的な事業に参加した経験に誇りを持つ。実際に全員がそう感じているかはわからないが、少なくとも自分が参画した事業の社会的な意味が認められれば、苦労は報われると考えられている。

このような国家的事業で建設されたアパートには、誰が住むのだろうか。彼らに対する嫉妬や不満はないのか。当然起こりうる入居者への特恵問題を避けるために、権力側は国家に大きく寄与した人や高い忠誠を示した人への社会的褒賞を意義あることとして大々的に宣伝している。オリンピックでメダルを獲得した「体育英雄」や、北朝鮮に戻ってきた非転向長期囚がこうしたアパートに暮らすのだと喧伝している。アパートの大きさや位置もそれぞれ大きく差があるのだが、そうした差を不平等だと思われないよう、入居者の職業と職責の重要性は国家が認定しているとか首領による恩賜だという概念を持たせるようにしている。最近建設された「未来科学者通り」や「黎明通り」のアパートは科学者や教授といった専門職に優先的に配分され、入居対象者に対する妬みよりも羨望の感情が湧くようにしている。もちろんそうした社会的な名分のもと、特権階級と成分による配分もなされている。

最近の平壌や地方都市の高層建物やアパートは、主に「金主」のような個人投資家の投資で建設されている。だが、個人が労働力と生産手段を所有できない体制の下で建設を進めるには、軍人や学生のような組織的労働力を動員するしかない。完成品は、国家として名分が立つような入居対象者に一部を配分し、残りは名目上名前を借りても不自然ではないような軍や党といった国家機関の幹部と、実質的な建設主体である投資家に配分する。最近では、分配されたアパートを売買する事例も増えている。

国家的な名分をかけ、社会的労働力を投入して作られた居住空間に対する権利は、結局「占有権（使用権）」でしかない。もちろん相続も可能なので「所有権」と違わないとも言えるだろうが、この二つの権利は本質的に異なる点がある。占有権は、国家が要求すればいつでも回収でき、どんな決め事も変更できる。土地公概念〔土地は誰に帰属するかの視点に基づき、国家が公共の利益のために土地の利用と処分について適切に制限できるとする考え方〕で解釈するなら、北朝鮮においては、国家による土地、建物、不動産に対する社会的な統制と効率的な活用は、まだまだ可能な状況だといえる。北朝鮮のアパートは資本主義的だと解釈するには無理がある。近年林立しはじめた平壌の高層アパートの様子を見ただけで投機を夢見るソウルの人たちの話を聞いたこともあるが、彼らのアパートに対する盲目的な執着には驚かされるばかりだ。

平壌や地方都市に建設されるアパートは、社会主義都市計画の象徴であると同時に、巨大造形物としての意味合いもある。よって一目見るだけで、建てた時代の特徴と指導者の嗜好がわかる。特に金正日時代につくられた統一通りと光復通りは初の高層アパート団地群であり、平壌の景観形成に力を注ごうとしたことがわかる。国家事業である世界青年学生祝典を目前にして急遽外見を飾ることを優先したことから、実用面では問題点が多かった。電力供給が不安定なため、高層階はエレベーターが動かないことも多く不便だったし、上下水道の整備もスムーズではなかった。部屋ごとではなく、各階に共同トイレをおいているところもあった。従来の集団住居空間では、複数家庭で使用するトイレが設置されていることが多いので、現代的な高層アパートでも工期短縮と費用節約につながるこうした設計が可能だったのだろう。一九八〇年代半ば、私がフィールドワークでソウルの蘭谷《ナンゴク》の貧民街に住んでいた頃は、八家庭がひとつのトイレを使っていた。共同トイレの使用は、隣人同士かなりの配

（上）**黎明通り**　未来科学者通りとともに金正恩時代を象徴する建築。
（下）**ハーモニカ住宅**　塀で囲まれて通りからは見えにくい平壌の古い平屋。

慮と調整が必要だった。脱北者たちがこっそり教えてくれた北朝鮮で毎朝生じる不便さに、私はすぐ共感した。

　金正恩時代にできた黎明通りの高層アパートは、「色とりどりの照明でこれまでにない夜景を演出する」と国が宣伝するほど高く華やかだ。私はすぐに電気事情と暖房が気になった。〔北朝鮮で製作されている〕カレンダーの二〇一八年九月のページには、「自然エネルギーの黎明通り」という説明とともに、太陽光発電パネルが建物に設置された写真が載っている。中国の丹東で聞いた話では、地熱暖房、太陽熱温水施設までが活用されているという。エネルギー不足を自然エネルギーの利用によって克服しようとする新たな技術が普及し始めたことで、住空間と生活も変化している。

　北朝鮮の居住空間としては、国家的なランドマークである高層アパートばかり注目されるが、実際に住民が暮らす空間は、地域と職種、そして建築時期によって多様だ。それら全てに共通する特徴は、集団的で様式化された共同住宅であることだ。新たな社会主義的家族と、隣人をつくる、という明らかな目的があるからだ。朝鮮戦争期に爆撃によって徹底的に破壊された都市を一からつくりなおそうと、集団的な労働協業による効率を重視した社会主義的住宅建設事業が大々的に進められた。特に東欧社会主義の国々から大きな支援を受けて、「アパート」様式の多層住宅（階層式住宅）が多く建てられた。このとき大々的に導入されたのが組立式建築法である。熟練技を持たない大衆労働力であっても効率的に活用できるため、急速な都市再建も可能だった。当時、技術面を考慮せずに多層住宅の暖房施設はオンドルにすべきと指示した金日成の言葉は、「〔自分たちの文化にそぐわない〕無分別な西洋式住居方式の導入を食い止める」主体的な住宅政策として有名である。

一九六〇年代初頭から、農業の協同化に伴って農村の集落も集団化され、「文化住宅」団地を造成する事業が全国的に進められた。協同農場単位での共同耕作を基本に、農民の生産活動と生活様式を社会主義的に集団化する大規模な社会改造事業だった。この時期につくられた長く伸びた共同住宅は「ハーモニカ住宅」と呼ばれた。部屋ひとつに台所ひとつという二間の住宅を基本とし、部屋ふたつに台所ひとつの三間の住宅には二世帯が同居することもあった。

こうして集団化された居住空間において重要なのは、共同住宅の住民の社会関係だ。移動の多い韓国社会とは異なり、居住や移転の自由がない北朝鮮においては、隣人とその周辺すなわち地域社会が、政治的機能の側面だけでなく、社会経済的な生活面においても重要な拠点となる。地域住民の多くが、一生をともに過ごさなくてはならない人たちとなるからだ。これまで、人民班などの基礎的な地域組織は、上部からの命令により住民に伝達・報告する機能を果たす政治的な相互監視体制としてのみ知られてきた。しかし日常生活において地域組織は、地域社会に必要なことを協働で解決する機能、そして住民間の相互扶助ネットワークとしての役割も果たす。特に公式の配給体系が崩れた危機の時代に、住民は地域単位で「契〔朝鮮半島の伝統的な相互扶助組織〕」や「トゥレー〔農繁期に相互協力するための集落内組織〕」といった古来の方式を使って非公式に資源や技術を集めて対応していた。闇市場に進出した人びとのなかには、隣人を通じて商売の技術を身につけ、地域内で「モウムトン〔集めたお金、の意。モアモッキなどとも言う。契の一種〕」や「タニモシ〔日本の頼母子に同じ。モウムサル〔集めた米〕、十匙一飯〔飯十匙が一つの器になる＝多くの力を合わせれば人を助けることができる〕などとも言う〕」方式でシードマネーを準備していた事例が多いという。☆11

二〇〇〇年代初期に平壌のアパートや地方都市の家を近くから見る機会が何回かあった。住生活の困難さはすぐ想像できた。こわれたガラス窓を入れ替えることもできずにビニールや板でふさいでいる家をよく見かけた。飢餓の衝撃から少しずつ立ち直りつつあった頃で、家ごとに細い木材をつなげて窓枠を補修したりしていた。外のベランダの空間に木で枠をつくり、ビニールをかぶせている家も見かけた。盗難事故が多いのか、窓に太い格子をつけている家もあった。

二〇〇三年の春、平壌は環境美化に勤しんでいる最中であった。灰色のセメントの壁面をはがして新装し、色褪せたところも明るい色に塗りかえていた。南北交流が活発化し始めた頃のことで、韓国のある企業が大量のペンキを提供したという噂をあとから聞いた。平壌の人は以前よりも華やかになった平壌の街並みを誇らしげに語っていたが、いまだにビニールで風を防いでいる窓がしばしば目についた。

二〇〇五年の秋に、中国政府は板ガラスを生産する「大安《デアン》親善ガラス工場」を建設して北朝鮮に寄贈した。金正日は竣工式に参加して、中国の指導者と人民に感謝を述べた。社会主義的欠乏を経験してきた中国はやはり何が必要かを良く知っていた。翌年、私は韓国の事業家たちとこの工場を参観した。ある一人が周囲に聞こえるような大きな声で言った。「はぁ、大したことないなぁ」。その大したことないものが、どれだけ人びとの日常に必要とされているのか、ペンキのような「見栄えのする」ものから寄贈する人たちにはよくわからないだろう。

その後、私は韓国の事業家に会うたびに、防風・断熱効果のある安価な建具をまず、託児所、幼稚園、学校に供給するルートができないか協議した。遠からず各家庭にまで行きわたるようになれば、相当な量の需要になると見込んだある企業が関心を示した。しかし李明博政権の時代となって南北関係が膠着し、もはやそれも昔話となってしまった。

最近、平壌を訪問した人びとは真新しくなった都市の景観を見て、変化が肌で感じられると異口同音に言う。景観の整備は国家事業である。建物の外観は最優先で整えるだろう。しかしながら、生活は人民の担当である。生活空間のことは自力でやっていかなくてはならない。外から見える変化のようには、内情はうまくいっていないことだろう。

4 「こういうのがいちばん楽しいんだよな」—遊びと笑い

平壌の誇る子どもたちは、幼いうちから神業を披露する。各種楽器の演奏、歌、舞踊、絵、刺繍まで大人顔負けの腕前だ。舞台に立てば流暢に話す。もちろん天賦の才能だけではそううまくはいかな

ゴムとびのゴムを切って逃げるいたずらっ子

道端や空き地で楽しそうに遊ぶ北朝鮮の子どもたち。

い。国家が子どもたちの特性を早期に発見して特技に応じて教育するため、彼らは特別に選抜されて技を磨いた子どもたちなのだ。平壌を訪問した人のほとんどは、万景台学生少年宮殿に案内されて「クラブ活動」の教室を参観し、公演を観覧する。外部の者はメディアを通じてそうした特別な子どもたちの技能を見て感嘆すると同時に強い違和感を抱く。

幸か不幸か北朝鮮のすべての子どもたちがそうした「恩恵を受けられる」施設で訓練されているわけではない。平壌の道端にはいつも子どもたちがいて、その多くはいつも何らかの遊びに熱中している。メンコ、戦争ごっこ、ゴムとび、陣取りをする姿を、道端や空き地、公園、いたるところで目にする。四人の少年が頭をつきあわせて線路に唾を吐き、釘を乗せていたところを大人に見つかってどなられ、逃げていく姿を見たこともあった。子どもたちの遊ぶ姿は生き生きしていた。平壌の偉い人が自慢げに見せてくれる子どもたちよりも、何倍も活気に溢れた子どもたちが育っていた。[☆12]

「中世の秋」——遊びの世界

外部からの訪問者が平壌を出て、人びとの日常を垣間見ることができる機会はそれほど多くない。それでもたまに地方都市や村の中を通り過ぎることがある。沙里院《サリウォン》、載寧《ジェニョン》、南浦《ナンポ》、平城、開城など、私が車で通りすぎたどの町でも、大通りであろうと脇道であろうと、子どもたちは遊んでいた。どんな遊びをしているのか気になって、私は車窓に鼻を押しつけて一生懸命に観察した。

地方の子どもたちの遊び方は、平壌よりも活気に溢れていた。季節や気候に関係なく、様々な遊びをしていた。女の子たちがゴムとびだけでなく、長縄とびをしているのもよく見かけた。何人かが一列に体をくっつけて並び、お互いに相手の列のしっぽをつかもうとする遊びもしていた。道端の空き地では、男の子たちが馬跳び、棒飛ばし《ジャチギ》、ビー玉、コマまわしのような遊びをしていた。私の幼い頃と同じように、いつも何人かで集まっていた。夏には川べりで素っ裸になって泳いでいる子どもたち、冬には凍りついた小川でソリに乗っている子どもたちも見かけた。木の棒を野生の馬に見立ててまたがり飛び跳ねているのも見た。しばらくして立ち止まり、汗だくの顔で息を切らしている姿は愛らしかった。★6

北朝鮮の子どもたちがどんな遊びをしているのか、私にはすぐわかった。ほとんどが子どものころにやったことのある遊びだったからだ。その点からいえば、南北共通の伝統的な遊びなのだ。実際に見たことはないが、隣村の子どもたちと石ころを投げ合うような本格的な戦争ごっこもするし、ちょっと大きい子どもたちは徒党を組んで喧嘩もするという。かなりひどいレベルになると、負傷者が出るほどの激しい喧嘩になるらしい。やり過ぎと思えるような戦争ごっこも、私たちの幼いころだったら誰もが体験した。★7

豆満江の岸辺で子どもたちがたき火をたいて笑いながらはしゃぎまわっている様子を、対岸の中国側から撮影した。韓国に来た脱北少年たちに見せたところ、目を輝かせて盛り上がっていた。「こいつら、トウモロコシを焼いて食べてるんだろ?」「違うよ、ジャガイモだろ」「あー、こういうのがいちばん楽しいんだよな！」ソウルの地下のカラオケでかわるがわる、物寂しい歌ばかり歌っていた彼らの顔が急に輝きだした。子どもの頃の遊びの思い出ひとつで、生気がよみがえるようだった。

子どもに負けないくらい、大人も遊んでいた。彼らがつらい人生を送っているだろうと想像している人からしたら奇妙に聞こえるかもしれない。しかし国家レベルで外部に発信される厳格なイメージに押されて私たちが見過ごしているのは、北朝鮮の人びとが日常的にいろいろな遊びを楽しみ、また公的な日課ですら、一種の遊びのような気持ちで行うこともあるという点だ。

大人の遊びとしていちばん目につくのは、（トランプを使った）「ジュペ」という中国のカードゲームだ。囲碁や将棋のように公園などでよく行われており、平壌市内でも小さな公園や地域内の広場で数名が集まってやっているのを頻繁に見かけた。家や職場でも老若男女問わずジュペを楽しむ。韓国で二〇〇〇年代初期まで、いつでもあらゆる場所で楽しまれていた花札「ゴーストップ」に似た熱気が感じられた。当然のことながら賭博性もある。脱北した人たちの話では、昔はタバコやお酒を賭けたり、食べ物を持ってくる程度の罰ゲームだったのが、市場取引が盛んになった最近では、かなりの大金を賭けることもあるという。

牡丹峰の乙密台《ウルミルデ》（公園のあずまや）に登っていく道のあちこちに、ゴザを敷いて座り「野遊び《ピクニック》」を楽しんでいる人も見た。家族、友人、職場の同僚らしき人びとが集まって、準備してきたお弁当を広げて飲み食いしていた。みんな本当に楽しそうだった。歌い踊っている人もいた。いつもは外部の人を警戒して寄せ付けない人びとが私たちを手招きして、一杯やっていけと誘ったりもした。ならばちょっと遊んでいくかと輪の中に入って座りかけると、にこにこ笑って見ていた案内員が、じゃあそろそろ行きましょうかという身振りをする。私たちにとっても身近だったはずのこうしたレクリエーションの風景は、いつからか韓国社会では少しずつ失われている。ここ二〇年ばかりの間に韓国で起こっている文化の変化があまりにも激しいからではないだろうか。デジタル時代に向かって一心腐乱に走っているＩＴ社会が失ってしまったロマンとでもいおうか。

北朝鮮で出会った「遊ぶ子ども」と「遊ぶ大人」は、いつも私をワクワクさせた。遊びを楽しむことそのものがいつも規律に縛られている社会に風穴を開けているような気がした。灰色のコンクリートの隙間に生えてきた青い生命といった感じであった。私的な遊びの時間だけでなく、国家記念日も彼らなりに楽しんでいる。遊びの精神と笑いによって、社会的な義務ばかりの日課を、自らの時間と空間につくりかえる戦略を駆使しているとでも言おうか。

「遊ぶ人」（ホモ・ルーデンス）という概念を紹介したヨハン・ホイジンガは、文化がどれだけ遊びの特性を含んでいるかを探求した。彼は『中世の秋』という著作でいわゆる暗黒の時代として知られる中世後期が、「衰退と没落の時代というよりは未来に対する序曲の時代」だと述べている。教理と儀礼が支配する世の中を否定することは難しく、地上の現実が絶望的といえるほど悲惨なとき、中世の人びとは真面目な世界を脱して、遊びの世界へと入っていった[☆13]。

北朝鮮のソルナル（正月）は、スルナル（酒の日）だとも言われる[★8]。正月をはじめとする重要な記念日に、首領は豚肉と酒を贈り物のかたちで配給する。豚肉の配給は飢饉のころに絶えたが、酒は一世帯につき焼酎一本が配給され続けている。もちろん公式配給だけで祝日に消費される酒と食べ物すべてがまかなえるわけではない。たいていの場合、何か月にもわたって正月用の食事を準備する。正月につぶす豚を育てる場合は、もっと長い期間がかかる。餅、チヂミ、餃子、ナムル、肉のスープ、白米、麺類まで、盛りだくさんの食事に、とうもろこしと麹で手作りした酒をたっぷり準備して、家族全員が祭祀をおこない祝宴を開く。

正月の朝食をとり隣人と新年の挨拶を交わすと、儀礼的な飲酒が始まる。さらには職場に集まって新年の辞を聞いている間に杯を交わしたりもする。こうした儀礼的な場が終われば、今度は同年代の集まりや人民班を中心に何軒かまわりながら本格的に酒を飲み歌い踊り、さまざまな遊びに興じる。「その日は夜通し酒を飲むんだ、気の置けない友人同士だし。しかも一軒だけじゃないんだ。たいてい、五、六軒は回るかなぁ。（…）なぜってその日は酒の日だから。いうまでもなく、北朝鮮のドラマで正月《ソルナル》は酒の日《スルナル》だと……」[☆14]

正月の飲み過ぎは、倹約と節制を強調する「社会主義生活様式」にあてはまらない。しかし、公式メディアすら「酒の日」という表現を受け入れている時点で、社会的に容認された「違反の時間」となっている。こうした祝日に外せないのが、「目上の人たち」の訪問と非公式のプレゼント交換だ。持参する贈り物の代表は酒。この贈り物はさらに重要な人物へとまわされ、集まった酒は盛大に分かち合って飲み、社会関係をより深めるために使われる。「北朝鮮の正月の一連の儀礼において、酒は指導者から支給され、先祖にまず供えられ、家族や隣人で分かち合い、職場の上司へとまわり、しまいにはゲーム並みの暴飲によりとめどなく消費されていく」[★9]

スターリン時代のソ連で幽閉生活を経験したミハイル・バフチンは、祭りと笑いはそれ自体が革命的なものだと強調している。[☆15]「解放的な遊びとしての笑い、それは一見、浪費と放蕩、退廃のようにみられるが、実際には停滞している現実を動かし、固定化した序列を崩すような能動的で積極的な能力」であるという。さらに、笑いは新たな世界をいまここで生み出せるということを実演する創造行為だというのだ。[16] 封建時代の支配権力は、祝いの席を通じて被支配階級の不満を発散させて解消しようとした。祭りと笑いは、人びとが公的に要求される規範的態度を、一時的であれ、ゆるがしひっくり返したという開放のイメージを残す。

外部からの訪問客を案内する仕事は、北朝鮮の人にとってもっとも緊張を強いる業務のひとつだ。「共和国」の顔であり代弁者として、どんな間違いもおかしてはならないからだ。外部世界の思想に染まりやすい仕事でもあるため、案内員はたいてい古株と新人の二人一組で動き、最低でも二日に一回は厳格な自己批判、相互批判による生活総和が求められる。

あるとき若手の案内員がバスの階段を上ろうとして足を滑らせて転んだ。顔を赤らめきまり悪そうに上がってきた彼に、古株の案内員が大きな声で一言、「美人に目を奪われてコケたな。まったく、美人というのは困ったもんだよ！」。いちばん前に座っていた韓国側の若い女性を見て言ったのだ。転んだ本人を含めバスに乗っていた一行全員が大笑いとなった。後方の席に座っていた韓国のフェミニストがすかさず、平壌なまりを真似て続けた、「よそ見をしてる人が悪いんでしょう、女性のせいにするなんて、ねぇ！」。またもや笑いがはじけて、古株の案内員は韓国のフェミニストと親しくなった。

何年かのち、私は紺色の人民服を着て高位幹部と歩いてくるあの時の若手案内員に偶然出くわした。いつのまに出世したのか、取り巻きが慌ただしそうにしていた。当時の状況をまた違った側面から理解できた気がした。古株の案内員は「白頭山の血統」（抗日パルチザンの子孫）という身分の若手案内員の失敗を冗談っぽくからかって緊張を解こうとし、同時に韓国側スタッフの女性に好感を示した。さらに、身分の序列を年齢と肩書で制する効果もあったのではないだろうか。

公式に平壌を訪問した人は、北の代表者と儀礼的な「同席食事」をするのが決まりとなっている。はじめは歓迎の言葉と乾杯の言葉をやりとりするような格式ばった流れだが、酒も進み場の空気があたたまってくると、親近感の表れとでも言うようなからかい口調で相手は挑発的になる。子どものころ田舎に遊びに行ったときに、はじめは歓迎してくれた親戚たちが次第にソウルの人をからかうようなことを言い始めたことを思い出させる。たとえば、「ソウルの犬は、金をエサにしてるんだって?」といったような。実際、平壌でも似たような質問をされたことがあった。

「炳浩《ビョンホ》先生（ちょっと親しくなると、名前に「先生」をつけて呼ぶ）、ソウルで生まれ育ったとおっしゃいますが、漢江《ハンガン》には橋がいくつかかっているかご存知ですかね」。あまりに唐突で混乱する。「第三漢江橋までは番号がついていますが、いまは、一〇かな? 二〇かな?」「いやはや、自分が生まれ育った街なのに橋がいくつあるかも知らないんですか」。うろたえる私を隣に座っていた同僚が助けてくれた。「ミョンチョルトンム《さん》、最近のソウルでそんなことをいちいち覚えていたら、スパイだと言われますよ」。皆が手をたたいて大笑い。対南工作の一員として訓練されたであろう北側の代表もきまり悪そうに笑っていた。

北朝鮮の冗談は、かれらの緊張と弛緩のユーモアがよくわからない人を戸惑わせる。時には侮辱されたと感じることすらあるだろう。二〇一八年、平壌で開かれた南北首脳会談のあと、韓国社会でしばらくの間、政治的な論争となった「冷麺はのどを通りましたか?」という発言がそのひとつだ。北朝鮮高官のひとりが玉流館で冷麺を食べていた韓国の財閥に冗談っぽく言った言葉だ。報道だけでは実際にどう言ったのか、どんな状況でその言葉が出てきたのか正確にはわからないが、私が平壌の玉流館で北の人たちと何度か食事をした経験から言えば十分にありうることだ。

では、応用問題。次に平壌の玉流館に行ったとき、向かいの席に座った北朝鮮の人から、「平壌にきてこんなにたくさん仕事があるのに、よく冷麺がのどを通りますね?」と言われたら、どうするか?

① 侮辱にふるえ、席を蹴って出てくる。
② 相手の失敬ぶりを指摘して、堂々と謝罪を要求する。
③ 「あなたがたくさん召し上がっているので、私もたくさん食べられそうです」と、相手の語法で切り返す。
④ 「冷麺とはなんでしょうね」と逆に本質的な質問で返す。[17]

「時間をぬすむ」—微笑と抵抗

大量の餓死者が発生した大飢饉の初期に、金正日は逆説的に「微笑」を強調し始めた。もっとも象徴的な「指導者の笑い」は、金日成の遺影として登場した。すべての家庭、公共の場で謹厳な表情の首領の肖像画を掲げて暮らしていた人民は、にっこりとした笑顔で登場した巨大な肖像画に目を見張った。絶望的な現実のなかで楽観的な未来を誇示するため、金日成の遺影をもっと華やかな笑顔で描くよう金正日が直接指示した。[18] それから続く悲劇と苦難の時代に、金正日自身も破顔大笑して現地指導に臨んだ。体制の限界を笑顔で克服しようとしたのだ。

息子である金正恩も緊張感が高まるミサイル発射の現場で、笑顔で談笑する姿を演出した。規律を強調する社会主義国家だからこそ、指導者と人民の出会いを「微笑」に象徴されるイメージに印象付けるような写真を広く使用した。無理な演出だと解釈されやすいが、実のところ規律社会の権力者は常に凝り固まった型どおりの監督というわけでもない。少なくとも直接会う人に対して、緊張感を和らげるような人間性を演出することも権力者には必要だろう。そうした型破りな即興性は、緊張を解きほぐす点で即効性があり、広く連帯や共感を呼び起こす。

楽観的な空気を広めるために国家権力が先導する微笑は、「官制」映画やテレビドラマの中で「過剰な笑い」として再現されることもある。[☆19] 新時代のドラマは、一般人の日常生活を土台にして、世俗的な価値、誤解と失敗などを笑いのネタにした。悲劇的な歴史を土台に展開する抗日英雄叙事詩や首領の美談を扱った従来の真面目な作品と異なり、家族や日常の他愛ない出来事を明るく描き出したのだ。公式メディアにあらわれたこの種の笑いは、国境を越えて非公式なチャネルで入ってくる影響力の強い新たな娯楽文化への最大限の対応策でもあったのだろう。

何人かが集まって舗装道路をなおしているところに通りかかって、観察する機会があった。それほど大きくない穴ひとつを二〇人ほどが囲んで働いているようだったが、よく見ていると実際に働いているのはそのうちの数人でしかなかった。それも、時折働いているといった程度で、他はみな、まわりを囲んで見物しているような体で談笑していた。朝見かけた道路補修は、午後になっても大して進んでいなかった。

「田植え戦闘」という壮大な名前のスローガンを掲げ、宣伝隊を先頭に列をなす人びとも見た。外部で想像するような労働動員に強制的に引っ張られていく人びと、というよりは、同僚たちとピクニックにでも行くような調子であり、みんなでやること自体を「彼らなりに」楽しんでいる様子で、いたずら好きの子どものようなしぐさや笑顔が目についた。

日常生活の抵抗文化を研究したミシェル・ド・セルトーは、権力が「空間を掌握した正規軍」のように規制し監視していると、弱者側は「時間をぬすむゲリラ」のように「従順なふり」「しらないふり」「やっているふり」をするという戦術で抵抗すると述べた。[☆20] 似たような文脈で、マレーシアの農民の抵抗について研究したジェイムス・スコットは、盗み、ごまかし、けなし、逃亡といった非行を「弱者の武器」という概念で説明した。[☆21] 大飢饉で支配層の権威が揺らいだのち、制度で何かを強制される状況から逃れたり、なじまなかったりして、自己の利益に合わせて意図的に変化させようとする戦略的な行為が広く日常化した。

大飢饉の時代に食糧と生活必需品を確保するために中国を行き来するようになった人たちは、中国の朝鮮族社会ですでに広まっていた韓流ドラマ、映画、音楽といった娯楽もあわせて持ち帰るようになった。体制権力側としては資本主義的な文化の広がりに対する警戒心からこれを政治的禁忌と見なして取り締まりを強化した。しかし一度好奇心が刺激されると、止めれば止めるほど誘惑は強くなる。韓国娯楽文化の消費は、楽しみに加えてスリルすら感じるものとなった。

社会規範を破る消費行為は、「時間をぬすむ」抵抗としての意味も持つ。また、楽しみを味わうための隠れた取引、いっしょにこっそり消費するからこそ生じる共犯意識、勝利を分かち合う忍び笑いまで含めれば、日常生活における抵抗文化の意味は大きい。はじめＣＤとＤＶＤで拡散した韓国の娯楽文化は、ＵＳＢ時代を経て今はタブレット、ノートパソコンへと進化した。急激な技術の変化と娯楽文化の変化が、北朝鮮社会にどれほど多様で不均衡な変化をもたらしているのか。期待半分、心配半分というところだ。

5 「私たちは教養がしっかりしているので」――組織生活と役割劇

北朝鮮の人びとは、儀礼的な人生を生きている。ほぼすべての人の日常生活が細々と詰め込まれた日課表の生活儀礼にあわせて進み、生涯の重要な節目ごとに決められた通過儀礼を経験して人生が進んでいく。

人びとの朝は、拡声器から鳴り響く革命音楽とともに始まる。真冬の真っ暗な明け方であろうと、夏のほの暗い朝の光のなかであろうと、地区ごとにほうきを担いで掃除に出てくる人びとの姿を見かける。平壌のような大都市はもちろん、豆満江ちかくの村でも川を越えて中国に聞こえるほどの大音量で三〇分以上は続く。韓国でセマウル運動が行われていた当時、生真面目な里長が毎朝かける行進曲の大きな音に睡眠を妨害された記憶がよみがえる。「嫌がる人も多いだろうに……」と思うが、布団の中でぐずぐずしていた我々も、国家権力が個人の時間を音で制圧してくるのを長い間どうすることもできず受け入れていた。

家では、朝食の前に最もきれいな壁に高く掲げた首領と指導者の写真の前で朝の挨拶をする儀礼がある。首領の写真自体は、韓国のキリスト教家庭における十字架やイエス像を連想させるが、朝の挨拶という儀礼は、日本の家庭で先祖を祀った「神棚」や「仏壇」の儀礼により近い印象を受ける。毎朝やっている人が実際どれだけいるのか疑問だが、少なくとも学校に通う子どものいる家ではやらざるをえない社会的な規範である。

組織生活の日課は、職業、年齢、階層によって少しずつ異なるが、誰でも共通の日課は毎朝の「読報会（『労働新聞』や指示文を読む時間）」と「学習会（革命労作の勉強）」、「講演会（プロパガンダ事業）」など政治教養教育の時間だ。大概の儀礼的な行為と同じく、毎日繰り返していると形式的なものに陥りやすい。それにもかかわらず、一日の日課を会合から始めて会合で終える集団主義的な生活様式を内面化させるには効果がある。

「生活総和」──告白の文化

生活儀礼のなかでも最も注目すべきものは、週一回行われる「生活総和（生活総括）」だ。生活総和は所属する組織の人たちの前で己を反省し（自己批判）、他の人を批判する（相互批判）時間だ。主に金日成の教示と金正日のお言葉、「十大原則」に照らして革命思想的にはできなかった点と「自由主義（個人主義または利己主義）」的な態度について批判する。たとえば、体の具合が悪くて朝の「読報会」を休むことになったのは、革命的な覚悟が足りなかったためであり、個人的な理由で与えられた仕事に忠実ではなかったことを「自由主義を行使した」と自ら告白し、他の人の批判を受けなくてはならない。こうして定期的に自分自身と他人の生活を社会的な価値観にあわせて省察し、相互批判をする時間を持つことで、己の社会的な位置を確認し、社会的存在として立場を確立していく。

国家権力にとっての生活総和は、みなが絶えず自己検閲しお互いの日常を相互監視する効率的な統制方式である。基礎組織単位での週ごとの生活総和はより大きな組織単位の月ごとの生活総和、さらに大きな組織での年間生活総和と拡大する。大きな規模の生活総和は重大な過ちを犯した人を見せしめとして大衆の前に立たせ、公開で批判し、処罰方式まで決める緊張度の高い政治ドラマにもなる。

このように緊張度の高い政治儀礼である生活総和に参加する人たちは、うまく批判をかわせるように過ちをあらかじめ告白しておいたり、お互いに口裏を合わせて危険度を下げるための戦略を使うこともある。もしまちがって深刻な批判をした場合には、その人が被害者の家を別途訪ねて行って謝ったりと、復讐の負のスパイラルを阻止するための水面下の談合もよく行われる。

大飢饉によって社会制度が揺らぐと、生活総和は明らかに形式的な集団儀礼へと変質した。生計を成り立たせるのに忙しい人びとは、生活総和の日をさぼったり、何人かにだけ形式的に話して済ませたりもした。ひどい場合には、参加した人たちが意図的に他のことをしながら儀礼の権威と緊張度を下げる方法で抵抗することも頻繁になった。

いろいろな戦術によって変質したとはいえ、生活総和は北朝鮮の人びとの心と行動パターンに強い影響を及ぼしている。告白、批判、反省、矯正、新たな出発へとつながる一連の生活総和のプロセスは、本質的に宗教性の強い生活儀礼だ。自分の過ちを先にさらけ出して許してもらい、また生まれ変わるという信念を前提にした浄化儀礼だからだ。全知全能の神に自分の罪を自ら告白して赦しを求めるカトリック教会の懺悔にも似た一種の「告白の文化」と言えよう。

人民すべてに生活総和を強制している国家権力自身もまた、「告白の文化」のパターンを内面化しているようだ。二〇〇三年、日朝首脳会談当時、金正日は平壌を訪問した小泉純一郎首相に日本人拉致の問題が事実であったと告白し謝罪した。北朝鮮の最高指導者の予想だにしなかった告白に当時世界は驚愕し、韓国をはじめアメリカやヨーロッパでもこの告白が「これから変化するのだ」という意思の本気度を示す行動だと解釈した。

しかし、告白と謝罪を受けた日本側の反応は異なった。国じゅうが衝撃に包まれ、両国関係は最悪の対立状況に発展した。日本の首相は、拉致事件はなかったと確信して平壌に行ったわけではない。しかし、北朝鮮の最高権力者自らが過ちを公式に認めるという覆すことのできない事実によって、適当な理由をつけて国家の体面を守る余地が失われてしまったと感じたのだろう。特に平壌の首脳会談の席に同席していた当時の安倍晋三官房長官は、「名誉」を重んじる日本文化の論理によって、北朝鮮の犯罪行為は日本国民に対する拭いきれない侮辱であるとして原状回復を主張した。人類学者ベネディクトが分析したように、名誉と羞恥に敏感な日本文化は、相手の告白と謝罪を受け入れ、赦し、新たな出発をするという概念が弱い。

社会的教養と通過儀礼

韓国の子どもたちと平壌を訪問したことがある。けれども、期待していたような南北の子どもたちの自由な出会いの場は設けられなかった。韓国の人たちは、子どもたちの純粋な出会いは非政治的で自然なことであり、心さえ開けばいくらでも可能だと考えた。北朝鮮の人たちは、純真な子どもたちは感化されやすいので、自分たちが統制できないような知らない子どもたちとただ会わせることはできないと考えたようだ。

期待を裏切られ、大人の行事についてまわるだけになってしまった子どもたちは我慢できず、すぐにおしゃべりに興じたり騒いだり走り回ったりし始めた。引率者がたしなめて注意をしてもそのときだけ。困りきった表情で韓国の子どもたちを見ている北朝鮮の人たちに申し訳なく、弁明調で聞いてみた。「子どもというのは本来、あんなふうにじっとしていないものですよね?」。相手は真顔できっ

（上）**少年団の入団式**　入団審査の過程で「選抜」と「脱落」を初めて経験させる通過儀礼。
（下）**白頭山への道を踏み出す行軍の列**　「光復の千里の道」の行軍を通じて、青年へと成長する少年指導者の通過儀礼。

ぱり言い切った。「私たちは教養がしっかりしていますからねぇ。うちの子どもたちは絶対にあんなことにはなりません」。まさか？　信じられなかったが、これまで見て来た北朝鮮の子どもたちを思うと、そうかもしれないという思いもよぎった。それぞれの社会で子どもは異なる育て方をされている。

　北朝鮮の「教養する」ということばは、韓国の「教育する」と似た意味で使われるようだ。「教養」は、韓国で「文化に対する幅広い知識、常識、情緒」という意味で使われるが、北朝鮮では「正しい社会生活の土台となる高尚で寛大な品性を育てる」ことである。すなわち、公的なことと私的なことをきちんと区別し、特に公的な場で適切に行動できるよう、文化的な訓練をすることを意味している。こうした「教養」は教室で知識として学ぶものではない。幼い頃から組織生活を通して「教養」に馴染み、多様な通過儀礼の過程を経て完全に「教養された」社会的人格として成長するのだ。

　北朝鮮の誰もが記憶しているもっとも象徴的な通過儀礼は、少年団への入団だ。少年団は七〜一三歳のころに男女誰もが加入しなくてはならず、人びとにとって初めての組織生活だ。みなが義務的に入団するが、もっとも模範的な学生から入団式を行なうなど順序に差がつけられる。子どもとしては、成功と失敗、選抜と脱落、加入と排除の厳しい結果を初めて体験することになる。幼い頃からの友人たちよりも早く選ばれて赤いスカーフを結んだ時の感動は、年を重ねた人たちでも自慢げに話す。反対に、選抜から脱落してクラスの友人たちの赤いスカーフを横目に恥ずかしい思いをした苦い思い出を持つ人も少なくない。

こうした通過儀礼は、思春期および青年期の組織生活の単位である「社労青（社会主義労働青年同盟。一九九六年以後、金日成社会主義青年同盟に改称）」加入を経て、成人の最高社会成員組織である「朝鮮労働党」入団という目標を達成するまで、すべての北朝鮮の人びとが経験する政治社会化の過程だ。組織加入の関門を越えれば、組織のなかで高い地位と権力を得られる場にのぼるための競争がある。選抜された人びとは「千里の道」の行軍やキャンプに行き、指導力を積む経験もする。彼らは公式行事をうまく采配し、その枠にあった適切な行動をとる訓練を積む。よって朝鮮少年団のスローガンのとおり、社会生活に「常に備え」た状態となるよう自身を「教養」する。社労青を含む軍と職場、大学などにおいてもそれぞれの組織活動における評価を土台に、朝鮮労働党員になれるような資格を得ていく。

公式選抜はすべて非公開で行われるため、生まれついての「成分」が影響を与えやすい。それでも社会関係を適切に扱う渡世能力、すなわち「社会的教養」は決定的な必要条件だ。つまり組織生活の核心は、他の人と良い関係を築き、忠誠心と能力を周囲にも認められることである。そのためには、他人の目をいつも意識し、自己検閲に秀でていなくてはならない。同時に他人を批判する場合にも、状況を見つつ適当な一線を保てるよう管理する能力が必要となる。

「生活総和」をはじめとした組織生活の経験が豊富な北朝鮮の子どもたちと、認知学習を重視して個人的な欲望追求に慣れ親しんだ環境で育った韓国の子どもたちが出会うと、どんな相互作用が起こるか？　しかし幸か不幸かそうした出会いの機会を北朝鮮の大人は積極的に遮った。ただ遠目から眺めて笑いながら、韓国の子どもらは「教養がない」と明確に感じたようだった。

「濡れ衣を着せられないようにしろ」—表と裏

「濡れ衣を着せられないようにしろ！」。組織生活をする北朝鮮の人びとがしばしば口にする警句だ。朝、登校する子どもたちに、出勤する夫や妻に、また生活総和をひかえた自分自身にも何度も念を押す言葉でもある。それほどまでに他人の目と耳と口を意識して生きなければならないせいか、北朝鮮の人びとの社会生活に対する姿勢は慎重で真面目だ。たいてい原理原則からはみ出さない範囲で安全な「お決まりの」対応をする。

しかしいったん公の場を離れて私的空間に入ると、態度ががらりと変わって驚かされることが多い。このように公的な態度と私的な態度が異なる人、社会生活と私生活の差が大きい人、外で他人に言うことと考えていることが違う人を、私たちは「裏表のある人」とかひどい時には「二重人格」だと思いがちだ。

しかしどんな文化圏においても人間は社会生活と私生活を区別し、異なる行動をとる。ただ方法と程度の差があるだけだ。公的領域と私的領域の間の行動変化が大きい文化も存在するが、そのなかで人類学的に多く研究されている事例が、日本の「建前」と「本音」だ。ある人が外で話す「正論」と

「正直な心の声」の差が大きくなる現象をいう。ベネディクトはこうした二重の日本人の態度を、公的な場と私的な場を厳格に区別して、それぞれに合った適切な対応をすると解釈した。すなわち公的な領域では文化的に洗練され節制した対応をし、私的な領域では自然な感情を表して情緒的なコミュニケーションをとるというのだ。こうした転換を自然にうまくできてこそ、教養ある人だと思われる。だから公的領域で礼儀正しく親切な日本人が、私的領域では無礼で横柄な態度をとることもある。もちろん、状況に応じてその反対もありうる。ポイントは、ふたつの領域の区別をはっきりとさせるために文化的に訓練されている点だ。

一方で、西欧文化、特にアメリカの文化では、社会的に公私の差がどれほど明確でも、人格的に成熟した個人は可能な限り一貫した自己アイデンティティを維持しなければならないと考える。よって、アメリカ式の英雄は、厳粛な公式の場においても自然な姿を示して個性を誇示する。少なくとも、状況と領域の変化にそれほど影響を受けない一貫した自己像をつくって演出するように心がけている。

人類学者であるデイビッド・プラースは、独立した個人の自己実現を絶対的な価値と考える西欧心理学の偏向性を指摘しつつ、社会関係を重視する自己成熟の概念を紹介した[☆22]。人間関係を重視する文化では、ある人に要求される多様な役割をそれぞれの領域にあわせて遂行しなくてはならない。ときには矛盾した役割も適切に遂行できてこそ、文化的に「成熟した」人だ。人生の意味自体を人間関係と社会的役割の遂行を通じて追及しようとする文化においては理想的な人間像と言える。

社会関係を重視する文化で、事後一貫性が崩れる心理的問題を乗り越えるために開発された能力がいわゆる、役割の「区画化（compartmentalization）」だ[☆23]。公的領域と私的領域間の差が大きいとき、各領域をカテゴリー分けしておいてその境界を越えることにしておけば、心理的な負担なく他の役割に没頭できるという意味だ。

「おまえら革命って知ってるか」——ロールプレイ

集団主義の文化のなかで暮らしてきた人は、主に関係を軸にして生きようとする。特に公的領域では常に決められたとおり、丁寧に、自分を守りながら対応する場合が多い。個人主義の文化の価値観から見ると、融通が利かずイライラするばかりだと思うだろう。南北間の会合のように緊張感が高まる公式の場では、そうした文化の差もあってトラブルも発生しやすい。

二〇〇〇年代半ばの南北交流が活発だったころ、韓国の訪問客が増えたために、北朝鮮当局は数多くの案内員を訓練して現場に送り込んだ。新人の案内員は緊張し、一貫して典型的な守りの姿勢だった。以前頻繁に訪問していたところも行けないと言い張ったり、いつもできていたこともダメだと言ったりする。韓国の訪問団を代表して北側の案内員との「日程闘争（日程調整）」を担当した民間団体のスタッフが、夕食の席にまで討議を持ち込んだ末にとうとう失望と挫折感を爆発させた。

「おまえら、革命って知ってるか？　恥知らず！　もう平壌なんて二度とくるもんか！」食堂前に停めたバスに乗るやいなや、韓国のスタッフが大声で叫んだ。バスの中は静まり返った。明かりの消えた平壌の街はひっそりしていた。運転手がエンジンを切ってバスを停めた。みんな凍りついたように口を利かなかった。とうとう案内の責任者が低い声で命令し、バスが動き始めた。怒鳴った本人は、怒りにまかせて飲み過ぎたのか、自分で体を支えることもできない状態だった。

韓国側の代表が北朝鮮側の案内員と収拾をつけるため緊急に場を設けた。硬い表情で座っていた北側の案内員たちは、激昂した声で話し始めた。「革命の首都平壌においては、決して口にしてはならないような暴言が出ました。あまりに深刻で、このような場で話すようなことではありません。上部に報告しなくてはなりません。みなさんが安全に帰国できるかどうかも責任を持てない事態です」。殺伐とした語調で続く脅し文句から、彼らとしては到底容認できないひどい侮辱と感じたのがわかった。

「こちらのスタッフは韓国で熱心に民主化闘争に携わってきた人物ですが、ふだんは飲めない酒を飲んだせいで失言したようです」と弁明し謝罪した。「ですから私たちはいわゆる南朝鮮の運動家の方々を好ましく思わないのです。いったいどれほど偉大な革命を成し遂げたというんでしょうね！」。いつだったか、国家権力にすり寄って偉そうにしていた人を李泳禧《リヨンヒ》教授〔社会評論家、ジャーナリスト。韓国の軍事政権下では国家権力によって度々解職された〕が一喝した場面が頭をよぎった。「権力に盾突いて戦ったこともないくせに！」。しかしその場でこの論争はできなかった。

じっと話を聞いていた経験豊富な韓国側の代表が、とっさにため口で反問した。「それでなんだ、こちらのスタッフが将軍をけなしたわけではないだろ。君たちの案内がなってないから、将軍がけなされることになったんじゃないか」。いきなり自分側の論理で逆襲された案内員たちは、戸惑った表情でしばし言葉を濁した。ロールプレイの巻き返しがうまくいったようだ。私もすぐに続けた。「南北の若いスタッフがお互いに力を尽くそうとして起きたことだから、誤解もあるだろうし、カッとなってひどい言葉が出ることもあるだろう。言葉より心で互いを理解しあわないと。まぁまぁ、一杯飲んで忌憚なく話しましょうよ」。真面目な政治劇を軽いノリの劇に変えようという意図だった。

冷たい水で顔を洗って出てきた韓国側スタッフと北朝鮮側の案内員はその晩、ホテルのカラオケで肩を組み、ともに歌った。先ほどの緊張とはかけはなれた表情で「心のなかに残る人」を哀切こめて歌った北朝鮮側の若い案内員の解き放たれた顔が印象に残っている。

それでも変わっていくもの

最近になっても、外部の世界に見えてくる北朝鮮の姿は変わらない。平壌の街には高層建築が立ち並んでいるが、金日成広場ではいまだに軍事パレードが行われている。最高指導者は若くなったが、いまだに人民服を着てミサイル発射の現場で現地指導をしている。女性のファッションも多彩になったが、正装と軍服姿の権力エリートは今も国会の場で満場一致で手帳を掲げ〔賛成票を投じ〕ている。芸術公演は軽快になったがいまも忠誠の歌を歌い、首領の銅像の前では人びとが並んでお辞儀をしている。このように公式体制の表面には変化がないが、住民の日常生活はそれでもどんどん変化している。

変化は非公式に起こる。公式の制度の枠はそのままに、非公式な戦略で隙間を広げ変質させていくのだ。大飢饉のあと、多くの人が非公式な領域で蓄積した資源、情報、経験を結び付けて、公式領域の法制度といった差別の壁を乗り越える新たな現実をつくりあげている。こうした変化はこの間、非常に厳しく分けられていた中心と周辺、成分と階級、純粋と汚染、男性と女性といった境界を曖昧にし、ときには逆転させた。

非公式経済が社会変化を主導したことで、政治的な特権を維持してきた中央と周辺の差が相対化しつつある。特に、外部経済と連携している新義州、清津、恵山、南浦といった地方都市には、国家権力が直接統制する平壌とは、また違った変化のエネルギーを感じる。携帯電話の普及と私的な交通手段の増加で空間的な距離が縮まり、地域分離統制も弱まった。平壌と非平壌を分ける境界はまだ残っているが、実際には多様な方法で風穴が開き始めている。

非公式の経済領域で蓄積された資源をもとに、階級と成分の壁を越えている人も増えている。相対的に成分の低い生存戦略の達人たちは、結婚、進学、事業などを通じて中心的な位置に進出し、特権を持つ血縁集団と関係を結んで身分上昇を目論んでいる。

女性の主導する闇市場と市場といった非公式経済活動は、既存の家父長的な性別階級の構図と性的役割の固定観念を実質的に変えている。こうした現実の変化を反映して、公式メディアまでもが夫が家事を手伝うような家庭生活を推奨し始めた。

純粋と汚染に対する観念によって、内と外、我々と彼ら、正常と非正常を厳格に区別して警戒する制度はいまだに残っているが、市場には外国製品が氾濫し、外来の大衆文化もひろく流通している。

このように多岐にわたる日常生活の変化にもかかわらず、既得権勢力は血縁、階級、地域、性別、特権を守るために、政治的な規制と制度的差別を変わらず強いている。現実の変化とかけ離れた法制度が、非公式の経済活動を搾取のための政治的道具として利用することもある。

こうした北朝鮮社会の変化について、外部世界は体制崩壊の兆候だとつじつまの合わない解釈をしたり、劇場型の権力演出と武力誇示にばかり目を奪われて、変化している現実そのものを無視したりしている。むしろわたしたちが理解しなければならないのは、公式制度と非公式戦略の乖離は大きくなっているものの、二つの流れはすべて現実であり、この二つは相互補完的に機能している点である。北朝鮮社会の変化は、公式と非公式の流れの間にあって、それらは互いに影響しあいながら、新たな現実を作り上げつつ前進しているのだ。

注

★1　韓国では北朝鮮の奇襲挑発を強調する意味で戦争勃発の六月二五日を記念日としており、休戦協定を調印した七月二七日を特別な日と記憶する人は少ない。民族全体に深い傷を残したこの戦争についての記憶は、南北で大きく異なる。それほどまでに南と北は立場が異なり、分断の時代の歴史的事件に対する考え方も大きく違う。

★2　有名な例として、一・四後退〔朝鮮戦争で一九五一年一月四日に北朝鮮・中国の攻勢を受けて韓国軍が前線を大きく後退させた〕の時期に「国民防衛軍」として集められた人用の食料や衣服を何人かの将軍たちが着服したために、一九五一年の冬には多くの餓死者・凍死者が出て、韓国軍兵士が栄養失調になって死亡した事件があった〔死亡者数は、約九万人以上と推算されている〕。한국민족문화대백과사전、「국민방위군사건」参照（https://encykorea.aks.ac.kr/Contents/SearchNavi?keyword=국민방위군사건&ridx=0&tot=4812）。

★3　大飢饉による苦難と出産率の低下、兵役の忌避などで生まれた「軍召募事業（兵士募集作業）」の空きを女性軍で埋めるため、女性への入隊志願の圧力が強化された。

★4　人類学ではこうした現象を「サンスクリット化（Sanscritization）」と言い、上下の序列構造が厳格な身分社会で下層階級が上級階級の生活規範を内面化しながら階級上昇を試みる現象をいう。

★5　女性がズボンをはいたという理由で警察に捕まっていた一九世紀のアメリカで、女性で初めてズボン着用に挑戦したメアリー・エドワーズ・ウォーカーは、服装検閲に対する抵抗の意味を考える契機をつくったと言える。키스네글리『메리는 입고 싶은 옷을 입어요』、노지양 옮김、원더박스、二〇一九〔キース・ネグレー『せかいでさいしょにズボンをはいた女の子』、石井睦美訳、光村教育図書、二〇二〇〕。

★6　道端や空き地で元気に遊ぶ多くの子どもたちの様子は、ルネッサンス時代の画家ピーテル・ブリューゲルの作品「子どもの遊び」（一五五九）を想起させる。こうして元気に遊ぶ姿を写真におさめたかったが、舞台で公演する子どもたちだけを見せたいと考える北朝鮮の方針で撮影できなかった。アメリカと北朝鮮の間で戦争の危機が高まったとき、オーストラリアの国立大学のテッサ・モーリス＝スズキは、道端で遊ぶ平壌の子どもたちの動画をYouTubeにあげて、「大統領、この子たちの頭の上に爆弾を落とすのですか？」と字幕をつけた。

★7　最近の韓国の子どもたちは道端や空き地ではほとんど遊ばない。みんな塾に行ったり、一人で家でゲームをする。

平壌の高層アパート地域の子どもたちもまた、外では遊ばなくなっているという。

★8　陽暦の正月における飲酒のさまを冗談めかして言う言葉。

★9　최학락「북한 설날의 소비와 선물 연구：의무와 위반의 매개로서 술」、한국문화인류학회 2019년 추계학술대회 발표문、5면。国の祝日を記念する公式儀礼や指導者の象徴的な贈り物にとどまらず、さらに大規模に繰り広げられる様々なレベルでの非公式のプレゼント交換を通じて、祝祭の文化的なダイナミズムと社会的機能が確認できる。

おわりに

いつか、いつか　わたしはどこかで
ため息ついて　話すだろう
森の中に　二つに分かれた道があったと
わたしは　ほかの人が　あまりゆかない道を　選んだと
そして　そのせいで　すべてが　変わってしまったと[☆1]

はじめは見えなかった線が、こんなふうにひとつの民族を分けてしまうとは思わなかった。ごく細い線ひとつが、長い月日とともに生きてきた人びとをふたつに分断し、これほどまでに異なる道を歩ませることになろうとは。元来ひとつであったのだから、ちょっと違う道を歩いたとしても、必ずまた出会い、ともに歩むことができるだろうと思っていた。誤算であった。

帝国主義の時代に力を持っていた国が地図上に引いた直線は、山と川といった自然はもちろんのこと、言語や文化を共有する民族も容赦なく分割した。その境界線は植民地支配が終わったのちも確固とした国境となり、異なる国家と国民を人為的につくりあげた。こうして多くの新生国家が誕生した。わたしたちの民族をふたつに分けた北緯三八度線は、帝国主義の列強がアジア、アフリカ、ラテンアメリカなど様々な地域を、空き地を分け合うかのように線引きしたのと同じように引かれたものだ。ひとつの民族をふたつの国民にしたその境界線は皮肉なことに、冷戦二陣営が熱い戦いを繰り広げる最前線になってしまった。各陣営の先頭に立ち、率先して戦ったふたつの国はいずれも深い傷を負った。そして七〇年がたった今日も戦争は終わっていない。

この戦争はとりわけ残忍だった。休戦となってから戦争捕虜は国際法の保護を受けて自分の国に帰ったが、新たな境界に阻まれたふたつの国の避難民は、故郷に帰れなかった。戦争中に分かれた家族との再会どころか、手紙一通すらやり取りできなかった。こうして七〇年の月日が流れた。南北に分かれた数百万の離散家族は、互いの生存すら知ることもなく、恨《ハン》を抱いたまま年を重ね、亡くなっていった。

南と北は、このようなひどい状況が生まれたのは相手のせいだと責任を押し付け合った。はじめは相対的に弱かった南の被害者意識が強く、状況が変わって立場が逆転すると今度は北側が〔統一問題などに〕消極的になった。双方の権力は悶々とした住民の気持ちを、相手側への憎悪心を募らせるために利用した。普遍的な人権を主張する国際社会は、この問題について無関心だった。

二つに分かれた道は、必然的に比較されることとなる。見る視点によっては些細な違いを対照的な特徴と捉えて注目し、互いを対立するものに仕立てていく。[★1] 分断以降、南と北は常に相手と自らを比較し、意図的に違うものになろうと努力してきた。資本主義と社会主義と言う外来の理念は、互いを対照的なものとして区別する象徴的な意味が強かった。

こうした両極化は、国際的な冷戦陣営の支援競争によってさらに加速した。北朝鮮は一九六〇年代に「朝鮮の奇跡（最初のコリアンミラクル）」を成し遂げた国として社会主義圏のモデル国家となり、韓国も一九七〇年代に「漢江の奇跡（もうひとつのコリアンミラクル）」を成し遂げて、資本主義圏の代表的な発展事例となった。双方、短期間に高度で効率的な国民国家を建設することができたのは、皮肉にも戦争を経たことで全国民が身に着けた生存戦略と、長きにわたる中央集権国家の歴史のなかで統合されていた言語や慣習といった文化的な土台があったからだ。

南と北は互いに異なる道を歩みながらも、いくつもの山場において、双方が共有する似通った伝統文化の要素をそれぞれ異なる方法で構成することで対応してきた。ふたつに分かれた道は並んで進んでいたのに、突如として異なる方向を選ぶこともあった。戦争によって両国は、絶対権力者を求心点とする社会体制を構築した。両国の急速な産業発展も、強力な指導力を土台とする一種の国家総動員方式で進められた。

一九七二年一二月二七日、韓国の維新憲法と北朝鮮の社会主義憲法が同じ日に公布された。南の維新体制の大統領と、北の唯一体制の主席はこのように対を成すものである。双方ともに、相手のせいで特別な独裁体制が必要なのだと主張し、戦争による破壊と絶対的貧困という危機的状況において強力な指導力を発揮した経済発展の時代の指導者だった。金日成の「千里馬運動」と朴正煕の「セマウル運動」はそれぞれの時代の象徴であった。

危機的状況のなかで卓越した能力を発揮したカリスマは、危機の克服とともに消滅するのが自然なりゆきだ。独裁者はえてしてカリスマ権力の時間的な運命に抗って終身続く権力を追求するようになる。しかし終身権力は、いわゆる後継者問題に直面することとなる。指導者の周辺で特権を享受し続けようとする輩たちが、自然寿命の限界を超えるような権力再生産の方法を必死に模索するためだ。このとき、権力者の息子は権力の二番手として実勢を握ったり、未来の権力者の象徴として推戴されることが多い。北朝鮮の金正日と金正恩はまさにそうやって浮上してきた世襲権力だ。

金日成のようなカリスマ指導者の個人的な権威を世襲するのは、長男や孫であったとしても容易ではない。だから、権力世襲を正当化する条件を常に作り続けなくてはならなかった。危機意識を高めて思想統制を強化し、反対派の拘束と粛清を日常的におこなった。金正日の後継体制づくりが本格化した一九七〇年代初期から北朝鮮では多くの本が禁書として消えていき、広く親しまれていた歌が禁止曲となり、服装や頭髪にいたるまで生活検閲が強化された。

どこかなじみ深くはないだろうか？　自由民主主義の韓国でも、維新時代〔朴正熙大統領の独裁時代〕に誰もが経験した終身権力の統制方式と同じだ。積極的にイメージを創り出すことでの象徴政治も進められていた。「主体《チュチェ》的社会主義」の北朝鮮と「韓国的民主主義」の韓国いずれも、忠孝思想を強調した。北朝鮮では金日成の妻・金正淑が「朝鮮の母」として、韓国では朴正熙の妻・陸英修が「慈愛深い国母」として崇められた。

劇場型の権力演出で世襲基盤を磨いた金正日は、一九九四年に金日成が死去すると強力な「追慕の政治」を通して社会主義国家初の家族世襲の権力となった。軍部を掌握した革命遺族集団と既得権勢力が、特権の世襲をともに守った。世襲の弊害はいたるところにあらわれた。あらゆる統制で社会が停滞し、自己治癒（自浄）能力を喪失した。社会の各領域では、特権の世襲によって人材と資源が閉鎖的な回路の中を回るだけになった。人民の利害よりも指導者個人や権力集団の利害が優先された。二〇一一年に金正日が死去すると、権力は二七歳の金正恩に世襲された。金正恩は若い頃の金日成に似せた容姿とスタイルでカリスマ権力のイメージを再生産した。

韓国の朴槿恵は陸英修の死去後、二二歳でファーストレディの役割を代行し、序列二位という象徴的存在となった。この象徴はすぐに権力として育った。忠誠と孝道を強調する「セマウム運動〔新たな心。セマウルのもじり〕」全国大会を実施したとき、この「ご令嬢」に対して、校長先生たちは九〇度の敬礼をし、田舎のおばあさんたちはクンジョル〔ひざまずいてのお辞儀〕をした。二〇一二年、朴槿恵は陸英修のヘアスタイルと朴正熙の寡黙なイメージを再演出して大統領となった。財閥の経営世襲、牧師の教会世襲など、数多の社会的世襲もともに正当化された。

権力世襲は独裁者ひとりの問題ではない。すべての既得権益層の特権の世襲もあいまって進んでいく。北朝鮮はなぜ韓国の選挙が近づくと緊張を高めるようなことをし、韓国の既得権益層はなぜ秘密協議を通じて北朝鮮の武力挑発を要請したりするのだろうか? 南北の権力集団は敵対的に共存し、特権を世襲する。分断時代の体制権力は、こうして同じ道を歩んできたのである。

決定的な分岐点は、韓国の民主化だ。韓国の市民社会は独裁体制に対してあきらめることなく抵抗し、一九八〇年代末からは権力交代を制度化させた。権力機関の介入で朴槿恵は大統領に当選したが、特権配分と権力乱用の末に、ろうそく革命によって弾劾された。韓国はこうして政治的な権力世襲を断ち切った。しかし社会経済的な既得権世襲の問題は、いまだに根深く続いている。

大統領選挙を控えた時期に北朝鮮の水害復興支援のための南北実務者会議があった。北の代表団には、革命家門の子孫として金正恩とともに浮上した若手メンバーが含まれていた。そのうちの一人が、李明博政府の封鎖政策に対する非難をひとしきりしたあと、冗談のように一言「近ごろ南では、李明博を選んだ人たちが指を詰めねばと大騒ぎらしいですね? いやはや、選挙はうまくやらんとねぇ……」。聞くに堪えず、韓国側の民間団体の代表が言い返した。「それでもうちは、五年に一回、変えられますからね!」。場が静まり返った。しばらく誰も口を利かなかった。☆2

北朝鮮社会の「民主化」は、切実な課題だ。「自主主権」の象徴として核兵器とミサイルをつくることで体制保障と権力世襲は可能となったが、そうこうしている間に世界に名だたる貧困国となってしまった。孤立が長期化したことで自閉的で過剰に意義づける文化が深刻になり、権力が集中することで〔権力層の〕不正や腐敗が日常化している。変化の扉を開くには、まず北朝鮮社会が強迫的な危機意識から抜け出せない原因となっている、国際的な孤立状態が緩和されなければならない。その点で、戦争終結と関係の改善、南北交流活動は重要だ。北朝鮮自らも内部改革を通じて制度上の合理性を高め、人びとの自立を強化しなくてはならないだろう。

韓国の「人間化」も喫緊の課題だ。脱北者の経験は、この問題について新たな示唆を与えてくれる。ある脱北少年が学校に行きたくないという。「道徳的に間違っている子たちとは、いっしょにいたくない」と。となりの席の子と仲良くなろうとして、ハサミを貸してと言ったところ、そんなのはそれぞれ自分で準備するものだといって貸してくれなかったそうだ。文化の違いからくる問題だと思って、そのうち友達ができたらうまくいくさとなぐさめると、韓国の子たちは韓国人同士でも友達がいなくて競争ばかりしている「ほんとに変なやつら」だという。先生と面談してきた母親も、韓国の教育は全く理解できないと嘆息する。勉強がわからないなら、学校ではこれ以上教えられないから、塾で勉強してきなさいですって。担任の先生が入学から卒業まで責任を持って子どもたちを教え、クラブ活動までみてくれる北朝鮮の学校と比べてしまうという。

大きな会社で働くことになったと喜んでいた脱北青年が、すぐに耐えられなくなって辞めてしまった。働かされすぎて耐えられないということもあるが、社長からチームリーダーまで、首根っこを押さえつけているかのように偉そうにしているのが気になって仕方がなくなったからだという。「北では首領一人に対してだけペコペコ敬礼していれば、他の事は大したことなかったんです。こっちだと、食い扶持に関わることになるとみんながいじめに走るし、もう我慢できません」。脱北者支援ではみな予算不足を嘆くが、実はお金よりも人のほうが残念なことが多いそうだ。辛く不安で、なにより希望が持てないのが一番大きな問題だが、韓国の人もみんなそう思って生きていることがわかったという。「(北)朝鮮では苦難と貧困のなかでも、家族、隣人、同僚と語り合い、笑いあって生きている」という。人間関係が失われ、利害関係だけが残ったこの社会が、韓国の青年たちが言うところの「ヘル(地獄)朝鮮」ではないのかと反問された。

韓国は特に一九九〇年代末の金融危機以降、新自由主義政策によってみなが日々の暮らしのなかで比較と競争を当然のものと見なし、外から評価されているとおり、「奇跡を起こした国、喜びを失った国」となった。[☆3]「わたしたち」を失い、疲弊した社会は「マネー」のみを絶対価値として崇め、劣等感と優越感の交錯する経済的に豊かな国となった。

韓国が国際社会と競争して「自由」と「豊かさ」を享受できたと言えば、北朝鮮は自らの武力で「自主」と「プライド」を守ったと主張する。不可能と思われる条件の下で成し遂げた特別な成功は、それだけ大きな犠牲と矛盾を抱えている。これからはお互いを鏡として、過度に偏向した成功が生みだす問題を直視し、直していく道を探さなくてはならない。

分断七五年。いまも終わらない戦争が始まって七〇年。南北をふたつにわける道へと追い込んだ世界の冷戦が終わって三〇年。今こそ、世代を超えて分かれた道を歩いてきてしまった人びとに対する理解が必要なときである。厳格に分けられていた道が、公式・非公式の次元において重なり、絡み合い始めたからだ。この間、われわれは相手の道を遠くから眺め、違う道へと率いていく指導者と政治スローガンにばかり注目していた。韓国社会が一つではないように、北朝鮮社会もけっして一枚岩ではない。首領と軍人だけがいるわけでもない。平壌市民と地方住民、党員と党員ではない人、男性と女性、戦争世代と飢餓世代、さまざまな専門職と労働者など、それぞれ異なる価値観と、衝突する利害関係を持つ多様な人びとがそこにはいる。われわれが直接出会うのは、まさにその人びとなのだ。

東ドイツ出身の失郷民〔故郷に戻れなくなった人〕アクセル・シュミット - ゲーデルリンツ（Axel Schmidt-Gödelitz）はドイツ統一後に、異なる体制で暮らしてきた人たちが等しく出会い、理解しあうための「東西フォーラム（Ost-West Forum）」をつくった。参加者は異なる体制で生きてきた人たちと、生活にまつわる事柄を話題にしながら尊重し合う経験をした。「国家の歴史」を越えて、「人びとの歴史」をじかに話し聞くことで、東西ドイツの多くの人びとが和解した。このフォーラムはドイツ人とポーランド人、ドイツ人とトルコからの移住民の出会いの場へと発展し、歴史的な葛藤を経験した集団の相互理解プログラムとなった。

異なる道を歩んできた人に出会ったときは、お互いが生きてきた経験への尊重と共感が何よりも重要だ。互いへの偏見を克服するための出発点となるからだ。わたしの観点から相手の生き方を評価するのではなく、ただその人の目を通して、その人が見た世界と、歩んできた人生を理解しようとする感受性が必要だ。そうした出会いは、自身の「行かなかった道」と「行くことのできた道」を思い描いてみることにつながる。そうした想像力は、自分が歩んできた道の偏りと限界を照らす鏡にもなるだろう。われわれもお互いに「行かなかった道」で直面した人生経験を分かち合い、共感し、長い分断の傷を癒すことで共存を模索しあえるようになることを願う。

注

★1　このように対立的に分化する過程を、構造主義理論は二項対立の原理で説明する。フェルディナン・ド・ソシュールは、言語学的に一方はもう一方との比較によって価値と意味を持つとしている。例えば、我々は「悪」を設定しないと、「善」を意識することができない。政治学では二極化過程ともいう。

謝辞

まだ暗い夜中、おかしな音で目が覚めた。となりで寝ていた祖母の寝床がからっぽだ。障子の向こうから、うめき声なのか泣き声なのかわからないような祖母のいのりの声、そしてラジオの音が聞こえる。統一ニュースの時間、「人民軍に連れていかれた（北の言い方では義勇軍に志願した）」一人息子とまた会えることを願って、毎日つけている明け方のニュースだ。胸を引き裂かれるような痛みをこらえようと、何度も寝返りを打つ祖母の様子が伝わってくる。怖いような悲しいような気持ちになって、私も泣きながら祖母のそばに寄っていきうしろから抱きしめた。涙にぬれた顔を乾いた手で拭うと祖母はうってかわってにっこり笑って見せ、幼い私をぎゅっと抱きしめてくれた。

離散の痛みを抱えたまま亡くなった祖母、母、そして今も生死がわからない叔父。幼心に抱えてきた宿題をようやく白髪になろうとする年になって少しずつ進めています。あなたたちの苦しみを記憶し、伝えていきます。あなたたちにこの本をささげます。

飢餓の犠牲となった多くの人びとを記憶し、追悼します。また彼らを助けようと困難な分断の壁を乗り越えて力を尽くしてきた人道支援に携わるスタッフたち、そしてその支援者の皆さんに感謝をささげます。民族の大災難を目撃し支援活動に参加した研究者として、この事実を記録し証言しようと努力しました。

北朝鮮でそして中国の国境地域で出会った多くの皆さんに感謝をささげます。子どものようにしつこく質問する人類学者に親切に答えて下さったみなさんの寛容さと教えがなければ、この本は書けなかったでしょう。分断政治という現実があるために名前を明かすことができないのが残念でなりません。

ハナ院、ハナドゥル学校で「ダイジョウブ校長」とふざけて名付けてくれた脱北者の青少年たち、幼いころに経験した厳しい状況にもくじけることなく、笑いや希望を語ってくれたその勇気と生命力を称えます。「先に来た未来」である皆さんの好奇心、若いうちからの冒険が新たな可能性を開いてくれることを願っています。

この本をつくるために参加してくれたすべての皆さんに感謝をささげます。漢陽大文化人類学科の北朝鮮文化論の授業に参加した学生たちは、初稿から目を通して若い世代の視点を私に教えてくれました。時にはまじめな批評、時にはパルチ山《ザン》はどこにある山なのかという驚くべき質問で、世代間の認識差を教えてくれた学生の皆さんのおかげで、もう少しやさしい言葉で本を書こうと思いなおしました。巻頭に自分たちの名前を入れてほしいという要求に、紙幅の関係から応えることができずごめんなさい。

統一部の北朝鮮資料室の司書の皆さん、写真と文献資料をともに探してくれた大学院生、アンジョンスさん、ハン ヒョジュさん、イム ジエュンさん、パク チエファンさんに感謝します。まだまとまっていない原稿を丹念に読み込んで貴重な意見をくださった大田大のクォン ヒョクボム、早稲田大学の金敬黙教授、漢陽大グローバル多文化研究院のイ ヒャンギュ、チエ ウニョン、チョ イルドン、キム ギヨン、イム ソンスク博士、社団法人平和の踏み石のユン ウンジョン先生にも感謝をささげます。特に九五歳になられるお義父さんには初稿を読んで激励をいただき、迷いの多かった仕上げの作業を急がねばという気持ちになりました。おかげでとても楽しく書くことができました。ありがとうございました。

さらに良い本に仕上げようと最善を尽くしてくださった創批出版社のカン ヨンギュ、ペ ヨンハ、キム ガフィの各氏と、初めてこの本を企画する際に貴重な意見を下さったヨム ジョンソン、ユンドンフィ、パク デウの各氏にも感謝いたします。原稿は著者が書くものですが、本をつくるのは出版の専門家であるということに改めて気付かされました。

最後に私が書いたすべての文章のいちばん最初の熱心な読者であり、厳しい編集者でもあった妻のジョン ジンギョン教授にも、感謝の気持ちを伝えたいと思います。心理学者として南北の文化統合研究に加わって二〇年あまり、この間の研究と活動を共にしてきたあなたの助けがあってこそこの本を書くことができました。いつも心強く感じています。

二〇二〇年一月

鄭炳浩

出典注

第一章

☆1 「로동신문」二〇〇六년九월八일자「정론」。

☆2 권헌익・정병호『극장국가 북한：카리스마권력은 어떻게 세습되는가』、창비、二〇一三。

☆3 기록영화「위대한 헌신、변이 난 해 二〇〇九년」、조선기록과학영화촬영소、二〇一〇。

☆4 「북주민、작년五월부터 김정은 찬양가 배워」、『NK Chosun』二〇一〇년七월九일자。

☆5 日本の毎日新聞は「正雲が後継者に選ばれた」と報道した。二〇〇九年二月一七日付。

☆6 「존경하는 김정은 대장 동지의 위대성 교양 자료」、『Daily NK』二〇〇九년一〇월六일자。

☆7 呉小元『ハダカの北朝鮮』新潮選書、二〇一三。

☆8 추도시「위대한 김정일 동지의 령전에는」、『노동신문』二〇一一년一二월三〇일자。

☆9 김철송（평양 인흥중학교）「꼭 같으셔요」、박춘선 엮음『영원한 우리 아버지』、평양：금성출판사、二〇一二。

☆10 Joan Robinson, "Korean Miracle", *Monthly Review* 16, no.9, 1965, pp.541-49.

☆11 전영선「김정은 시대의 문화정치、정치문화」、전미영 편『김정은 시대의 문화』、한울출판사、二〇一五。

☆12 정병호「극장국가 북한의 상징과 의례」、『통일문제연구』二二권二호（二〇一〇）、一〜四二면。

☆13 『중앙일보』二〇一〇년一〇월一一일자。

☆14 『조선일보』二〇一八년六월二九일자。

☆15 伸訴制度についての詳しい議論は、김성경「북한정치체제와〝마음의 습속〟：주체사상과 신소제도의 작동을 중심으로」、현대북한연구二一권二호（二〇一八）、一九一〜二三一면を参照のこと。

☆16 정병호「냉전 정치와 북한 이주민의 침투성 초국가전략」、현대북한연구』一七권一호（二〇一四）、四九〜

一〇〇면。

☆17 다니엘 튜더・제임스 피어슨『조선자본주의공화국：맥주 덕후 기자와 북한 전문 특파원、스키니 진을 입은 북한을 가다!』、전병근 옮김、비아북、二〇一七〔Daniel Tudor, James Pearson, *North Korea Confidential: Private Markets, Fashion Trends, Prison Camps, Dissenters and Defectors*, Tuttle Publishing, 2015〕および주성하『평양자본주의백과전서：주성하 기자가 전하는 진짜 북한이야기』、북돋움、二〇一八〔周成賀『平壌資本主義百科全書——周成賀記者が伝える本当の北朝鮮の話』、森善伸子訳、社会評論社、二〇二〇〕参照。

☆18 전수일『관료부패론』、선학사、一九九九、七〇～七四면・八一～八五면。

☆19 유발 하라리『호모데우스：미래의 역사』、김명주 옮김、김영사、二〇一七〔ユヴァル・ノア・ハラリ『ホモ・デウス——テクノロジーとサピエンスの未来』、柴田裕之訳、河出書房新社、二〇一八〕韓国語版序文。

☆20 同書。

第二章

☆1 최인철『굿 라이프：내 삶을 바꾸는 심리학의 지혜』、21세기북스、二〇一八。

☆2 한국문화인류학회 편『(문화인류학 맛보기) 낯선 곳에서 나를 만나다』、일조각、一九九八、六一～七一면。

☆3 박한식・강국진『선을 넘어 생각한다：남과 북을 갈라놓는 12가지 편견에 관하여』、부키、二〇一八。

☆4 吉田康彦教授のホームページ参照。(http://yoshida-yasuhiko.com/ankh/aramashi.html)

☆5 John Borneman, "Anticipatory Reflection on Korean Unification: How is German Unification Relevant?", paper presented at the Korea University 100th Anniversary International Conference, Korea University, Seoul, May 24, 2004.

☆6 이기범『남과 북 아이들에겐 철조망이 없다：이기범 교수의 마흔아홉번 방북기』、보리、二〇一八、八六～九四면。

☆7「낯아진 밥상」、『청년문학』二〇〇三년一二월호、二六면。

☆8 幼稚園の授業参観の録音記録（二〇〇三年三月六日）。

☆9 「김정은、北소년단대회서 2번째 공개연설」、『뉴시스』二〇一二년六월六일자（https://news.joins.com/article/8391509）。

第三章

☆1 교육도서출판사 편『해방후 10년간의 공화국 인민 교육의 발전』、평양：교육도서출판사、一九五五。

☆2 幼稚園の授業参観の録音から（二〇〇三年三月六日）。

☆3 同記録。

☆4 当時、林秀卿の北朝鮮滞在日程を現地で調整していて、その後脱北した人による証言。

☆5 元平壌駐在ルーマニア大使の証言（二〇〇三年七月三〇日、ブカレストでのインタビュー）。

☆6 권현숙『루마니아의 연인』、민음사、二〇〇一、および「（수요기획）미르초유、나의 남편은 조정호입니다」KBS1TV、二〇〇四년六월二三일 방송。

☆7 이민선『소년들의 섬：일제가 만들고 군사정권이 완성시킨 선감학원 소년들의 잔혹사!』、생각나눔、二〇一八。

☆8 이윤복『유복이의 일기：「저 하늘에도 슬픔이」와 엄마를 다시 만난 이야기』、새벽소리、一九九三〔李潤福《イユンボク》著『ユンボギの日記──あの空にも悲しみが』、塚本勲訳、太平出版社、一九六五〕。

☆9 「조국의 사랑은 따사로와라」の歌詞。

☆10 「슈퍼맨이 돌아왔다」KBS2TV、三四～一一六회、二〇一五。

☆11 신상균『복받은 세쌍둥이들』、평양：금성청년출판사、一九九三、三면・一〇〇면

☆12 同書、一〇一면。

☆13 올더스 헉슬리『멋진 신세계』이덕형 옮김、문예출판사、二〇一八〔オルダス・ハクスリー『すばらしい新世界』、黒原敏行訳、光文社古典新訳文庫、二〇一三〕。

☆14 유발 하라리 前掲書、二一二～一六면。

☆15 同書、六～一一면。
☆16 한만길 편『북한에서는 어떻게 교육할까：북녘에서 살다 온 16인의 생생한 교육 체험기』、우리교육、一九九九、二〇七～八면。
☆17 렴형미「아이를 키우며」、『조선문학』二〇〇二년一一월호。

第四章

☆1 서대숙『현대 북한의 지도자：김일성과 김정일』、을유문화사、二〇〇〇、および、和田春樹『北朝鮮――遊撃隊国家の現在』岩波書店、一九九八、参照。
☆2 幼稚園の授業参観の録音記録（二〇〇〇年三月六日）。
☆3 Hobsbawm and Ranger, *the Invention of Tradition*, Cambridge: Cambridge University Press, 2012〔エリック・ホブズボウム、テレンス・レンジャー編『創られた伝統』前川啓治、梶原景昭ほか訳、紀伊国屋書店、一九九二〕。
☆4 오대형『당의 령도밑에 창작건립된 대기념비들의 사상예술성』、평양：조선미술출판사、一九八九、一二九～五三면。
☆5 김은택『고려태조 왕건』、평양：과학백과사전종합출판사、一九九六、四면。
☆6 同書一一三면。
☆7 림종상『동명왕』、평양：금성출판사、二〇〇五、二五七면。
☆8 전영률「위대한 수령 김일성 동지께서 단군 및 고조선과 관련하여 하신 교시는 력사연구에서 새로운 전환의 계기를 열어놓은 강령적 지침」、『단군과 고조선에 관한 연구론문집』、평양：사회과학출판사、一九九四、一六면。
☆9 同書、一七면。
☆10 장우진「평양은 조선민족의 발상지」、同書一四六면。
☆11 신지락・조상호 편『금수산기념궁전전설집』1권、평양：문학예술종합출판사、一九九九、一二八～二九면。
☆12 同書、一三二면。

☆13 조홍윤『한국의 원형신화 원앙부인 본풀이』、서울대학교출판부、二〇〇〇。
☆14 조상호・리순일 편『금수산기념궁전전설집』2권、평양：문학예술종합출판사、一九九九、三～一一면。
☆15 신지락・조상호편前掲書、三～五면。
☆16 同書九六～一〇二면。
☆17 정병호「극장국가 북한의 상징과 의례」一～四二면。
☆18 고영환「정예교육을 위한 최고이 시설 혁명학원 체계」、한만길 편、前掲書一一一면。
☆19 김연광「굿바이！김일성」、『월간조선』二〇〇五년一二월호。
☆20 김성모・탁성일・김철만『조선의 집단체조』、평양：외국문출판사、二〇〇二。
☆21 권홍익・정병호、前掲書。
☆22 Clifford Geertz, *Negara: The Theater State in Nineteenth-Century Bali*, Princeton University Press, 1980, 102p参照〔クリフォード・ギアツ『ヌガラ――19世紀バリの劇場国家』、小泉潤二訳、みすず書房、一九九〇〕。
☆23 C. Geertz, 同書一三一～一三二頁。
☆24 第二次朝鮮労働党初級宣伝職員大会に送った書簡、二〇一九年三月六日。

第五章

☆1 김태우『폭격：미공군의 공중폭력 기록으로 읽는 한국전쟁』、창비、二〇一三。
☆2 平壌のある幼稚園での年長組の授業参観映像記録（二〇〇〇年三月六日）。
☆3 김두일『선군시대 위인의 정치와 노래』、평양：문학예술출판사、二〇〇二、二五三쪽。
☆4 전덕성『선군정치에 대한 리해』、평양：평양출판사、二〇〇四、七면。
☆5 同書八～九면。
☆6 사회과학원 철학연구소『우리 당의 총대철학』、평양：사회과학출판사、二〇〇三。
☆7 同書七～八면。

☆8 『김정일선집』一四권、평양：조선로동당출판사、二〇〇〇년、二六七면。

☆9 김두일前掲書、二五四면。

☆10 「혁명의 수뇌부 결사옹위하리라」の歌詞の一部。

☆11 「당의 유일사상체계 확립의 10대 원칙」参照（特に、二項、八項、一〇項）。

☆12 서정주「마쯔이 오장 송가（松井伍長頌歌）」の一部（『毎日新報』一九四四年一二月九日付で発表）。

☆13 노천명「님의 부르심을 받들고서」の一部（『毎日新報』一九四三年八月五日付で発表）。

☆14 「소년단원 우리도 총폭탄 되리라」の歌詞の一部。노래집『당신이 없으면 조국도 없다』、一九九七、八二면。

☆15 C. Geertz, 前掲書。

☆16 「혁명의 꽃씨앗을 뿌려간다네」、『5대혁명가극 노래집』、평양：문학예술출판사、二〇〇八。

☆17 권헌익・정병호、前掲書三三〜三四면。

☆18 조성찬『총대와 혁명』、평양：근로단체출판사、二〇〇八、九〇쪽。

☆19 김진「국민이 3일만 참아주면…」、『중앙일보』二〇一〇년五월二四일자。

☆20 Byung-Ho Chung, "North Korean Famine and Relief Activities of the South Korean NGOs", *Food Problems in North Korea: Current Situation and Possibility*, Gill-Chin Lim and Namsoo Chang, eds., Oruem Publishing House, 2003.

☆21 AP、一九九九年五月一〇日付。

☆22 정병호「북한 기근의 인류학적 연구」、『통일문제연구』제一六권 一호（二〇〇四）、평화문제연구소。

☆23 同論文。

☆24 Jasper Becker, *Hungry Ghosts: Mao's Secret Famine*, New York: Henry Holt and Company, 1998。

☆25 D. L. Yang, *Calamity and Reform in China*, Stanford: Stanford Univ, 1996。

☆26 정병호「북한기근의 인류학적 연구」、一一一〜一一二면。

☆27 정병호「북한 어린이 기아와 한국 인류학의 과제」、『한국문화인류학』제三二권。二호（一九九九）、한국문화인류학회、一五五—一七五면。

☆28 정병호「분단의 틈새에서：탈북 난민의 삶과 인권」、『당대비평』一六（二〇〇一）、一三六〜五五면。
☆29 Byung-Ho Chung, "Living Dangerously in Two Worlds: The Risks and Tactics of North Korean Refugee Children in China", *Korea Journal*, Vol. 43, No. 3(2003), 191-211p.
☆30 S. Lautze, *The Famine in North Korea: Humanitarian Responses in Communist Nations*, Feinstein International Famine Center, Tufts University, 1997.
☆31 정병호「북한 기근의 인류학적 연구」、一〇九〜四〇면。
☆32 同論文一二九〜三三면参照。
☆33 좋은벗들 엮음『(북한사람들이 말하는) 북한 이야기』、정토출판、二〇〇〇。
☆34 송승환・원영수『(위인일화에 비낀) 웃음의 세계』、평양：평양출판사、二〇〇三、七六〜七七면。
☆35 석윤기『고난의 행군』、평양：문예출판사、一九九一、七一三면。
☆36 권헌익・정병호、前掲書二五六〜六一면参照。
☆37 재레드 다이아몬드『대변동：위기、선택、변화』、강주헌 옮김、김영사、二〇一九、一八〜一九면〔ジャレド・ダイアモンド『危機と人類』上巻、小川敏子、川上純子訳、日本経済新聞出版社、二〇一九、一三頁〕。
☆38 김영훈『차라리 이기적으로 살걸 그랬습니다：진심、긍정、노력이 내 삶을 배신한다』、21세기북스、二〇一九、一二二〜一二四면。
☆39 송승환・원영수、前掲書一三四〜一三五면。
☆40 이기범、前掲書一一八면。
☆41 정병호「함경도 아이들에게 남해의 미역을」、『한겨레신문』二〇一一년二월二一일자。
☆42 정병호「내복만한 효자가 없다」、『한겨레신문』二〇一一년一월二七일자。

第六章

☆1 메리 더글라스『순수와 위험：오염과 금기 개념의 분석』、유제분・이훈상 옮김、현대미학사、一九九七、二八八면

〔メアリ・ダグラス『汚穢と禁忌』、塚本利明訳、思潮社、一九七二年〕〔Mary Douglas, Purity and Danger: An Analysis of Concepts of Pollution and Taboo, Routledge and Kegan Paul, 1966〕。

☆2 정병호「냉전 정치와 북한 이주민의 침투성 초국가 전략」、『현대북한연구』一七（二）、四九～一〇一면。

☆3 김재웅「연좌제와 출신성분의 규정력을 통해 본 해방 후 북한의 가족정책」、『동방학지』一八七집、三一三～四一면。

☆4 伊藤亜人『北朝鮮人民の生活——脱北者の手記から読み解く実相』、弘文堂、二〇一七年、四二～四六頁。

☆5 장우진『아득히 먼 옛날의 우리 선조들을 찾아서』、평양：사회과학출판사、二〇〇九년、一三三면、一五八면、二〇七면。

☆6 同書一四七면。

☆7 Ruth Benedict, *Race: Science and Politics*, University of Georgia Press, 1940.〔ルース・ベネディクト『人種主義——批判的考察』筒井清忠、寺岡伸悟、筒井清輝訳、名古屋大学出版会、一九九七〕および、장태한『흑인：그들은 누구인가』、한국경제신문사、一九九三を参照。

☆8 Erving Goffman, *Stigma*, Prentice-Hall 1963, pp. 1-5.

☆9 김일성「인민정권기관 일꾼들 앞에서 한 연설」（一九七八년四월二〇일）、『김일성저작집』三三권、평양：조선로동당출판사、一九八七。

☆10 伊藤亜人、前掲書、五二頁。

☆11 伊藤亜人、同書、五四頁。

☆12 북한연구학회 편『북한의 여성과 가족』、경인문화사、二〇〇六を参照。

☆13『조선녀성』一九八九년 四월호、五면。

☆14 어린이의약품지원본부「북한 여성의 임신 및 출산과 건강에 관한 보고서」、二〇〇五。

☆15 정진경「북한사람들의 성역할 특성과 가치관：탈북자 자료」、『한국심리학회지：일반』제二一권 二호（二〇〇二）、一六三～七七면。

☆16 조지 오웰『１９８４』、정희성 옮김、민음사、二〇〇三〔George Orwell, *Nineteen Eighty-Four*, Penguin Books,

2005〕、조지 오웰『나는 왜 쓰는가：조지 오웰 에세이』、이한중 옮김、한겨레출판、二〇一〇〔George Orwell, *Why I write*, Penguin Books, 2005〕。

☆17 한나 아렌트『예루살렘의 아이히만』、김선욱 옮김、한길사、二〇〇六〔ハンナ・アーレント『エルサレムのアイヒマン』、大久保和郎訳、みすず書房、一九六九年〕参照。

第七章

☆1 강주원『나는 오늘도 국경을 만들고 허문다』、글항아리、二〇一三〔姜柱源『中朝国境都市・丹東を読む——私は今日も国境を築いては崩す』、市村繁和訳、緑風出版、二〇二二〕および『압록강은 다르게 흐른다：문화인류학자의 눈으로 본、국경과 국적을 넘어 아웅다웅 살고 오순도순 지내는 사람들 이야기』、눌민、二〇一六を参照。

☆2 朝鮮辺境貿易の専門会社による市場調査代行およびコンサルティング広告『２０１４年丹東電話番号簿』、産業案内面。

☆3 伊藤亜人、前掲書、四三四～三五頁。

☆4 Caroline Humphrey, *The Unmaking of Soviet Life: Everyday Economies after Socialism*, Cornell University Press, 2002.

☆5 홍민「북한 시장일상생활연구：그로테스크와 부조리극〈사이〉에서」、박순성・홍민 엮음、『북한의 일상생활세계：외침과 속삭임』、한울、二〇一〇、二九二～三六二면。

☆6 伊藤亜人、前掲書、四三四～三六頁。

☆7「우리의 승리를 굳게 믿는다」、『로동신문』、二〇一〇년一월一일자「정론」。金正日は三年以内にこの目標を実現すると主張したが、二〇一一年十二月に死去した。

☆8『로동신문』二〇〇七년一월七일자。

☆9『조선중앙통신』二〇一〇년一〇월一七일자。

☆10「〈ＫＢＳ스페셜〉３代세습、지금 북한에서 무슨일이 일어나고 있나」、ＫＢＳ１ＴＶ、二〇〇九년六월二八일。

☆11　伊藤亜人、前掲書、三八七〜四〇四頁。

☆12　정병호「남과 북 아이들 어떻게 키울까?」、『개똥이네 놀이터』二〇〇七년一월호「권두언」、보리

☆13　요한 하위징아『중세의 가을』、이종인 옮김、연암서가、二〇一七〔ヨハン・ホイジンガ『中世の秋Ⅰ』『中世の秋Ⅱ』、堀越孝一訳、中央公論新社、二〇〇一〕。

☆14　慈江道の都市出身の一九六三年生まれの女性のお正月についての口述。최학락「북한 설날의 소비와 선물 연구：의무와 위반의 매개로서 술」、한국문화인류학회二〇一九년 추계학술대회 발표문 再引用。

☆15　미하일 바흐찐『프랑수아 라블레의 작품과 중세 및 르네상스의 민중문화』、이덕형・최건영 옮김、아카넷、二〇〇一〔ミハイール・バフチーン『フランソワ・ラブレーの作品と中世およびルネッサンスの民衆文化』、川端香男里訳、せりか書房、一九八〇〕。

☆16　최진석『민중과 그로테스크의 문화정치학：미하일 바르친과 생성의 사유』、그린비、二〇一七。

☆17　相手が無礼な質問をする困った状況になったら、逆に本質的な質問を返せという内容のコラム〔김영민「추석이란 무엇인가?」『아침에는 죽음을 생각하는 것이 좋다』、어크로스、二〇一八〕参照。

☆18　오현철『선군령장과 사랑의 세계』、평양：평양출판사、二〇〇五。

☆19　이명자『김정일 통치 시기 가족 멜로드라마 연구：북한 근대성의 변화를 중심으로』、동국대학교 대학원 연극영화학 박사학위논문、二〇〇五、一一七〜一二二면。

☆20　Michel de Certeau, *The Practice of Everyday Life*, University of California Press, 1984.

☆21　James Scott, *Weapons of the Weak: Everyday Forms of Peasant Residence*, Yale University Press 1985.

☆22　David W. Plath, *Long Engagement*, Stanford University Press, 1980.

☆23　Susan Pharr, *Political Women in Japan*, University of California Press, 1981, 144-47p.

おわりに

☆1　ロバート・フロスト「選ばれなかった道」の一部〔川本皓嗣編『対訳フロスト詩集——アメリカ詩人選（4）』、

岩波書店、二〇一六〕。

☆2　정병호「北은 김정은、南은 박근혜?: 우리는 바꿀 수 있다!」、『프레시안』二〇一二년 一二월 一四일자（http://www.pressian.com/news/article.timl?no=40141）。

☆3　다니엘 튜더『기적을 이룬 나라 기쁨을 잃은 나라』、노정태 옮김、문학동네、二〇一三〔Daniel Tudor, *Korea: The Impossible Country*, Tuttle Publishing, 2012〕。

訳者あとがき

韓国・漢陽大学の名誉教授である鄭炳浩先生（以下、著者）は、フィールドワークを軸にした研究と教育に長年取り組んできた実践的人類学者である。「訳者あとがき」を書くにあたって私と著者の出会いについて簡単に触れておきたい。訳者の一人である私と著者との出会いは四半世紀前にさかのぼる。本書の内容でも述べられている通り、北朝鮮は当時、慢性的な食糧不足危機に陥っていて、国連、各国政府、NGO等が北朝鮮に対する人道支援活動に取り組んでいた。私は、博士前期課程に在学していた大学院生で「なぜ、国交のない北朝鮮に対して日本のNGOは人道支援を展開するのか」というテーマの修士論文を執筆するために日本のNGOに関わり様々な会議に参加したり、企画を手伝っていた。

一九九八年「北朝鮮人道支援日韓NGOフォーラム」の会場で私が出会った著者は、当時四三歳の新進気鋭の人類学者であり実践的な社会運動家であった。「あんな大人になりたい……」「あんなアクティビストになりたい……」「あんな博士になりたい……」「あんな大学教員になりたい……」そんな思いで当時二〇代半ばの著者は憧れを抱いた。

それから四半世紀の時が流れた。交流の度合いにはもちろん波があったが、かつての憧憬は今も変わらず、私は五〇歳の大学教員になり、著者は二年前に大学を定年退職して名誉教授になった。退職後においても著者の学問と社会実践に対する情熱が衰える気配はない。

本書を最初に目にしたのは、韓国語版の原著が刊行される一か月ほど前、日本に関する記述も含まれているので「セカンド・オピニオン」をもらえないかと著者から頼まれたのがきっかけだった。二〇一九年の暮れのことである。ＰＤＦ原稿をダウンロードしてから読了するまで一日か二日もかからなかったと記憶している。韓国語版を読み終えるやいなや「この本を日本語に翻訳してみたい」という衝動を抑えられない自分がいた。

私は人類学者ではないが、参与観察やアクション・リサーチの方法論を活用し、また実学的な市民社会研究や平和研究に取り組む人間である。研究と実践の境界線も不明瞭であり、私の著作や論文は実証研究に基づくものばかりである。そのような「お断り」を加えたうえで本書を訳したいと思った理由を、もう少しだけ詳しく「読者への解題」のような位置づけで述べてみたい。

＊

繰り返すまでもなく、日本における北朝鮮関連の書物や映像は、政治的なバイアスがかかりやすい。学術的な研究であっても中立的な視座、もしくは純粋な研究としてとらえられるものはごく僅かである。つまり、思想的またはイデオロギー的な視座によってレッテルを貼られているものが多い。

私が本書の日本語訳が必要だと強く感じたのは、本書には巷に氾濫する北朝鮮情報の限界を乗り越えるヒントが散りばめられているからだ。一言でまとめれば、批判だけでもなく、擁護だけでもなく、「あの国、あの地に暮らす人びとの行動パターン」を理解するメガネを提示してくれている。本書は人文学術書であり、同時に一般教養書でもあるため、初学者や一般市民が親しみやすいスタイルで記述されている。何よりも実践体験を通じて知りえた北朝鮮の人々の声と彼らへの共感《エンパシー》がじわじわと伝わる。本書を通じて北朝鮮の「声なき声」の一部が伝わってくる。本書は隣国の人々の日常を知るために有益な一冊だ。

たとえば、第一章には食糧危機が続く一九九〇年代後半、北京のホテルで著者が韓国NGOの人道支援チームのメンバーとして、北朝鮮代表団と支援物資をめぐる協議をした時のエピソードがつづられている。支援する側、支援してもらう側の構図といった常識を覆す、北朝鮮代表団の言動は、メディアから伝わる北朝鮮政府の対応の縮図であることが暗に伝わってくるのだが、そこから「演じる」といった「行動をとらざるを得ない」北朝鮮代表団の苦悩をも著者は読み取っている。

そして後日、脱北少年の行動パターンを著者がデジャブのような形で体験することで、このような行動が社会的または「文化的」に学習されていく北朝鮮独自の生活様式であることを読者たちに伝えていく。要するに、私たちはメディアで政権や体制による大きな物語に接しているが、そのような言動は「劇場国家」的な仕組みのもとで展開される「ドラマ」でもあり、そこには役者としての政府高官、軍人、さらに人民が存在するという枠組みを提示してくれる。

同時に、本書は北朝鮮の変化にも注目している。金正恩体制以降、北朝鮮が「国際社会」なかでもアメリカとの交渉のために取ってきた独特の行動様式の「理解」にとどまらず、どのような行動が次に来るのだろうかという「予測」または「推測」のヒントを読者に与えてくれる。つまり、「非理性の国」「対話が不可能な国」などといった結論で終わってしまう「北朝鮮理解（不能）論」というロジックを打ち砕く。

「苦難と微笑」という言葉に表れているとおり「AとB」という概念の並置が随所に現れる。この「AとB」の関係は、矛盾あるいは排他的な関係であることが多く、その両者の矛盾や排他性が結びついていると知った上で、北朝鮮（人）の生活様式や行動パターンを「理解」すべきだという教えを読者に与えてくれる。その生活様式や行動パターンが「妥当」「正当」であるかは別の問題であるが、少なくともその背景の理解を助けてくれる本である。

＊

著者には到底およばないが、私も一応「大学教員」で生計を立てている実践的研究者である。したがって、一冊の翻訳に要する労力が、数本の論文、否、一冊の単行本以上であることを誰よりも知っている。にもかかわらず、本書を日本の読者にも伝えたいと直感的に思ってしまい、「大変だけど翻訳する」という「茨道」を自ら選んでしまった。そして市民活動で長年お世話になっている徐淑美さんを「道連れ」にしてしまった。申し訳ない気持ちと感謝の気持ちが交錯している。

商業出版という形で世に出すまでには想像以上の「苦難」があり「微笑」ではなく「苦笑」の連続であった。出版社を探す作業から校了までコロナ禍の時代に進んだ。そのプロセスを「苦」とせずに引き受けてくださった青土社編集部の前田理沙さんと篠原一平さんに御礼を申し上げたい。また、翻訳のために研究会を一〇回以上も開き、徐淑美さんをはじめここでは氏名公表を控えさせていただいている多くの方々から貴重なご助言を頂いた。重ねて御礼申し上げたい。出版プロジェクトを支えてくださった早稲田大学韓国学研究所ならびに韓国国際交流財団にも感謝の意を表したい。

何よりも嬉しいことは鄭炳浩先生との距離が以前よりも縮まったことだ。そして刊行を控えている今の私が抱く気持ちは、第一章の第一文に現れている。「みなさん、やっと苦の先に楽が見えてきました」という文だ。そう、訳書の刊行によって私たちにも「苦難」の末に「微笑」が訪れたのである。

最後に余談であるが、本書では「웃음」を「微笑」と訳した。しかし、北朝鮮の人びとの「笑い」には「微笑」だけでなく「失笑」「苦笑」「憫笑」「冷笑」など様々な「笑い」の意が内包されている気もする。「微笑」以外の様々な「笑い」や「笑み」も想像しながら読んでいただけたら幸いである。

二〇二二年八月吉日

訳者を代表して　金　敬黙

図版出典・提供者一覧

本書は次の団体および著作権者から許諾を得ています。

図版を提供してくださった皆様に心より感謝申し上げます。

収録されている図版は大部分が著作権者からの使用許諾を得ていますが、一部著作権者を見つけられていない場合は、確認でき次第許諾を得る予定です。

第一章
P25 ミサイルとアイドル　우리민족끼리 홈페이지
P34 うりふたつです　（左）연합뉴스、（右）김명호

第二章
P61 私たちは幸せです　선무（「우리는 행복해요 we are happy」, oil on canvas, 2008）
P73 にっこり笑おう　통일뉴스
P81 豆乳車は王さまの車　통일뉴스

第三章
P102 万景台革命学院を訪問された将軍《チャングンニム》　박영철『민족의 어버이』평양：평양출판사, 2012, 90면
P106 遺児たちの親になって　同書12면
P110 ポーランドに渡った戦争孤児　커넥트픽쳐스（다큐멘터리영화「포란드로 간 아이들」, 추상미 감독, 2018〔「ポーランドへ行った子どもたち」、チュ・サンミ監督、2018〕）

第四章
P142 父なる大元帥《テウォンスニム》は永遠にわれらの太陽　정병호
P150 太陽記念建築　정병호
P152 ふたつの太陽像　우리민족끼리 홈페이지
P165 正日峰誕生説話　조선화보사『영광의 50년』평양：조선화

보사, 1995, 27면

第五章

P184 敵を憎む心　AP Photo / Kim Kwang Hyon

P223 食料難民列車

P225 行く道は険しくても、笑顔で行こう　김상순『주체예술의 빛나는 화폭』평양：평양예술종합출판사, 2001, 10면

P227 背のばし運動　AP Photo / Wong Maye-E

P240 大韓民国のコメ　연합뉴스

第六章

P248 平壌決死守護　정병호

第七章

P290 丹東税関と輸出入商店街　정병호

P304 生活経済の主役は女性　（上）東京新聞／城内康伸、（下）정진경

P318（上）黎明通り　우리민족끼리홈페이지、（下）ハーモニカ住宅　정병호

P322 ゴムとびのゴムを切って逃げるいたずらっ子　임종진

P336（上）少年団の入団式、（下）白頭山への道を踏み出す行軍の列　최기만・정춘종『태양과 청춘』, 평양：금성청년출판사, 1999, 162면

［著者］**鄭炳浩（チョン・ビョンホ）**

1955年ソウル生まれ。博士（人類学）。漢陽大学名誉教授。元韓国文化人類学会長。米国イリノイ大学で人類学の博士号を取得。専門は文化変動論、実践人類学。韓国の共同保育と共同体教育運動を導きながら、北朝鮮の子どもの飢餓救護活動、脱北青少年教育支援に関わる。共著に*North Korea: Beyond Charismatic Politics*, Rowman & Littlefield Publishers, 2012（鄭炳浩、権憲益著、趙慶喜訳『「劇場国家」北朝鮮――カリスマ権力はいかに世襲されたのか（仮）』近刊、法政大学出版局）がある。

［訳者］**金敬黙（キム・ギョンムク）**

早稲田大学文学学術院教授。専門は現代アジアの政治・社会・文化。韓国外国語大学卒業後、東京大学大学院修了。著書に『越境するNGOネットワーク』（明石書店、2008年）、編著に『教養としてのジェンダーと平和』（法律文化社、2016年）、『越境する平和学』（法律文化社、2019年）などがある。

［訳者］**徐淑美（ソ・スンミ）**

東京生まれ。市民団体職員。大学在学中に韓国への交換留学を経て、日本と朝鮮半島の交流事業に関わる。

人類学者がのぞいた北朝鮮

苦難と微笑の国

2022 年 10 月 10 日 第 1 刷発行
2023 年 2 月 20 日 第 2 刷発行

著者――鄭炳浩
訳者――金敬黙＋徐淑美

発行者――清水一人
発行所――青土社

〒 101-0051　東京都千代田区神田神保町 1-29　市瀬ビル
［電話］03-3291-9831（編集）　03-3294-7829（営業）
［振替］00190-7-192955

組版――フレックスアート
印刷・製本――ディグ

装幀――北田雄一郎

ISBN978-4-7917-7393-0 C0030
Printed in Japan